Vertrouwelijke zaken

Donna Leon

Vertrouwelijke zaken

2005 – De Boekerij – Amsterdam

Oorspronkelijke titel: Blood From a Stone (Heinemann)
Vertaling: Renée Milders Dowden
Omslagontwerp en -beeld: marliesvisser.nl

Derde druk

ISBN 90-225-4108-8

Voor Gesine Lübben

Weil ein Schwarzer hässlich ist.
Ist mir denn kein Herz gegeben?
Bin ich nicht von Fleisch und Blut?

En dus beschouwt men een Moor als lelijk.
Heb ook ík dan geen hart gekregen?
Ben ook ík niet van vlees en bloed?

– *Die Zauberflöte,* Mozart

1

DE TWEE MANNEN LIEPEN ONDER DE HOUTEN BOOG DOOR DIE naar het Campo Santo Stefano leidde. Dankzij de gekleurde kerstverlichting die boven hen hing, hadden ze wat weg van harlekijnen. Uit de kramen van de kerstmarkt stroomde helderder licht. De kooplui en de producenten van de uitgestalde waar kwamen uit verschillende streken van Italië. Ze deden hun uiterste best om het winkelende publiek te verleiden met hun lokale producten: kazen met donkere korst, flinterdun Sardijns brood, olijven in alle geuren en kleuren, gekweekt op het gehele schiereiland Italië; Toscaanse olie en kaas, salami's van diverse lengte, doorsnee en samenstelling uit Reggio Emilia. Zo nu en dan hield een van de standhouders een korte lofzang op de kwaliteit van zijn waar. 'Signori, proef mijn kaas en pas dán weet u wat hemels is!' 'Het is laat en ik wil eten. Slechts negen euro per kilo. Op is op!' 'Proef deze *pecorino* toch eens, signori! Betere vindt u nergens.'

De twee mannen liepen langs de kramen, doof voor de verlokkingen van de kooplui, blind voor de piramides van salami's die aan het einde van de toonbanken waren opgesteld. De mensen die op de valreep nog wat wilden aanschaffen – door de kou waren het er niet erg veel – kochten spullen waarvan ze wel vermoedden dat die bij de winkel op de hoek goedkoper en van betere kwaliteit waren, maar hier inkopen doen hoorde nu eenmaal bij de feestdagen. Daarbij, was de aanschaf van volstrekt nutteloze zaken geen bewijs van welvaart en eigenzinnigheid?

Aan het andere eind van het *campo*, nog voorbij de laatste, geprefabriceerde houten stalletjes, bleven de mannen staan. De grootste van de twee keek op zijn horloge, hoewel ze allebei al naar de klok op de kerktoren hadden gekeken. De officiële slui-

7

tingstijd van de markt, halfacht, was al ruim een kwartier over-schreden, maar dankzij de kou lag het niet voor de hand dat iemand zou komen controleren of de kramen wel op tijd gesloten waren. '*Allora?*' vroeg de kleinere man, die even naar zijn kompaan opkeek.

De grootste van de twee trok zijn handschoenen uit, vouwde ze netjes op, stopte ze in de linkerzak van zijn winterjas en stak zijn handen in zijn zakken. De andere deed hetzelfde. Ze hadden allebei een hoofddeksel op; de lange een donkergrijze Borsalino en de ander een bontmuts met oorkleppen.

Ze bogen hun hoofd om de kou uit hun gezicht te houden en liepen met gekromde ruggen, de handen in hun zakken, door. Op twintig meter van het laatste stalletje waren kleine groepjes zwarte mannen aan beide kanten van de straat bezig lakens neer te leggen. Op iedere hoek van het laken lag een tas die ervoor moest zorgen dat het laken bleef liggen. Zodra ze precies lagen zoals ze wilden, pakten ze nog meer tassen uit enorme plastic zakken die her en der om hen heen stonden.

Een tas van Prada hier, een Gucci daar en daartussenin een Louis Vuitton; de tasjes lagen op innige, haast promiscue wijze bij elkaar in een variatie zoals men die normaal gesproken alleen maar ziet in winkels die groot genoeg zijn om alle concurrerende merken te kunnen voeren. Behendig, met een snelheid die je alleen hebt na veel ervaring, knielden of bukten de mannen om hun waren netjes op het laken uit te stallen. Sommigen legden ze in een driehoek, anderen gaven de voorkeur aan nette, rechte rijen. Een frivole verkoper legde ze in een cirkel, maar toen hij een stap naar achteren deed en eens goed keek, zag hij dat een flink formaat Prada schoudertas de symmetrie verstoorde. Vlug veranderde hij de opstelling en legde ze in rechte rijen neer, waarbij hij de Prada in de hoek linksachter legde, zodat de tas het laken in het gareel zou houden.

Zo nu en dan zeiden de zwarte mannen iets tegen elkaar, het soort gesprekken dat mensen die met elkaar werken voeren om de tijd door te komen: dat hij de nacht ervoor slecht had geslapen, dat het koud was, dat hij hoopte dat zijn zoon voor het toelatingsexamen was geslaagd, dat ze hun vrouw misten. Toen ze tevreden waren met de opstelling van de koopwaar, stonden ze op en gingen ze achter het laken staan. De meesten gingen bij een hoek staan, zodat ze hun gesprek met de collega naast hen konden voortzetten. Ze waren over het algemeen lang en slank. Wat er

8

zichtbaar was van hun huid, gezicht en handen, was van dat glimmende zwart van Afrikanen wier voorouders niet in contact waren geweest met blanken. Of ze zich nou bewogen of niet, ze straalden uit dat ze niet alleen een goede fysieke conditie hadden, maar ook levenslustig waren. Alsof het gegeven dat ze in de bittere kou nagemaakte merktassen aan toeristen probeerden te slijten, het leukste was wat ze voor die avond konden bedenken.

Tegenover hen stond een groepje mensen te kijken naar drie straatmuzikanten, twee violisten en een cellist. Het stuk dat ze speelden, klonk even barok als vals, maar omdat de muzikanten jong waren en met veel enthousiasme speelden, was het groepje dat naar hen luisterde meer dan tevreden. Een paar mensen, en dat waren er niets eens zo weinig, deden een stap naar voren en gooiden een muntstuk in de open vioolkist die voor de musici op straat lag.

Het was nog vroeg, waarschijnlijk iets te vroeg voor veel handel, maar punctualiteit is voor een straatventer een vereiste en dat betekende dat ze paraat moesten zijn zodra de winkels sloten. Vandaar dat om tien voor acht, op het moment dat de twee mannen aan kwamen lopen, alle Afrikanen achter hun laken op de eerste klanten stonden te wachten. Ze verplaatsten hun gewicht van de ene voet op de andere en zo nu en dan bliezen ze op hun in elkaar geslagen handen in een tevergeefse poging om ze warm te krijgen.

De twee blanke mannen bleven staan bij de eerste van de rij lakens. Het leek wel alsof ze met elkaar praatten, maar geen van beiden zei wat. Ze stonden er met gebogen hoofd, hun gezicht uit de wind, maar af en toe keek een van hen op en liet zijn blik over de rij Afrikanen glijden. De grootste van de twee legde zijn hand op de arm van de andere man, gebaarde met zijn hoofd in de richting van een van de verkopers en zei iets. Net toen hij sprak, kwam er een flinke groep oudere mensen aangelopen. Ze hadden stuk voor stuk sportschoenen aan en waren gehuld in dikke donzen jacks, een combinatie waardoor ze op gerimpelde kleuters leken. Ze kwamen de hoek van de kerk om en liepen in de trechter die was ontstaan door de straatmuzikanten aan de ene en de Afrikanen aan de andere kant. De mensen die vooropliepen, wachtten even op de tragere lieden en toen de groep weer bij elkaar was, liepen ze door. Ze lachten, praatten geanimeerd en moedigden elkaar aan de tassen te bekijken. Rustig, zonder duwen of voor te dringen, stonden ze drie rijen dik voor de Afrikanen en hun koopwaar. De langste van de twee mannen begon richting toeristen te lopen, zijn metgezel vlak achter zich. Ze bleven staan bij het drie na laatste laken, aan de kant van de kerk, achter twee oudere echtparen die naar de tassen op de grond wezen en naar de prijzen informeerden. Aanvankelijk had de verkoper de twee mannen niet in de gaten omdat hij druk was met het beantwoorden van de vragen van potentiële klanten, maar opeens zweeg hij en werd gespannen, als een dier dat op de wind een vleug gevaar opsnuift.

De Afrikaan van het volgende laken merkte dat zijn collega was afgeleid en rook zijn kans. Het schoeisel van de groep zei hem dat hij Engels moest spreken, dus hij begon: 'Gucci, Missoni, Armani, Trussardi. *I have them all, ladies and gentlemen. Right from factory.*' Zijn tanden schitterden in het schaarse licht.

Drie andere mensen uit de groep gingen voor de twee mannen staan om zich bij hun reisgenoten aan te sluiten. Enthousiast becommentarieerden ze de tassen en verdeelden hun aandacht gelijkelijk over de twee lakens.

De grootste man knikte even en meteen daarop deden ze een paar stappen naar voren, waardoor ze vrijwel op één lijn kwamen te staan met de Amerikanen die vooraan stonden, maar nog net een pas achter hen. Toen de Afrikaan het tweetal zag, draaide hij zich op één voet om en maakte aanstalten zich van zijn laken, de toeristen en de twee mannen te verwijderen. Zodra de Afrikaan zich bewoog, haalden de twee mannen hun rechterhand uit hun zak, heel soepel en geoefend, waardoor ze hoegenaamd geen aandacht op zich vestigden. Ze hadden ieder een pistool, de loop verlengd met een geluiddemper. De grote man vuurde als eerste en het enige wat te horen was, was een drietal korte, doffe knallen, gevolgd door twee schoten uit het wapen van de andere man. De straatmuzikanten waren tot aan het eind van het *allegro* gevorderd en hun klanken, plus het gekwetter van de toeristen, maakten dat het nauwelijks te horen was. Desondanks keken de Afrikanen die naast het slachtoffer stonden meteen opzij.

Nog even strompelde de straatventer weg van de mensen die voor zijn laken stonden, maar geleidelijk werden zijn bewegingen trager. De twee mannen, hun wapens weer in de jaszak, verwijderden zich van de toeristen, die beleefd plaats voor hen maakten. De mannen gingen ieder huns weegs; de ene liep in de richting van de Accademia en de andere naar Santo Stefano en de Rialto. Al snel verdwenen ze tussen de voetgangers.

De straatventer maakte een rochelend geluid en stak een arm

naar voren. Zijn lichaam beschreef een halve cirkel, waarna hij in-eenzakte en op zijn tassen viel.

Als gazellen die in paniek raken en bij het eerste sein van gevaar wegvluchten, bleven de andere verkopers even als aan de grond genageld staan, maar vrijwel meteen brak de hel los. Vier van hen lieten hun waar voor wat die was en sprintten naar de *calle* die naar de San Marco voerde; twee van hen namen nog de tijd om een aantal tassen mee te graaien voor ze naar de brug renden die naar het Campo San Samuele leidde. De vier overigen lieten de hele santenkraam achter en renden naar de Accademia, waar ze de collega's waarschuwden die daar hun lakens hadden uitgespreid. Ze renden allemaal de brug over. Toen ze aan het eind kwamen, verspreidden ze zich en verdwenen in de *calli* van de wijk Dorso-duro.

Een dame met wit haar stond pal voor het laken toen de verko-per ineenzeeg. Toen ze hem zag vallen, riep ze haar man, die ergens achter haar stond, en hurkte naast het slachtoffer. Ze zag bloed vanonder hem uitstromen en het laken rood kleuren. Haar echt-genoot, gealarmeerd door het geroep en het feit dat ze op haar hurken zat, drong naar voren en knielde naast haar neer. Hij sloeg een beschermende arm om haar schouder en zag de man op de tas-sen liggen. Hij voelde aan de halsslagader van de Afrikaan, liet zijn vinger er een paar seconden rusten, waarna hij zijn hand te-rugtrok en vanwege zijn oude botten wat moeizaam overeind kwam. Hij boog zich over zijn vrouw en hielp haar opstaan.

Ze keken om zich heen, maar zagen niet meer dan de verbijster-de gezichten van de mensen in hun reisgezelschap. Beurtelings staarden ze met open mond naar de man die op het laken lag en naar elkaar. Op de stoep, aan beide kanten van de straat, lagen nog rijen lakens, grotendeels bedekt met keurig gerangschikte tas-sen. Terwijl de mensenmenigte langzaam uiteenviel, hielden de straatmuzikanten op met spelen.

Het duurde nog een paar minuten voor de eerste Italiaan erbij kwam staan en doorhad wat er aan de hand was. Zodra hij de Afrikaan zag, het laken en het bloed, pakte hij zijn *telefonino* uit zijn jaszak en belde het alarmnummer.

2

De politie was ter plekke binnen een tijdsbestek dat de Italianen hooglijk verbaasde, maar de Amerikanen juist mateloos irriteerde. Volgens een Venetiaan is er niets mis met een halfuur voor het regelen van een boot, een team van de technische recherche, het bij elkaar krijgen van allerhande politiemensen en naar het Campo Santo Stefano komen. Toen het halfuur was verstreken, waren de meeste Amerikanen al geërgerd uitgezwermd, met de belofte dat ze elkaar in het hotel zouden treffen. Niemand nam de moeite de plaats delict te beschermen, dus tegen de tijd dat de politie eindelijk acte de presence gaf, waren de meeste tassen die op de lakens hadden gelegen al verdwenen, waaronder zelfs een paar exemplaren van het laken met de Afrikaan. Een dief van de koopwaar van de dode had voetafdrukken op het laken achtergelaten en in de richting van de Rialto liep zelfs een bloedig spoor van de hakken van een andere.

De eerste politieman ter plaatse, Alvise, liep op de mensen af die nog bij het lijk stonden en zei hun dat ze ruimte moesten maken. Hij liep naar het lichaam op het laken en stond daar maar, alsof hij niet wist wat hij moest doen nu hij er eindelijk was en het slachtoffer zag liggen. Een van de mensen van de technische recherche vroeg hem een stap opzij te doen en zette een houten paaltje neer, toen nog een, en nog een totdat hij een cirkel om het laken had gevormd. Hij pakte een rol rood-met-witgestreepte tape uit een van de gereedschapskisten die zijn collega's hadden meegebracht en trok de tape door de stalen ringen op de paaltjes totdat hij een duidelijke scheiding had aangebracht tussen het lichaam en de rest van de wereld.

Alvise liep op een man af die bij de kerktreden stond en vroeg hem gebiedend: 'Wie bent u?'

'Riccardo Lombardi,' antwoordde de man. Hij was lang, rond de vijftig en goed gekleed. Hij had het air van iemand die vanachter een bureau bevelen uitdeelde, was Alvises eerste indruk.

'Wat doet u hier?' vroeg Alvise nog steeds op dezelfde toon.

De man was zo te zien niet erg gelukkig met de manier waarop hij werd toegesproken en zei: 'Ik kwam hierlangs en zag al die mensen staan kijken, dus ik ben ook maar blijven staan.'

'Hebt u gezien wie dit gedaan heeft?'

'Wát gedaan heeft?'

Alvise besefte dat hijzelf ook geen idee had wat er was gebeurd. Hij wist alleen dat er bij de Questura een telefoontje was binnengekomen met de melding dat er een dode zwarte op het Campo Santo Stefano lag.

'Kunt u zich identificeren?' vroeg Alvise.

De man pakte zijn portefeuille en haalde er zijn *carte d'identità* uit. Zwijgend gaf hij Alvise het kaartje aan, die er even naar keek en het toen teruggaf.

'U hebt niets gezien?' vroeg hij, nog steeds even gebiedend.

'Ik heb u al gezegd dat ik langsliep, die mensen hier allemaal zag staan en even heb staan kijken, agent. Dat is alles.'

'Goed. U kunt gaan,' zei Alvise op een manier die duidelijk maakte dat de man in feite weinig keus had. Alvise keerde hem de rug toe en ging terug naar het politieteam. De fotografen waren hun spullen al weer aan het inpakken. 'Iets gevonden?' vroeg hij aan een van de collega's van de technische recherche.

Santini, die op zijn knieën zat en met gehandschoende handen de stoeptegels aftastte op zoek naar patroonhulzen, keek op naar Alvise, antwoordde 'een lijk' en hervatte zijn werkzaamheden.

Alvise liet zich door dat antwoord niet uit het veld slaan en pakte zijn opschrijfboekje uit de binnenzak van zijn jack. Hij sloeg het open, pakte een ballpoint en noteerde *Campo Santo Stefano*. Hij las na wat hij had opgeschreven, keek op zijn horloge, voegde er *20.58 uur* aan toe, knipte de ballpoint dicht en stopte zowel het opschrijfboekje als de ballpoint weer in zijn zak.

Rechts van hem hoorde hij een bekende stem. 'Wat hebben we hier, Alvise?'

Alvise bracht zijn hand bij wijze van salueren omhoog en antwoordde: 'Ik weet het niet precies, commissario. Er kwam een melding binnen dat er hier een dode was gevallen, dus zijn we meteen maar hierheen gegaan.'

Zijn superieur, commissario Guido Brunetti, zei: 'Dat begrijp ik, Alvise. Hoe is de man aan zijn eind gekomen?'

'Dat weet ik niet, meneer. We wachten nog op de dokter.'

'Wie komt er?' vroeg Brunetti.

'Hoe bedoelt u, meneer?' vroeg Alvise, die het allemaal niet meer kon volgen.

'Welke dokter heeft er dienst? Wie komt er?'

'Geen idee, meneer. Ik had het zó druk met het formeren van een team dat ik ze op de Questura heb gevraagd een van de artsen te waarschuwen.'

Nog voor Brunetti kon doorvragen, werd het probleem opgelost door de komst van dottor Ettore Rizzardi, *medico legale* van de stad Venetië.

'*Ciao*, Guido,' zei Rizzardi terwijl hij zijn tas in zijn linkerhand nam en Brunetti zijn rechterhand bood. 'Wat is hier aan de hand?'

'Een dode,' zei Brunetti. 'Ik werd thuis gebeld en heb alleen gehoord dat er iemand vermoord was, meer niet. Ik ben er nog maar net.'

'Dan moest ik maar 's even kijken,' zei Rizzardi die zich omdraaide en naar het gemarkeerde stukje straat keek. 'Heb je al collega's gesproken?'

'Nee, nog niemand.' Alvise telde zoals gewoonlijk niet mee.

Rizzardi bukte zich, steunde met één hand op de straat, kroop onder de tape door en hield die op zodat Brunetti er gemakkelijk onderdoor kon. De dokter wendde zich tot een van de mensen van de technische recherche en vroeg: 'U hebt al foto's genomen?'

'Ja, dottore,' antwoordde de man. 'Van alle hoeken.'

'Nou, daar gaat-ie dan,' zei Rizzardi en hij zette zijn tas neer. Hij pakte twee paar latex operatiehandschoenen uit de tas, richtte zich op en gaf Brunetti een paar. Terwijl ze de handschoenen aantrokken, vroeg de dokter: 'Heb je zin me een handje te helpen?'

Ze gingen aan weerskanten van de dode op hun knieën zitten en zagen niet meer dan zijn handen en de rechterkant van zijn hoofd. Brunetti verbaasde zich erover hoe zwart de man was, maar hij besefte meteen dat zijn verbazing nergens op sloeg. Wat anders had hij verwacht van een Afrikaan? In tegenstelling tot de Amerikaanse zwarten, mensen die in tint varieerden van bruin tot koperkleurig, was deze man zo zwart als gepolitoerd ebbenhout.

Samen brachten ze hun handen onder de man en legden hem op zijn rug. De vinnige kou had het bloed al doen stollen. Hun knieën hielden het laken tegen, maar toen ze hem omdraaiden, bleef zijn jack aan de stof kleven. Toen het jack van zowel het lichaam als het laken loskwam, maakte dat een vreemd, zuigend geluid. Van schrik liet Rizzardi de schouder van de man los, waarop Brunetti zonder iets te zeggen de schouder die hij vast had ook maar liet zakken.

Op het jack van de man zat een aantal harde, opstaande punten gestold bloed. Het leek wel het werk van een banketbakker die zich met de roomspuit had uitgeleefd op een verjaardagstaart.

'Sorry,' zei Rizzardi tegen Brunetti, of misschien wel tegen de dode man. Hij zat nog steeds op zijn knieën en met de vinger in de operatiehandschoen voelde hij aan de gaten in het jack. 'Vijf,' zei hij. 'Zo te zien wilden ze hem echt dood hebben.'

Brunetti zag dat de ogen van de man openstonden, net als zijn mond, versteend door de paniek die hem bij het eerste schot was overvallen. Het was een goed uitziende jonge kerel met tanden die prachtig contrasteerden met de glanzende huid. Brunetti tastte in de rechterzak van het jack, daarna in de linkerzak. Hij vond wat kleingeld en een gebruikte zakdoek. In de binnenzak zaten twee sleutels, een paar briefjes van vijf en tien euro en een *ricevuto fiscale* van een café in de wijk San Marco, waarschijnlijk van een van de bars aan het *campo*. Dat was alles.

'Wie wil er nou een *vú cumprá* om zeep helpen?' vroeg Rizzardi terwijl hij opstond. 'Alsof die arme donders niet genoeg zorgen hebben.' Hij bekeek de man die op de grond lag aandachtig en ging verder: 'Ik kan zo op het oog niet exact zeggen waar ze hem geraakt hebben, maar drie kogelgaten zitten redelijk dicht bij de hartstreek. Eentje had waarschijnlijk al volstaan.' Hij propte de handschoenen in zijn zak en zei: 'Een beroeps, denk je ook niet?'

'Het heeft er alles van weg,' antwoordde Brunetti, zich ervan bewust dat dit het nog verwarrender maakte. Hij had zich nooit in het probleem van de *vú cumprá* verdiept omdat maar heel weinig van hen zich met ernstige delicten bezighielden en in het zeldzame geval dat dat wél zo was, waren andere commissario's op de zaak gezet. Het merendeel van zijn collega's – eigenlijk het merendeel van alle ingezetenen van de stad – was de mening toegedaan dat de mannen uit Senegal de georganiseerde misdaad van Venetië in handen hadden. Men zei dat ze altijd betrekkelijk beleefd waren jegens het publiek omdat ze dachten dat als ze geen aandacht trokken, de mensen zich ook niet zouden afvragen hoe ze zo goed waren in het onzichtbaar blijven voor de autoriteiten. Ze vielen Brunetti in de loop der jaren niet meer op. En hij kon zich ook niet meer herinneren wanneer ze de Franssprekende Algerijnse en Marokkaanse *vú cumprá* waren gaan vervangen.

15

Hoewel er zo nu en dan een actie op touw werd gezet om hun officiële documenten en papieren te controleren, waren de *vú cumprá* nooit het slachtoffer geweest van een van vice-questore Patta's grootscheepse acties, wat betekende dat er nooit een serieuze poging was gedaan onderzoek in te stellen naar hun status en handel. Zo konden ze zo goed als ongestoord hun beroep uitoefenen en vermeden de autoriteiten de bureaucratische nachtmerrie die het gevolg zou zijn van een serieuze poging honderden van hen uit te zetten of terug te sturen naar Senegal, het land waar de meesten van hen vandaan kwamen.

Waarom was er dan een *vú cumprá* vermoord en dan nog wel op overduidelijk professionele wijze?

'Hoe oud denk je dat hij is?' vroeg Brunetti, meer om maar wat te zeggen dan wat anders.

'Ik weet het niet,' zei Rizzardi hoofdschuddend. 'Het is moeilijk te zeggen bij zwarten. Pas als ik hem opensnijd, kan ik er wat zinnigs over zeggen, maar ik schat ergens begin dertig, misschien een paar jaar jonger.'

'Heb je tijd?' vroeg Brunetti.

'Morgenmiddag is hij als eerste aan de beurt. Oké?'

Brunetti knikte.

Rizzardi bukte zich en pakte zijn tas op. 'Geen idee waarom ik deze hier altijd meesleep. Ik zal hem toch echt nooit nodig hebben om levens te redden.' Hij dacht even over zijn woorden na, haalde zijn schouders op en zei: 'Macht der gewoonte, denk ik.' Hij stak zijn hand uit, schudde die van Brunetti, draaide zich om en liep weg.

Brunetti riep de politiefotograaf bij zich en zei: 'Doe mij een plezier. Als hij in het ziekenhuis is, maak een paar foto's van zijn gezicht vanuit verschillende hoeken. Kun je ze zodra ze zijn ontwikkeld bij mij laten bezorgen?'

'Hoeveel afdrukken had u gewenst?'

'Twaalf van elk.'

'Natuurlijk. Morgenochtend zijn ze klaar.'

Brunetti bedankte hem en wenkte Alvise, die zich de hele tijd binnen gehoorsafstand had opgehouden. 'Is er helemaal geen getuige?'

'Nee, meneer.'

'Heb je al mensen ondervraagd?'

'Eén persoon. Een man,' antwoordde Alvise terwijl hij naar de kerk wees.

'En dat was?'

Alvise was zo verrast door die vraag, dat hij ogen als schoteltjes opzette. Na een lange stilte die de meeste mensen als uiterst pijnlijk zouden ervaren, zei de agent: 'Ik ben het alweer kwijt, meneer.' Brunetti zweeg, waarop de agent zei: 'Hij vertelde me dat hij niets had gezien, commissario, dus ik dacht dat ik zijn naam niet hoefde te noteren. Zo is het toch?'

Brunetti richtte zijn blik op de twee witgejaste broeders die aan kwamen lopen. 'Breng hem maar naar het *ospedale*, Mauro,' zei hij en voegde eraan toe: 'Agent Alvise gaat wel mee.'

Alvise deed zijn mond open om een protest te laten horen, maar Brunetti was hem voor door te zeggen: 'Vraag daar of er iemand is binnengebracht met schotwonden.' Het was onwaarschijnlijk gezien de precisie waarmee de vijf schoten die de Afrikaan hadden geveld waren gelost, maar Brunetti zou tenminste verlost zijn van de aanwezigheid van de agent.

'Natuurlijk, commissario,' zei Alvise, die opnieuw zijn hand opstak bij wijze van halfslachtig salueren. De agent keek toe hoe de twee broeders zich bukten, het lichaam optilden en op een brancard legden. Vastberaden begeleidde hij de broeders naar de ambulance, alsof ze die alleen dankzij zijn aanwezigheid zouden bereiken.

Terwijl hij zich omdraaide riep Brunetti een van de mannen van de technische recherche. De man stond buiten de afgezette cirkel en nam foto's van de afdrukken die naar de Accademia liepen. 'Zeg? Is Alvise de enige collega ter plekke?'

'Ik geloof van wel, meneer,' antwoordde hij. 'Riverre moest naar een zaak van huiselijk geweld.'

'Heeft er nog iemand zijn best gedaan getuigen te vinden?'

De man keek hem even aan, zei: 'Doelt u op Alvise?' en ging door met zijn werkzaamheden.

Brunetti zag een groepje tieners bij de muur van de tuinen staan. Hij liep naar hen toe en vroeg: 'Heeft een van jullie misschien gezien wat er is gebeurd?'

'Nee, meneer,' antwoordde een van de jongens. 'We komen net aanlopen.'

Brunetti liep terug naar het afgebakende stukje straat. Hij zag nog een groepje mensen staan, liep op hen af en vroeg: 'Heeft een van u misschien iets waargenomen?' Hoofden werden weggedraaid en men staarde naar de grond. 'Helemaal niets?' Een man die achteraan stond, maakte zich los van de groep en liep naar het *campo*. Brunetti deed geen moeite achter hem aan te gaan. Hij bleef staan en het groepje werd steeds kleiner, totdat er maar één iemand over was, een oude vrouw die alleen dankzij haar twee wandelstokken enigszins rechtop stond. Hij had haar wel eens eerder gezien, hoewel ze meestal in gezelschap was van twee schurftige, oude honden. Ze zette één stok tegen haar heup en wenkte hem met de andere. Toen hij op haar afliep, zag hij haar gerimpelde gezicht, de donkere ogen en de paar stugge, witte haren op haar kin.

'Mevrouw?' zei hij. 'Hebt u wat gezien?' Zonder na te denken had hij haar in het Venetiaanse dialect aangesproken, niet in het Italiaans.

'Er stonden een paar Amerikanen bij.'

'Hoe weet u zo zeker dat het Amerikanen waren, mevrouw?'

'Ze hadden van die witte sportschoenen aan en waren nogal lawaaierig.'

'Was u dan hier,' ging hij verder, 'toen het gebeurde? Hebt u wat gezien?'

Ze wees met haar wandelstok in de richting van de apotheek op de hoek, twintig meter vanwaar ze stonden. 'Nee, ik liep daar. Ik kwam net aangelopen en zag die Amerikanen. Ze liepen hierheen, vanaf de brug, en ze bleven staan kijken naar wat de *vú cumprá* te koop had.'

'En waar was u, mevrouw?'

Ze richtte haar wandelstok een paar centimeter naar links. 'Ik ben dat café in gegaan.'

'Hoe lang was u daar?'

'Lang genoeg.'

'Hoezo, lang genoeg?' vroeg hij met een glimlach. Hij had wel plezier om haar ontwijkende antwoord.

'Barbara, de eigenares, snijdt zo tegen acht uur alle *tramezzini* die niet verkocht zijn in stukjes en legt die op de bar. Als je iets te drinken bestelt, mag je er zo veel van pakken als je wilt.'

Dat verbaasde Brunetti omdat hij niet gewend was dat uitbaters van cafés gul waren. Trouwens, dat gold eigenlijk voor alle uitbaters. 'Die Barbara,' ging de vrouw verder, 'is een tof mens. Ik heb haar moeder nog gekend.'

'Hoelang bent u daar geweest, mevrouw?'

'Misschien een halfuurtje,' antwoordde ze. Ze zag Brunetti nadenken en voegde eraan toe: 'Het is mijn avondeten, ziet u? Ik ga iedere dag.'

'Goede tip, signora. Ik moet dat onthouden voor als ik hier ooit in de buurt ben.'

'U bent hier nú toch?' zei ze en toen hij niet reageerde: 'Die Amerikanen zitten er ook. Nou ja, twee dan.' Ze zwaaide met haar stok en wees naar het café. 'Ze zitten achterin en drinken warme chocolademelk. Ik denk dat u best even met hen kunt babbelen.'

'Bedankt, mevrouw,' zei Brunetti en liep in de richting van het café.

'De *prosciutto* met *carciofi* is het lekkerst!' riep ze hem na.

3

BRUNETTI WAS IN GEEN JAREN IN HET CAFÉ GEWEEST, NIET SINDS de tijd dat er een Amerikaanse ijssalon in had gezeten, waar ze ijs verkochten dat hem de enige keer dat hij er was binnengelopen een fikse darmstoornis had bezorgd. Het ijs had hem doen denken aan spekvet, niet aan het zoute spek uit zijn jeugd dat smaak gaf aan een pan bruine bonen of linzensoep, maar domweg aan puur spekvet verrijkt met suiker en aardbeien.

Zijn mede-Venetianen moesten er hetzelfde over hebben gedacht, want na een paar jaar was de zaak in andere handen overgegaan en was het weer gewoon een café geworden. Om de een of andere reden had Brunetti er nooit meer een voet over de drempel gezet. De bakken met ijs waren verdwenen en het leek nu weer op een typisch Italiaans café. Er stonden nogal wat mensen aan de ronde toog. Ze converseerden geanimeerd en wezen zo nu en dan naar het nu verlaten *campo*. Er waren aardig wat tafeltjes bezet, tot aan de ruimte achterin toe. Er stonden drie vrouwen achter de bar en toen hij binnenkwam, schonk een van hen hem een brede glimlach. Hij liep langs de bar en zag achter in de zaak een ouder echtpaar zitten. Het waren zonder meer Amerikanen. Ze hadden zich net zo goed in hun vlag kunnen hullen, zo dik lag het erop. Ze hadden allebei witgrijs haar en het leek alsof ze elkaars kleren aanhadden. De vrouw droeg een geruit flanellen overhemd en een dikke wollen broek, terwijl de man een roze trui met V-hals aanhad, een donkere broek en witte sportschoenen. Zo te zien hadden ze dezelfde kapper; je kon eigenlijk niet zeggen dat het haar van de vrouw langer was, het was gewoon iets minder kort dan dat van de man.

'Neemt u me niet kwalijk,' begon Brunetti in het Engels toen hij voor hun tafeltje stond, 'maar was u zojuist op het *campo*?'

'U bedoelt toen die man werd vermoord?' vroeg de vrouw.

'Ja.'

De man trok een stoel bij en stond op, wat Brunetti voorkwam als ouderwets beleefd. Pas toen Brunetti zat, ging de man weer zitten.

'Mijn naam is Brunetti, politie,' stak hij van wal. 'Ik wil graag weten wat u precies hebt gezien.'

Ze keken hem allebei aan en Brunetti moest onwillekeurig denken aan zeelui. Ze hadden samengeknepen ogen, een gerimpelde huid die te veel zon had doorstaan en een scherpe, intelligente oogopslag waar geen zee, hoe hoog die ook was, verandering in kon brengen.

De man stak zijn hand uit en zei: 'Ik ben Fred Crowley, agent, en dit is mijn vrouw Martha.' Ze gaven elkaar een hand en Brunetti was verbaasd over de ferme hand die Martha hem gaf.

'Wij wonen in Maine,' zei ze. 'In Biddeford Pool,' verduidelijkte ze. Toen, alsof dat niet genoeg was, voegde ze eraan toe: 'Dat ligt aan de kust.'

De man knikte bevestigend.

'Prettig kennis met u te maken,' zei Brunetti, een ouderwets klinkende zin waarvan hij niet wist dat hij die nog in zich had. 'Meneer en mevrouw Crowley? Kunt u me vertellen wat u precies hebt gezien?' Wat een vreemde situatie, dacht hij: hij de ongeduldige Italiaan tegenover deze Amerikanen die eerst allerhande beleefdheden moesten uitwisselen voor ze terzake kwamen.

'Wij zijn allebei arts,' corrigeerde de vrouw hem.

'Neemt u me niet kwalijk,' zei Brunetti, die niet begreep wat dat ermee te maken had.

'Dokter Crowley en dokter Crowley,' legde ze uit. 'Fred is internist en ik ben chirurg.' Nog voor Brunetti uiting had kunnen geven aan zijn verwondering dat mensen van hun leeftijd nog werkten, zei Martha: 'Nou ja, dat wáren we.'

'Aha,' zei Brunetti. Hij zweeg even en wachtte af of ze genegen waren zijn vraag te beantwoorden.

Het echtpaar wisselde even een blik en blijkbaar hadden ze een voor Brunetti onzichtbare beslissing genomen, want de vrouw nam het woord. 'We waren net op wat u het *campo* noemt aangekomen en ik zag allemaal tassen op straat liggen. De verkopers waren nog bezig met de uitstalling van hun spullen. Ik wilde zien of er iets bij zat voor onze kleindochter. Ik stond pal voor het laken naar de tassen te kijken toen ik een raar geluid hoorde. Het leek wel een beetje op het geluid dat de espressomachines hier maken, als ze dat hendeltje overhalen en de stoom vrijkomt. Het kwam van rechts, driemaal "fftt, fftt, fftt" en toen nog twee keer van links.' Ze zweeg even, alsof ze het geluid weer kon horen, en ging verder: 'Ik keek om om te zien wat het was, maar ik zag alleen maar mensen om me heen. Het waren allemaal mensen van onze groep en één man in een lange winterjas. Toen ik weer voor me uit keek, lag die arme jongen op de grond. Ik ben gelijk te hulp geschoten. Ik geloof dat ik Fred meteen heb geroepen, maar misschien was het pas toen ik het bloed zag. Ik was eerst bang dat die jongen flauwgevallen was, bevangen door de kou waar hij niet aan gewend was of iets dergelijks. Toen zag ik het bloed en ik geloof dat ik toen Fred erbij heb geroepen. Ik weet het niet precies meer. Mijn man heeft heel wat diensten gedraaid op de eerste hulp, ziet u, maar toen Fred zich over hem heen boog, wist ik dat hij niet meer leefde.' Ze zweeg en dacht even na, waarop ze verderging: 'Vraag me niet hoe ik dat wist, want ik zag niet meer dan zijn nek, maar op een of andere manier zie je gewoon dat ze dood zijn. Toen Fred zich over hem heen boog en de halsslagader voelde, wist hij het ook.'

Brunetti keek even naar haar man, die knikte en het van zijn vrouw overnam. 'Dat klopt. Ik wist al dat het te laat was toen ik mijn vinger in zijn hals legde. Hij was nog warm, dat arme joch, maar het leven was uit hem weggevloeid. Hij kan niet veel ouder zijn geweest dan dertig.' Hij schudde zijn hoofd. 'Hoe vaak je het ook hebt gezien, het gaat je niet in de koude kleren zitten.' Hij schudde zijn hoofd nogmaals en om zijn woorden kracht bij te zetten, schoof hij zijn lege kop en schotel een paar centimeter van zich af.

Zijn vrouw legde haar hand op die van hem en alsof Brunetti er niet bij zat zei ze: 'We konden niets uitrichten, Fred. Die twee kerels wisten verdraaid goed wat ze deden.'

Ze had het heel achteloos gezegd. Die twee kerels. 'Twee kerels?' vroeg Brunetti, die zijn best deed zo kalm mogelijk over te komen.

'Er stond een man in een lange winterjas,' antwoordde ze. 'Hij stond rechts van me, een tikkeltje schuin achter me. Die andere heb ik niet gezien, maar omdat die geluiden daarvandaan kwamen, moest-ie wel aan mijn andere kant hebben gestaan. Ik weet trouwens niet of het een man was. Ik neem het maar aan omdat die ander een man was.'

Brunetti wendde zich tot haar man en vroeg: 'Hebt u ze gezien, dokter?'

Fred schudde zijn hoofd. 'Nee. Ik stond wel redelijk in de buurt van Martha, maar ik keek naar de spullen van de venter naast hem. Ik heb niets gehoord.' Hij toonde Brunetti zijn linkeroor, met een gehoorapparaatje dat wel wat weg had van een slakkenhuis. 'Toen Martha me riep, had ik geen idee wat er aan de hand was. Om u de waarheid te zeggen, ik dacht dat er met haar iets was, dus ik ben naar voren gegaan en toen ik haar daar zo op de grond zag, nou, ik zal maar niet zeggen wat ik dacht, maar leuk was het niet.' Hij zweeg toen hij eraan terugdacht en lachte nerveus.

Brunetti achtte het beter niet aan te dringen en na een kort zwijgen ging Fred verder: 'Zoals ik al zei, zodra ik zijn slagader voelde, wist ik dat hij dood was.'

Brunetti richtte zijn aandacht weer op de vrouw. 'Dokter, kunt u die man voor me beschrijven?' Net op dat moment kwam de serveerster langs om te vragen of ze nog wat wilden bestellen. Brunetti keek de Amerikanen aan, maar die schudden allebei het hoofd. Hoewel hij er niet eens veel zin in had, bestelde Brunetti toch maar een kopje koffie.

Een minuut lang werd er niet gesproken. De vrouw keek naar haar kopje en net als haar man schoof ook zij het een paar centimeter van zich af, waarna ze Brunetti aankeek en zei: 'Ik kan geen beschrijving van hem geven, meneer. Hij had een hoed op, zoals in de film. Zo'n hoed die mannen in films uit de jaren dertig en veertig droegen,' verduidelijkte ze. Ze zweeg – het leek alsof ze zich hem voor de geest wilde halen – en zei: 'Nee, het enige dat ik nog kan zeggen is dat ik geloof dat hij lang en fors was. Hij had een winterjas aan. Misschien een grijze of een donkerbruine. Ik weet het niet meer. Plus die hoed, natuurlijk.'

De serveerster zette de koffie voor Brunetti neer en liep weg. Hij wachtte om te zien of Martha er nog wat aan toe te voegen had, maar begreep dat zij juist op hem wachtte tot hij zijn koffie had op gedronken. Hij liet de koffie onberoerd, schonk haar een glimlach en zei: 'Gaat u verder, dokter.'

'Goed. Die winterjas dus en o ja, een sjaal. Een grijze of zwarte sjaal. Omdat er zo veel mensen stonden, heb ik hem alleen maar even van opzij gezien.'

'Kunt u bij benadering zeggen hoe oud hij was?'

'Nee, echt niet. Ik kan wel zeggen dat hij wat ouder was, misschien van uw leeftijd. Ik geloof dat zijn haar nog redelijk donker was, maar in dat licht en met die hoed was het niet goed te zien. Ik heb er ook niet echt op gelet, want toen wist ik nog niet wat er aan de hand was.'

Brunetti dacht aan het slachtoffer en zich bewust van de aard van zijn vraag vroeg hij: 'Was het een blanke?'

'O, dat zeker. Het was een Europeaan,' antwoordde ze en voegde er meteen aan toe: 'Maar ik heb het idee dat hij er meer mediterraan uitzag dan mijn man en ik.' Ze glimlachte en Brunetti begreep dat ze daarmee wilde aangeven dat ze er verder niets mee bedoelde.

'Verklaar u nader, dokter?'

'Hij had een iets donkerder huid dan wij, geloof ik, en ik vermoed dat hij bruine ogen had. Hij was niet zo groot als u, rechercheur, maar wel langer dan wij tweeën.' Ze dacht even na over wat ze had gezegd en zei: 'En forser. Hij was zeker niet mager.'

Brunetti richtte zich tot haar echtgenoot. 'U herinnert zich hem niet, dokter? Of misschien die andere man?'

De witharige dokter schudde zijn hoofd. 'Nee, zoals ik al zei, ik was bezorgd om mijn vrouw. Toen ik haar hoorde roepen, kreeg ik een soort waas voor ogen en ik kan u niet eens zeggen wie van onze groep er nou precies bij waren.'

Brunetti haakte erop in en vroeg Martha: 'Herinnert u zich wie van het reisgezelschap erbij stonden?'

Ze deed haar ogen dicht om het zich voor de geest te halen en zei: 'De Petersons, die stonden rechts van me, naast die man. Ik geloof dat Lydia Watts aan de andere kant stond.' Ze zweeg even, nog steeds met dichte ogen. Na een paar seconden keek ze op en zei: 'Meer herinner ik me niet. Nou ja, ik weet dat er een groepje omheen stond, maar ik kan me alleen de Petersons en Lydia herinneren.'

'Uit hoeveel mensen bestaat het gezelschap, dokter?'

'Zestien man. Plus de vrouwen,' herstelde hij zich snel. 'Voor het overgrote deel medici uit het noordoosten van Amerika.'

'Waar logeert u?'

'In het Paganelli.' Het verbaasde Brunetti niet alleen dat een dermate grote groep daar onderdak had kunnen vinden, maar ook dat de Amerikanen de goede smaak hadden dat hotel te kiezen.

'Dineert u vanavond allemaal in het hotel of hebt u met de anderen afgesproken om ergens anders te gaan eten?' wilde Brunetti weten. Hij vroeg zich af of hij de groep ergens kon treffen, nu de herinnering nog vers was.

De Crowleys keken elkaar even aan en Fred antwoordde: 'Nee, niet echt. Het is onze laatste avond hier in Venetië en we hebben besloten om vanavond niet met de groep te eten.' Hij keek een beetje beschaamd en zei met een glimlach: 'Ik denk dat we er een beetje tabak van hebben om iedere avond met dezelfde mensen aan tafel te zitten.'

'We wilden een beetje rondwandelen en kijken of we een aardig tentje konden vinden,' voegde zijn vrouw eraan toe. Ze glimlachte naar haar man alsof ze trots was dat ze dat besluit hadden genomen. 'Maar daar is het nu wel een beetje laat voor geworden.'

'Hoe zit het met de anderen?' vroeg Brunetti.

'Die hebben ergens in de buurt van de San Marco iets gereserveerd,' zei de vrouw.

'Het leek ons niets,' vulde Fred aan. 'Wij hebben het niet zo op dat toeristische gedoe.'

Brunetti moest toegeven dat ze waarschijnlijk groot gelijk hadden. 'Weet u de naam van het restaurant?'

Ze schudden ontkennend het hoofd, en de man zei: 'Helaas, rechercheur, ik heb geen idee.'

'U zei dat dit uw laatste avond hier is,' begon Brunetti. Het echtpaar knikte om aan te geven dat Brunetti verder kon vragen. 'Hoe laat vertrekt u morgenochtend?'

'Niet voor tien uur,' zei ze. 'We gaan met de trein naar Rome en vliegen vrijdag terug. Zijn we mooi met de kerst weer thuis.'

Brunetti pakte de rekening, telde zijn kopje koffie erbij op en legde vijftien euro op tafel. Fred begon te protesteren, maar Brunetti had een leugentje paraat en zei: 'Dit mag op rekening van de politie.' Dat leek hem gerust te stellen. 'Ik kan u een restaurant aanbevelen,' zei hij, 'maar ik wil ons gesprek morgenochtend graag voortzetten en de anderen ook even spreken.'

'De ontbijtzaal gaat om halfacht open,' zei de vrouw. 'De Petersons zijn altijd stipt op tijd. Als u wilt, kan ik wel een briefje onder Lydia Watts' deur schuiven en haar vragen om acht uur beneden te zijn.'

'Vertrekt de trein om tien uur of gaat u om tien uur het hotel uit?' vroeg Brunetti. Hij hoopte dat hij iets meer tijd had en niet al om halfacht aan de andere kant van de San Marco hoefde te zijn.

'De trein gaat om tien uur, dus we moeten om halftien de deur uit. We gaan met de boot naar het station.'

Brunetti stond op, wachtte totdat Fred zijn vrouw in haar jas had geholpen en zelf zijn jas aanhad. Hun jacks verdubbelden hun omvang. Brunetti ging hen voor naar de deur en hield die voor hen open. Buitengekomen wees hij naar rechts het *campo* over, zei dat ze de Calle della Mandorla in moesten, dat ze de Rosa Rossa dan niet konden missen en dat ze maar moesten zeggen dat commissario Brunetti hen had gestuurd.

Ze herhaalden zijn naam. 'Neemt u ons niet kwalijk, commissario! Ik heb uw rang niet gehoord toen u zich voorstelde. Ik hoop niet dat u het erg vindt dat we u agent hebben genoemd.'

'Hoegenaamd niet,' zei Brunetti glimlachend en ze schudden elkaar de hand. Brunetti bleef staan en keek hen na totdat ze om de hoek van de kerk waren verdwenen. Hij liep naar de plaats delict en zag dat er nog een geüniformeerde agent bij een van de houten paaltjes stond. De man zag Brunetti aankomen en salueerde. 'Is iedereen terug naar de Questura?' vroeg Brunetti toen hij naast de agent stond. Het viel Brunetti op dat alle achtergebleven lakens en handtassen verdwenen waren. Hij vroeg zich af of de politie die had meegenomen.

'Ja, meneer. Ik moest u van Santini zeggen dat hij niets meer heeft gevonden.' Brunetti nam maar aan dat het betekende dat er niet alleen geen patroonhulzen meer waren aangetroffen, maar ook verder geen enkel spoor van de dader.

Brunetti keek naar het afgezette stukje straat en zijn oog viel op een langwerpig hoopje zaagsel in het midden. Zonder erbij na te denken, knikte hij in de richting van het zaagsel en vroeg: 'Wat is dat?'

'Dat eh… is het eh… bloed, meneer,' zei de agent. 'Het leek ons vanwege de vrieskou beter om…'

Heel even verscheen er een bizar beeld voor Brunetti's geestesoog, maar hij schudde het snel van zich af. Hij raadde de agent aan de Questura voor middernacht te bellen om hen eraan te herinneren dat zijn dienst om één uur was afgelopen. Hij bood de agent de gelegenheid om voor sluitingstijd van de bar nog gauw een kopje koffie in het café te drinken. Brunetti bleef buiten wachten. Toen de agent terug was, zei Brunetti dat iedere *vú cumprá* moest weten dat er een collega was vermoord en dat als ze ook maar iets wisten over het slachtoffer, ze de politie onmiddellijk moesten bellen. Hij legde er de nadruk op dat ze anoniem konden blijven, niet naar de Questura hoefden te komen en dat het de politie alleen om informatie ging.

Brunetti belde met zijn *telefonino* naar de Questura. Hij noemde zijn naam, herhaalde wat hij zojuist tegen de agent had gezegd en benadrukte dat niemand zich bekend hoefde te maken, maar dat alle telefoontjes die over de zaak binnenkwamen, opgenomen moesten worden. Daarna belde hij de carabinieri en hoewel hij niet precies wist hoe de lijnen liepen, vroeg hij hun samenwerking om de eventuele telefoontjes over de schietpartij met discretie te behandelen. De *maresciallo* die hem te woord stond zei dat dat geen enkel probleem was, dus vroeg Brunetti maar meteen of ze de telefoontjes ook konden opnemen. De *maresciallo* zei dat hij betwijfelde of de *vú cumprá* ook maar iets zouden loslaten, maar dat het geen enkele moeite was de telefoongesprekken op te nemen.

Brunetti wist niet wat hij verder nog kon doen, dus hij nam afscheid van het jonge agentje en zei dat hij hoopte dat het niet veel kouder zou worden. Hij besloot dat hij net zo goed naar huis kon lopen en begaf zich in de richting van de Rialto.

4

PAOLA KEEK MET OPEN MOND NAAR HAAR DOCHTER, BANG DAT niets van wat ze haar als ouder had geleerd was blijven hangen, dat ze het leven had geschonken aan een monster in plaats van aan een kind.

Tot op dat moment was het avondeten normaal verlopen, dat wil zeggen zo normaal als mogelijk na een vertraging wegens een moord. Brunetti, die kort voor het eten was gebeld, had even voor negen uur gezegd dat het nog wel een tijdje zou gaan duren. Door het gezeur van de kinderen dat ze omkwamen van de honger was Paola tegen die tijd zo moe dat ze hun eten maar had klaargemaakt en dat van haar en haar man in de oven had gezet om het warm te houden. Ze zat met de kinderen aan tafel en nipte van een glas *prosecco* die lauw was geworden en zijn bubbels had verloren. Raffi en Chiara verorberden een enorme portie *pasticcio* die bestond uit lagen *polenta*, *ragù* en *parmigiano*. Als bijgerecht was er warme *radicchio* in *stracchino*, hoewel het een mirakel was als de kinderen na de hoofdmaaltijd nog plaats hadden voor iets anders.

'Waarom is hij toch altijd zo laat thuis?' klaagde Chiara terwijl ze naar de *radicchio* reikte.

'Hij is niet altijd laat thuis,' antwoordde Paola, die de woorden van haar dochter wat erg letterlijk nam.

'Het lijkt er verdacht veel op,' zei Chiara, die twee lange staken uitzocht, ze op haar bord legde en er voorzichtig wat gesmolten kaas op deed.

'Hij heeft beloofd dat hij zodra hij weg kon naar huis zou komen.'

'Het is toch niet iets belangrijks, zou ik zeggen. Niets om zo laat voor thuis te komen.'

Paola had uitgelegd waarom hun vader niet thuis kwam eten en verbaasde zich daarom over Chiara's opmerking.

'Ik heb je toch gezegd dat er iemand is vermoord?'

'Oké, maar het was toch maar een *vú cumprá*?' vroeg Chiara en pakte haar mes op.

De opmerking deed Paola's mond openvallen. Ze pakte haar glas wijn op, deed net of ze een slokje nam en schoof de schaal met *radicchio* in de richting van Raffi, die zo te zien niet had geluisterd. 'Hoe bedoel je? Het is "maar" een *vú cumprá*?' Haar stem, zo merkte Paola met enige voldoening, was kalm gebleven.

'Precies wat ik zei. Het is niet een van ons,' antwoordde haar dochter.

Paola probeerde tevergeefs iets van sarcasme te ontwaren of iets wat leek op een poging haar uit de tent te lokken. Integendeel, Chiara sprak doodkalm, net als zijzelf.

'Met dat "ons" bedoel je dan Italianen of alle blanken?'

'Nee. Dan bedoel ik Europeanen.'

'Ach, natuurlijk,' zei Paola. Ze nam haar glas weer op, speelde even met de steel en zette het weer neer zonder een slok te hebben genomen. 'Waar liggen de grenzen van Europa dan precies?'

'Wat zei je, mamma?' vroeg Chiara, die Raffi even snel antwoord op een vraag had gegeven. 'Ik heb je niet verstaan.'

'Ik vroeg waar de grenzen van Europa precies liggen.'

'O, dat weet je best, mamma. Het staat in alle boeken.'

Voor Paola hierop kon reageren, vroeg ze: 'Is er ook nog een toetje?'

Paola, die zelf enig kind was en geen ervaring had met kleine kinderen, had als jonge moeder allerhande boeken en publicaties over het opvoeden van kinderen gelezen. Verder had ze er een hoop psychologieboeken op nageslagen en ze wist dat de algemene richtlijn was dat je kinderen nooit de les mocht lezen voordat je de achterliggende redenen van hun gedrag of uitlatingen kende. En dan nog moest je als ouder oppassen dat je de psyche in ontwikkeling van het kind geen schade berokkende.

'Dat is het schandaligste en arrogantste wat ik ooit aan deze tafel heb horen zeggen. Ik schaam me dat ik een kind heb opgevoed dat tot dergelijke taal in staat is,' zei ze.

Raffi wiens radar de toon van zijn moeder had opgevangen, liet van schrik zijn vork vallen. Chiara's mond viel net als die van haar moeder open en wel om dezelfde redenen: verbijstering en ontzetting dat iemand die haar zó na aan het hart lag iets dergelijks kon zeggen. Net als haar moeder was ook Chiara niet van plan enige diplomatie te gebruiken. 'Wat heeft dat nou te betekenen?'

'Het betekent dat je een *vú cumprá* niet "maar" een *vú cumprá* mag noemen. Je mag niet beweren dat de dood van een van hen volslagen onbelangrijk is.'

Chiara had haar moeder goed gehoord en belangrijker nog, ze had de toon waarop haar moeder sprak goed ingeschat. 'Dat bedoel ik ook niet.'

'Ik heb geen idee wat je wel bedoelde, Chiara, maar ik weet wel dat je zei dat het "maar" een *vú cumprá* was. Je kunt maar beter met een goede uitleg komen om me te overtuigen dat er verschil is tussen wat je zei en wat je bedoelde.'

Chiara legde haar vork op haar bord en vroeg: 'Mag ik naar mijn kamer?'

Raffi, zijn vork roerloos in zijn hand, keek beurtelings naar zijn moeder en zijn zusje. Hij begreep niet dat Chiara iets dergelijks had kunnen zeggen, maar was ook perplex van de reactie van zijn moeder.

'Ja,' zei Paola.

Chiara stond op, schoof haar stoel voorzichtig onder tafel en ging de kamer uit. Raffi was gewend aan zijn moeders gevoel voor humor. Hij draaide zich om, wachtte op een opmerking waarvan hij zeker wist dat die zou komen, maar Paola stond op, pakte Chiara's bord en zette het in de gootsteen, waarna ze naar de zitkamer liep.

Raffi at zijn *radicchio* op en legde zich neer bij het feit dat er geen toetje kwam. Toen hij klaar was, legde hij zijn mes en vork netjes naast elkaar op het bord en bracht het naar de gootsteen. Daarna ging hij naar zijn kamer.

Een halfuur later kwam Brunetti thuis. Het deed hem goed dat de geur van eten in de flat hing en hij verheugde zich op het weerzien met zijn gezin, waarmee hij het over andere dingen kon hebben dan moord en doodslag. Hij liep de keuken in, maar in plaats van zijn gezin dat aan het toetje bezig was en blij was dat hij er was, zag hij een vrijwel ontruimde eettafel en een paar borden in de gootsteen. Hij liep naar de zitkamer om te kijken of ze daar waren en om te zien of er wat aardigs op de televisie was, hoewel hij wist dat daar weinig hoop op was. De enige die hij aantrof was Paola, die op de bank lag te lezen. Toen hij binnenkwam, keek ze op en vroeg: 'Wil je nog wat eten?'

'Ja, daar heb ik wel zin in, maar eerst een glaasje wijn. Vertel me dan meteen wat er aan de hand is.' Hij ging naar de keuken en pakte een fles Vinegazzu met twee glazen. Hij ontkurkte de fles, liet de onzin over het laten ademen van een pas geopende fles wijn maar voor wat die was en liep ermee naar de zitkamer. Hij ging bij Paola's voeten zitten, zette de glazen op de salontafel en schonk ze in, liever gezegd: hij schonk twee flinke bellen in. Hij reikte haar een glas aan en pakte haar voet even beet. 'Je voeten zijn koud,' zei hij. Hij trok het enigszins versleten gehaakte dekentje van de leuning van de bank en legde dat over haar voeten. Na een slok die het formaat van het glas eer aandeed, vroeg hij: 'Nou, wat is er?'

'Chiara klaagde over het feit dat je laat was en toen ik haar uitlegde dat er een moord was gepleegd, zei ze dat het "maar" een *vú cumprá* was.' Paola sprak op effen toon en legde er geen enkele emotie in.

'"Maar" een *vú cumprá*?'

'Ja, zo zei ze het.'

Brunetti nam nog een slok, sloot zijn ogen, leunde met zijn hoofd tegen de bank en liet de wijn in zijn mond rondgaan. 'Hm. Dat is niet erg aardig van haar.'

Hij zag Paola niet, maar merkte aan de bewegingen van de bank dat ze heftig knikte.

'Hoort ze dat soort dingen op school?' vroeg hij.

'Waar anders? Ze is nog te jong om lid van de *Lega* te zijn.'

'Komen de kinderen daar van thuis mee aanzetten of denk je dat de leerkrachten dat soort ideeën ventileren?'

'Ik ben bang dat het allebei mogelijk is.'

'Ik ook,' zei Brunetti. 'Wat heb je tegen haar gezegd?'

'Dat wat ze zei schandalig was en dat ik me ervoor schaam dat ze mijn dochter is.'

Hij keek haar aan, glimlachte, hief het glas en dronk haar toe. 'Altijd de diplomatie zelve, nietwaar?'

'Wat kon ik anders? Moet ik haar naar een of andere opvoedcursus sturen of een preek houden over de broederschap der volkeren?' Brunetti hoorde haar woede en ergernis weer opborrelen. 'Het ís schandalig en ik schaam me écht dood.'

Het deed Brunetti goed dat zijn vrouw niet zei dat hun dochter dergelijke dingen niet thuis had geleerd of dat zijzelf niet verantwoordelijk waren voor een dergelijke ontsporing van de geest. God mocht weten wat de conversaties die hij en Paola in het bijzijn van de kinderen hadden gevoerd teweeg hadden gebracht; wie weet wat ze gedurende de jaren dat ze opgroeiden thuis hadden opgevangen? Hij dacht maar al te graag dat hij een gematigd mens was, opgevoed zonder rassenwaan, maar hij moest toegeven dat het waarschijnlijk een mythe was waar alle Italianen in geloofden. In een land waar maar één ras voorkwam, was het gemakkelijk om zonder rassenhaat op te groeien.

Zijn vader haatte de Russen en Brunetti had altijd gevonden dat hij daar het volste recht toe had, dat wil zeggen als drie jaar krijgsgevangenschap een goede reden is. Wat hemzelf betrof, intuïtief koesterde hij argwaan jegens mensen uit het zuiden van zijn eigen land, iets wat hem overigens niet lekker zat. Dat hij wat tegen Albanezen en andere Slavische volkeren had, baarde hem veel minder zorgen.

Afrikanen waren een heel andere zaak; die vormden een geheel nieuwe categorie en gezien het feit dat hij vrijwel niets over hen wist, betwijfelde hij of hij zijn kinderen met enig vooroordeel had besmet. Hoogstwaarschijnlijk was het iets dat Chiara, net als hoofdluis, op school had opgelopen.

'Wat doen we? Blijven we ons hier zitten kastijden omdat we slechte ouders zijn en straffen we onszelf door niet te eten?' vroeg hij na een tijdje.

'Dat kan natuurlijk,' antwoordde ze, volkomen serieus.

'Dat zint me niet,' zei hij. 'Of het een of het ander.'

'Oké,' zei ze. 'Ik heb lang genoeg hier op de bank gehangen, dus dat kastijden is wel klaar. Laten we op zijn minst in vrede de maaltijd nuttigen.'

'Mooi,' zei hij. Hij leunde voorover en pakte de fles.

Onder het eten vertelde hij wat er volgens een getuige op het Campo Santo Stefano was gebeurd: twee mannen, hoewel niemand acht op hen had geslagen, waren uit het duister opgedoemd en nadat ze de Afrikaan vijf kogels door het lijf hadden gejaagd, waren ze de duisternis weer in gegaan. Het was een executie, geen moord, en lukraak was het al helemaal niet. 'Die arme vent had geen enkele kans,' maakte Brunetti zijn verhaal af.

'Wie doet nou zoiets?' vroeg Paola terwijl ze haar vork neerlegde. 'Waarom?'

Het waren precies de vragen die Brunetti zich tijdens de wandeling naar huis had gesteld. 'Misschien om iets wat hij gedaan heeft sinds zijn komst naar Italië of vanwege iets wat hij heeft uitgespookt vóór zijn komst,' zei Brunetti, hoewel hij wist dat het een open deur was.

'Daar kom je niet ver mee,' zei Paola. Het was een observatie en zeker niet bedoeld als kritiek.

'Nee, maar het is een uitgangspunt. Van daaruit moeten we verder kijken.'

Paola, die zijn woorden opvatte als een oefening in logica, zei: 'Begin dus maar bij wat je over die man hebt. Wat weet je van hem?'

'Helemaal niets.'

'Dat is niet waar.'

'Hoezo?'

'Je weet dat hij Afrikaan was en een *vú cumprá* of hoe we ze tegenwoordig ook moeten noemen.'

'Een *venditore ambulante* of een *extracomunitario*,' zei Brunetti.

'Dat zegt me evenveel als *operatore ecologico*,' zei ze.

'Hè?'

'Een vuilnisman,' kon Paola op haar beurt verduidelijken. Ze stond op en liep de kamer uit. Ze kwam terug met een fles grappa en twee kleine glazen die ze op tafel zette. Terwijl ze inschonk, zei ze: 'Laten we hem dan maar gewoon een *vú cumprá* noemen, oké?'

Brunetti bedankte haar voor de grappa, nam een slokje en vroeg: 'Wat hebben we volgens jou dan nog meer?'

'Dat geen van de anderen is gebleven om hem of de politie te helpen.'

'Ik neem aan dat ze zagen dat hij dood was.'

'Denk je dat dat meteen duidelijk was?'

'Ik vermoed van wel.'

'Plus dat je weet dat het een executie was,' ging ze verder, 'niet het gevolg van een ruzie of een uit de hand gelopen vechtpartij. Iemand wilde hem dood en die persoon heeft óf mensen ingehuurd óf heeft het karwei zelf geklaard.'

'Ik gok dat hij er mensen op af heeft gestuurd.'

'Hoezo?'

'Vanwege de manier waarop het is gebeurd, de professionele uitvoering. Ze kwamen uit het niets, hebben hem geëxecuteerd, en zijn weer verdwenen.'

'Wat zegt dat over de moordenaars?'

'Dat ze de stad kennen.'

Ze keek hem vragend aan, waarop hij verduidelijkte: 'Ze wisten precies welke vluchtroute ze moesten nemen en wie ze moesten hebben.'

Ze knikte. 'Venetianen dus?'

Brunetti schudde zijn hoofd en zei: 'Ik heb nog nooit gehoord dat hier huurmoordenaars actief zijn.'

Paola liet het even op zich inwerken en zei: 'Zo heel veel hoef je niet over de stad te weten, hoor. De Afrikanen zijn haast altijd op Santo Stefano te vinden, dus je hoeft maar een dag of zo in de buurt rond te wandelen om hen te vinden. Of je vraagt het aan iemand.' Ze deed haar ogen dicht om zich beter te concentreren op het buurtje en zei: 'Een vluchtroute is geen enkel probleem. Je kunt terug naar de Rialto, naar San Marco of over de Accademiabrug.'

'Of je loopt naar San Vidal en dan steek je door terug naar San Samuele.'

'Op hoeveel plaatsen kunnen ze een *vaporetto* pakken?' vroeg ze.

'Drie, vier, en dan kunnen ze alle kanten op.'

'Wat zou jíj doen?' vroeg ze.

'Ik weet het niet. Ik denk richting San Marco, doorsteken naar het Fenice en dan naar de Rialto.'

'Heeft iemand hen gezien?'

'Een Amerikaanse toeriste, dat wil zeggen, ze heeft een van de twee gezien. Hij was van mijn leeftijd, had mijn bouw, droeg een winterjas, een sjaal en had een hoed op.'

'Dat geldt voor de helft van de bevolking hier,' zei ze. 'Verder niets?'

'Dat er misschien meer mensen van haar reisgezelschap wat hadden gezien. Ik ga er morgenochtend mijn licht maar eens opsteken.'

'Hoe laat ga je?'

'Vroeg. Ik moet rond acht uur de deur uit.'

Ze leunde voorover en schonk hem nog een beetje grappa in. 'Amerikaanse toeristen... En dat al om acht uur 's ochtends! Jij kunt nog wel een slokje gebruiken.'

5

DE OCHTEND BEGON ONPLEZIERIG. ER HING EEN DIKKE MIST DIE van zins was zich aan alles en iedereen te hechten. Tegen de tijd dat Brunetti bij de *embarcadero* van Lijn 1 aankwam, waren de schouders van zijn winterjas al voorzien van een dunne film van bevroren druppeltjes en iedere ademtocht bracht vocht in zijn mond. De *vaporetto* doemde op uit een zó dikke mist dat hij de contouren van de man die klaarstond om het metalen hek te openen haast niet kon zien. Brunetti stapte aan boord, keek op en zag het radarscherm draaien. Hij vroeg zich af hoe de toestand in de *laguna* was.

Hij ging in de hut zitten en sloeg de *Gazzettino* open, maar werd uit hetgeen daarin stond niet wijzer. De journalist had maar een paar feiten te melden, dus koos hij voor wat gevoelige statements. Hij had het over de opofferingen die de *extracomunitari* zich getroostten om maar te kunnen overleven en dat ze ook hun familie in Afrika geld stuurden. Hij wist niet hoe de dode heette, noch waar hij vandaan kwam, maar men nam aan dat hij uit Senegal afkomstig was, het geboorteland van de meeste *ambulanti*. Bij de halte San Angelo kwam er een oudere man naast hem zitten. Hij zag het artikel dat Brunetti voor zich had, las de kop boven het verhaal hardop en zei: 'Zodra ze worden binnengelaten, veroorzaken ze niets dan narigheid.'

Brunetti negeerde hem volkomen, wat de man ertoe aanspoorde eraan toe te voegen: 'Ik zou ze allemaal oppakken en terugsturen.'

Brunetti gromde wat en sloeg de pagina om, maar de oude man vatte de hint niet. 'Mijn schoonzoon heeft een winkel in de Calle dei Fabbri. Hij betaalt de huur, zijn personeel en de belasting. Hij bezorgt de gemeenschap tenminste arbeidsplaatsen. Deze lieden,' zei hij en maakte een gebaar waardoor hij de krant bijna een mep gaf, 'wat doen die nou helemaal?'

Brunetti gromde nog wat, vouwde de krant op, excuseerde zich en ging naar het dek, hoewel ze nog maar bij Santa Maria del Giglio waren en hij nog twee haltes te gaan had.

Het Paganelli had een smalle gevel en was een tussengevoegd bouwsel, als een streepje tussen twee kapitale letters die werden gevormd door de veel grotere hotels Danieli en het Jolanda en Savoia. Hij liep naar de balie, zei dat hij een afspraak had met de Crowleys en kreeg te horen dat het echtpaar al in de ontbijtzaal zat. Hij volgde de aanwijzingen van de receptionist, liep een nauwe gang door en kwam bij een kamer waarin zes of zeven tafels stonden. Aan een van de tafels ontwaarde hij de Crowleys. Er zat nog een stel bij hen, plus een mevrouw wier voorkomen suggereerde dat de natuur meer dan een handje geholpen was.

Toen Fred Crowley Brunetti zag, stond hij op en wenkte hem. Zijn vrouw Martha keek op en schonk de commissaris een vriendelijke glimlach. De andere man aan tafel stond ook op. Een van de twee andere vrouwen glimlachte hem eveneens vriendelijk toe, de andere niet.

Het stel dat aan hem werd voorgesteld als de Petersons waren kleine, vogelachtige mensen die wel wat weg hadden van grijze mussen. De vrouw had kort staalgrijs haar dat in een strak permanentje zat; hij was zo kaal als een biljartbal en had diepe, door de zon gevormde groeven die van achteren naar voren over zijn schedel liepen. De derde vrouw, Lydia Watts, had glanzend rood haar en dito lippen. Toen Brunetti voor haar stond, zag hij haar een onwillige lok wegstrijken met een hand die geen enkele plastisch chirurg, of iemand van welke kunstige discipline dan ook, zou kunnen terugbrengen tot dezelfde illusoire leeftijd van haar gezicht en haardos.

Nadat Brunetti hun allemaal een hand had gegeven, trok Crowley een stoel bij van de tafel naast hen en bood die Brunetti aan. Hij ging zitten en toen de dokter zijn voorbeeld volgde, keek Brunetti snel even naar de verzamelde Amerikanen. 'Ik ben blij dat u me vanochtend even te woord wilt staan,' begon hij in het Engels.

Martha Crowley antwoordde als eerste. 'Het is niet anders dan onze plicht u te vertellen wat we hebben gezien. Hopelijk schiet u er wat mee op.' De anderen knikten.

Haar man nam het van haar over en zei: 'We hebben het er vanochtend al over gehad, commissario.' Hij gebaarde even om aan te geven dat hij met "we" zijn tafelgenoten bedoelde en zei: 'Ik denk dat ze het u het beste zelf kunnen vertellen.'

Dokter Peterson schraapte zijn keel een paar keer en stak van wal. Hij articuleerde heel nadrukkelijk, waarschijnlijk omdat hij bang was dat een buitenlander hem anders niet zou kunnen verstaan. 'Fred vertelde ons dat u graag wilt weten wat we gisteren hebben gezien.' Brunetti schonk hem een bemoedigende glimlach, waarna hij vervolgde: 'Goed. We stonden met z'n allen op dat plein, u noemt dat een *campo*, geloof ik. Wij stonden zo'n beetje vooraan, links van Fred en Martha. Ik keek naar de tassen die ze verkopen. Een man die achter me stond – hij was van mijn lengte – drong een beetje voor tot hij zowat naast me stond. Hij stond rechts van me, dus ik heb hem niet goed gezien. Ik keek naar de tassen, zoals ik al zei. Opeens hoorde ik een geluid, zoiets als "zip zip". Ik had geen idee wat het was. Het leek op het geluid dat een nietpistool maakt of zo, of dat ding dat ze gebruiken als ze de band van je auto halen. Plus dat er achter ons muziek werd gemaakt. Goed, die man stapt naar achteren zonder te kijken wie of wat er achter hem was en opeens was hij verdwenen. Ik maakte me er verder niet druk over, afgezien van het feit dat ik het een beetje raar vond dat hij zomaar achterwaarts liep, zonder zich te bekommeren om de mensen die daar stonden. Het volgende moment kijk ik naar die man met de tassen en ik zie hem op de grond liggen. Martha was als de kippen bij hem, ze riep Fred en ze zeiden allebei dat hij dood was.' Hij keek Brunetti en de anderen even aan en ging verder: 'Ik heb nog nooit zoiets meegemaakt.' Het klonk een beetje verontwaardigd, alsof Brunetti er op de een of andere manier verantwoordelijk voor was en hem uitleg verschuldigd was. Toen Brunetti niets zei, vervolgde hij: 'Nou, we hebben even staan wachten, een klein halfuur, maar er gebeurde niets. Er kwam geen hulp of zo. Het was bar koud en we hadden nog niet gegeten, dus zijn we maar naar het hotel gegaan.'

Er liep een ober langs en dokter Peterson wendde zijn blik net lang genoeg van Brunetti af om de man om een verse kan koffie te vragen. De jongeman knikte, zag Brunetti zitten en vroeg hem of hij misschien *un caffé* wilde. De vraag bracht bij de Amerikanen enige verwarring teweeg, maar Brunetti was allang blij. Hij was in Amerika geweest en daarom wist hij maar al te goed dat koffie en *caffé* niet hetzelfde waren.

Peterson wendde zich tot zijn vrouw, maar in feite sprak hij tegen Brunetti toen hij zei: 'Mijn vrouw stond aan de andere kant naast mij, dus zij heeft niets gezien. Dat klopt toch, liefje?'

Ze schudde haar hoofd en zei zachtjes: 'Dat klopt, schatje.'

'Helemaal niets, signora?' vroeg Brunetti haar, de man negerend. 'Helemaal niets? Zelfs geen klein detail?' Ze zei niets, dus probeerde hij: 'De man rookte niet, zei niets, had niet iets aan wat u opviel?'

De vrouw glimlachte, keek haar man aan als om te vragen of haar inderdaad niets was opgevallen, schudde haar hoofd weer en sloeg haar ogen neer.

'Een van de twee had heel harige handen,' zei de vrouw met het rode haar.

Brunetti keek haar aan en glimlachte. 'Was dat de man die bij dokter Crowley stond of de andere, bij dokter Peterson?'

'De eerste,' zei ze. 'Degene die bij Martha in de buurt stond. Ik heb die andere niet gezien, en als dat wel het geval was, dan is hij me niet opgevallen. Toen ik daar stond was mijn veter namelijk los.' Ze zag Brunetti's reactie en legde uit wat ze bedoelde. 'Iemand moet op mijn veter hebben gestaan en toen ik dat geluid hoorde, wilde ik me omdraaien, maar mijn voet zat vast. Toen ik mijn evenwicht weer hervonden had, heb ik me omgedraaid en zag ik die man bij ons vandaan lopen. En ik meen me te herinneren dat hij dicht bij Martha was. Hij hield zijn hand bij zijn gezicht. Ik geloof dat hij aan zijn sjaal zat of zijn muts wat naar beneden trok. Ik zag alleen de rug van zijn hand en die was flink behaard, net als een aap. Op dat moment hoorde ik Martha Fred roepen. Ik draaide me om en heb verder geen aandacht aan hem geschonken.'

Vanwege haar uiterlijk dacht Brunetti aanvankelijk met een flirterig persoon te maken te hebben, maar de vrouw had niets kokets over zich. Ze had de episode doeltreffend beschreven en Brunetti twijfelde er niet aan dat de man inderdaad harige handen als van een aap had. Toen het ernaar uitzag dat niemand nog iets toe te voegen had, vroeg Brunetti: 'Heeft een van u verder nog informatie over de heren?' Zijn vraag leverde slechts een algemeen hoofdschudden op. 'Als ik u verzeker dat we u, wat u ook te zeggen hebt, niet hier zullen houden, noch dat we u vragen terug te komen, maakt dat het misschien gemakkelijker om nog eens goed na te denken?' Brunetti had geen idee of buitenlanders net zo bang waren om in de raderen van het juridische systeem terecht te komen als de Italianen zelf, maar het leek hem verstandig hen ervan te verzekeren dat ze daar niet voor hoefden te vrezen, hoewel hij er niet zeker van was of hij dat eigenlijk wel kon beloven.

Niemand zei wat. Hij was van plan zijn vraag in een andere vorm te gieten, maar voor hij de kans kreeg, zei dottoressa Crowley: 'Het is vriendelijk van u het zo te stellen, commissario, maar dat is met ons niet nodig. Hadden we meer gezien of gehoord, dan hadden we u dat wel gezegd, zelfs als dat had betekend dat we langer moesten blijven.'

'We hebben het de anderen gisteren toen we hier terugkwamen nog gevraagd, maar blijkbaar had niemand de twee mannen gezien.'

'Of ze wilden er niets over zeggen,' voegde Lydia Watts eraan toe.

De ober kwam met de koffie en de *caffè* aan. Brunetti deed wat suiker in zijn kopje en dronk het snel leeg. Toen ging hij staan, pakte een paar visitekaartjes uit zijn portefeuille en deelde die rond. 'Mocht u zich nog wat herinneren, neemt u dan contact met me op. Telefoon, fax, e-mail, het maakt niet uit. Alles is welkom.'

Hij schonk het drietal een brede glimlach, bedankte hen voor hun tijd en hulp en liep het hotel uit zonder hun adressen te vragen. Het hotel zou die wel hebben, wist hij, mocht hij nog iets bevestigd willen hebben, maar dat zat er niet in.

Een grote, forse, mediterraan ogende man en een kleinere met harige handen, maar geen van de getuigen had hen zien schieten.

De mist was niet opgetrokken, eerder dikker geworden. Hij had zulk slecht zicht dat hij toen hij over de *riva* liep de gevels van de gebouwen links van hem maar in de gaten hield. Hij moest tussen de rijen *bancharelle* met hun venters door lopen zonder dat hij ze kon zien. Hierdoor voelde hij zich nog onbehaaglijker dan anders wanneer hij daarlangs kwam. In de overige delen van de stad voelde hij zich altijd volledig op zijn gemak. Hij vroeg zich maar niet af waarom hij zich hier niet lekker voelde; zijn gevoelens kwamen voort uit een soort oerinstinct, een sensor in zijn geest die hem zei dat hier gevaar op de loer lag. Toen hij er voorbij was en de voorkant van de Pietà was gepasseerd, verdween het gevoel en leek de mist wat op te trekken.

Even na negen uur kwam Brunetti bij de Questura aan. Hij vroeg de agent in de meldkamer of er nog wat was binnengekomen over de moord, maar begreep dat er geen telefoontjes waren geweest. Hij ging naar de eerste verdieping en zag tot zijn verbazing dat signorina Elettra's kamer verlaten was. Het gegeven dat haar – en zijn – directe baas, vice-questore Giuseppe Patta er nog niet was, verbaasde hem echter allerminst. Brunetti liep naar de meldkamer en vroeg Pucetti, die er alleen zat, om met hem mee te komen. Toen ze in Brunetti's werkkamer waren, vroeg hij de jonge agent waar ispettore Vianello was. Pucetti zei dat hij geen idee had, dat Vianello even na acht uur was binnengekomen, een paar telefoontjes had gepleegd, was vertrokken en had gezegd voor het middaguur weer terug te zijn.

'Je hebt geen idee waar hij mee bezig is?' vroeg Brunetti toen ze zaten. Hij wilde de jonge agent niet in een lastig parket brengen door hem te vragen of hij misschien wat van die telefoongesprekken had opgevangen.

'Nee, meneer. Ik kreeg zelf een belletje, dus ik heb niet gehoord wat hij zei.' Brunetti was blij dat Pucetti niet meer zo stijf rechtop zat als hij met de commissario sprak. Soms kruiste hij zelfs zijn enkels. De jonge agent leek de laatste tijd een beetje aan zijn uniform gewend te zijn en maakte niet meer de indruk van een blozende schooljongen in een carnavalspak.

'Ging het misschien over die moord?'

Pucetti dacht even na en zei: 'Dat geloof ik niet, meneer. Hij klonk nogal ontspannen.'

Brunetti liet het maar voor wat het was en zei: 'Kan kloppen. Ik ben het meteen bij de meldkamer gaan vragen. Geen telefoontjes, wat betekent dat we volledig in het duister tasten over de identiteit van het slachtoffer.'

'Ik neem aan dat het een Senegalees was,' zei Pucetti.

'Ik ook. Het lijkt erop, maar als we hem willen identificeren, moeten we dat zeker weten. Hij had geen papieren bij zich en uit het feit dat niemand hem als vermist heeft opgegeven, maak ik maar op dat we van dat stelletje niet veel hoeven te verwachten.' Brunetti was zich ervan bewust dat hij een hele groep mensen als 'dat stelletje' had aangeduid, maar met politiek correct gedrag kon hij zich even niet bezighouden. 'We moeten dus uitzoeken wie het is en om dat voor elkaar te krijgen moeten we iemand vinden die met hen in contact staat.'

'Iemand die ze vertrouwen?'

'Of voor wie ze bang zijn,' zei Brunetti, hoewel hij het niet prettig vond klinken.

'Wat stelt u voor?'

'Ik denk dat we sneller iemand hebben voor wie ze bang zijn,' antwoordde Brunetti. 'Ik denk dat we moeten beginnen bij de mensen waar ze kamers huren, dan de grossiers waar ze de tassen kopen, dan de dienders die ze gearresteerd hebben.'

'Dat laatste lijkt me het best, meneer. Onze collega's, bedoel ik.' Nog voor Brunetti iets kon zeggen, ging Pucetti verder: 'Alleen al omdat we dat ter plekke kunnen uitzoeken.'

'Daar zit wat in,' zei Brunetti. 'Heeft de politiefotograaf de foto's al bezorgd?'

'Niet dat ik weet,' zei Pucetti terwijl hij opstond, 'maar ik ga wel even naar het lab om te zien of er al wat is.'

'Doe dat. Als je beneden bent, kijk dan even of je signorina Elettra ziet.'

Pucetti salueerde en ging de kamer uit. Brunetti pakte de krant uit zijn aktetas en las het eerste katern uit, in de hoop dat hij ergens iets van redactioneel commentaar op de moord zou tegenkomen, maar dat was niet het geval. Dat zou zeker nog komen, wist hij.

Tegen de tijd dat hij aan het tweede katern wilde beginnen, waar een langer, maar nauwelijks informatiever stuk over de moord stond, was Pucetti al terug met een flinke stapel foto's. Brunetti bekeek ze even snel, negeerde de foto's van het hele lichaam en pikte de foto's die van de zijkant en voorkant genomen waren eruit. De ogen van de man waren gesloten en zijn gezicht stond zo ernstig, zo vredig, dat niemand zou geloven dat de ogen nooit weer open zouden gaan.

'Een knappe vent, hè?' zei Pucetti die naast Brunetti was komen staan en meekeek. 'Hoe oud schat u hem?'

'Ik betwijfel of hij ouder was dan dertig.'

Pucetti was het daarmee eens en knikte. 'Wie wil zo'n man in godsnaam wat aandoen? Ze doen toch niemand kwaad?'

'Heb jij er ooit een gearresteerd?'

'Een aantal keer,' zei Pucetti, 'maar dat wil nog niet zeggen dat het slechte mensen zijn.'

'Beweert Savarini dat dan?' vroeg Brunetti.

Pucetti was even stil en antwoordde toen: 'Dat is iets anders.'

'En Novello?'

'Hoezo dat?'

'Omdat ze zijn vinger gebroken hebben toen hij er een wilde arresteren.'

'Dat was een ongelukje, meneer,' zei Pucetti verontwaardigd. 'Hij pakte de sporttas waar al die koopwaar in zat en de man deed wat iedereen op zo'n moment zou doen: hij probeerde de tas terug te krijgen. Savarini had het hengsel beet en toen de *vú cumprá* eraan trok, bleef Savarini's vinger erin haken. Het was geen opzet.'

'Dus die vinger is niet gebroken?'

'Dat wel, maar ik zeg dat het geen opzet was en Savarini neemt de man ook niets kwalijk. Dat weet ik omdat hij me dat zelf heeft verteld. Daarbij,' ging de nu opgewonden Pucetti verder, 'is Savarini in het *canal* gesprongen om een van hen te redden.'

'Als ik me niet vergis was de drenkeling in het water gesprongen om arrestatie te voorkomen,' merkte Brunetti op.

Pucetti wilde wat zeggen, maar hij zweeg en keek Brunetti onderzoekend aan. 'Maakt u het me nou expres zo moeilijk, meneer?'

Brunetti lachte.

6

EEN UUR LATER HADDEN BRUNETTI EN PUCETTI DE FOTO'S AAN de meeste politiemannen op de Questura laten zien. Toen hij de helft van de collega's had gehad, begon Brunetti een verontrustend verband te zien tussen hun politieke voorkeur en hun reactie. Degenen van wie hij wist dat ze de huidige regering steunden, toonden weinig sympathie en vrijwel geen interesse voor de dode. De mensen die aan de linkerkant van het spectrum zaten, waren eerder geneigd mee te voelen met het slachtoffer. Slechts twee agenten, allebei vrouwen, zeiden dat het een schande was dat een jonge vent zo koelbloedig was vermoord.

Gravini, die deel uitmaakte van het team dat recentelijk *ambulanti* had opgepakt, zei dat hij de man op de foto misschien herkende, maar dat hij niet dacht dat de *vú cumprá* was gearresteerd.

Ze zaten beneden in de meldkamer. Brunetti keek de verzamelde agenten aan en vroeg: 'Heb je foto's van degenen die wél zijn gearresteerd?'

'Rubini heeft de dossiers,' antwoordde de agent. 'Processenverbaal, kopieën van de paspoorten, *permessi di soggiorno*, dat wil zeggen van degenen die er een hadden, en kopieën van de brieven die we naar hen hebben verstuurd.'

'Brieven?' vroeg Pucetti. 'Hoe adresseer je die dan?'

'We versturen ze niet,' antwoordde Gravini, 'maar overhandigen ze en vertellen erbij dat ze binnen achtenveertig uur het land moeten verlaten.' Hij snoof even om aan te geven hoe absurd dat klonk en ging verder: 'Een week later houden we ze weer aan en krijgen ze een kopie van dezelfde brief.'

Brunetti wachtte op meer reacties. Hij verwachtte iets te horen in de geest van wat de oudere heer die ochtend op de *vaporetto* had gezegd, maar dat bleef uit. Gravini haalde zijn schouders op en zei: 'Ik weet niet waar we ons nog druk over maken. Ze doen geen vlieg kwaad en willen alleen maar hun brood verdienen. Niemand dwingt het publiek die tassen te kopen en...'

Pucetti onderbrak hem. 'Zeg Gravini, ben jij destijds nou ook in het water geëindigd?'

Gravini sloeg zijn ogen neer, alsof hij met zijn hand in de koektrommel was gesnapt. 'Wat moest ik anders?' reageerde hij. 'De jongen die in het water viel, was een nieuweling hier in de stad. Ik neem aan dat hij voor het eerst met een arrestatieteam te maken had. Hij raakte in paniek, die knul, en rende weg. Dat is toch niet zo gek? Het zag blauw van de politie en ze zaten hem achterna. Het gebeurde bij de Miserecordia. Hij rende die brug zonder leuning daar op, struikelde en viel in het water. Ik was bij de kerk en hoorde hem schreeuwen. Toen we daar aankwamen, spartelde hij als een bezetene, dus ik bedacht me geen seconde en ben achter hem aan gesprongen. Pas toen ik in het water was, besefte ik dat het daar helemaal niet diep is, in ieder geval niet bij de kade. Geen idee waar al dat gespartel en gegil voor nodig waren.' Gravini deed zijn best een boze toon op te zetten, maar slaagde er nauwelijks in. 'Mijn jasje was naar de knoppen en Bocchese heeft een hele dag nodig gehad om de modder uit mijn dienstpistool te peuteren.'

Brunetti reageerde niet op het verhaal, tikte met zijn vinger op de foto en vroeg: 'Je hebt geen idee waar je hem hier hebt gezien?'

'Nee, meneer. Ik weet het niet meer. Ik weet wel dat ik hem ergens heb gezien.' Hij pakte de foto's op en bekeek ze. 'Kan ik deze krijgen? Ik kan ze misschien aan een paar van de mannen die ik wél heb gearresteerd laten zien en navraag doen.'

Brunetti wist niet precies hoe hij de andere *vú cumprá* moest noemen. 'Collega's' klonk raar, alsof het een reguliere werkverhouding betrof. Hij liet het maar bij: 'Zijn vrienden, bedoel je?'

'Ja. Er is er één die ik al een keer of vijf heb aangehouden. Ik kan het hem wel vragen.'

'Hij ziet je aankomen!' zei Pucetti.

'Nee, het ligt anders,' ging Gravini verder. 'Er woont een stel in een flat in een zijstraat van Garibaldi, bij mijn moeder in de buurt. Ik zie ze wel eens als ik naar haar op weg ben als ze...' Zijn stem stierf weg toen hij naar de juiste woorden zocht. 'Nou, als we allebei vrij hebben, bedoel ik. Hij zegt dat hij onderwijzer is geweest, die Muhammad. Ik ga wel met hem praten.'

'Denk je dat hij je vertrouwt?'

Gravini haalde zijn schouders op. 'Wie niet waagt, die niet wint.'

Brunetti zei Gravini dat hij de foto's kon houden en ze hier en daar moest laten zien. Misschien was het een idee om Muhammad een setje te geven, zodat hij zijn vrienden om inlichtingen kon vragen. 'Gravini,' voegde Brunetti eraan toe, 'zeg wel dat het ons alleen maar om een naam en adres gaat. Verder zullen we niets tegen wie dan ook ondernemen.' Het was nog maar de vraag of de Afrikanen de politie op hun woord zouden geloven en eerlijk gezegd dacht Brunetti dat ze geen enkele reden hadden hen te vertrouwen. Hoewel er collega's waren die in het water sprongen om hen te redden, had Brunetti zo'n vermoeden dat de houding van het merendeel van de politie hun geen reden gaf om mee te werken.

Hij bedankte zijn gehoor en liep naar signorina Elettra's kamer. Ze zat aan haar bureau. Al een paar dagen had ze met haar fleurige kledij de winterse treurnis op afstand weten te houden. Maandag waren het gele schoenen, dinsdag een smaragdgroene broek, woensdag een oranje jasje en vandaag had ze een zijden sjaal in het haar gebonden; niet om haar nek, want dat zou natuurlijk veel te voorspelbaar zijn. De sjaal was bedrukt met veelkleurige parkieten of wat het ook waren.

'Leuke vogeltjes,' zei Brunetti toen hij binnenkwam.

Ze keek even op, glimlachte en zei: 'Dank u. Misschien zeg ik volgende week wel tegen de vice-questore dat hij ook eens iets vrolijks moet dragen.'

'Wat? Van die gele schoenen of deze tulband?'

'Nee, een fleurige stropdas. Hij heeft altijd zulke saaie om.'

'Dat geldt niet voor zijn dasspelden. Ik geloof dat daar veelkleurige edelsteentjes op zitten, nietwaar?'

'O,' zei ze, 'die zijn zo klein dat je ze haast niet kunt zien. Misschien moest ik maar eens wat grotere voor hem kopen.'

Brunetti wist niet of ze nou de dassen zelf of de edelsteentjes bedoelde, maar het maakte niet uit. 'Dan bent u toch wel van plan ze te declareren, hè?'

'Natuurlijk! Dat valt toch zeker onder "representatiekosten"? Goed, waar kan ik u mee van dienst zijn, commissario?'

Brunetti vroeg zich af wanneer ze voor het laatst iemand had gevraagd wat ze voor hen kon doen, hetzij de vice-questore hetzij hemzelf. 'Ik zou u willen vragen of u misschien wat kunt vinden over de *vú cumprá*.'

'Dat zit allemaal hier,' zei ze terwijl ze op het computerscherm wees, 'en in de dossiers van Interpol.'

'Nee, daar gaat het me niet om. Ik wil weten wat de mensen over hen weten: hoe en waar ze wonen, wat voor mensen het zijn en wat ze deden voordat ze hier kwamen.'

'Ik geloof dat de meesten uit Senegal komen.'

'Dat weet ik. Ik wil weten of ze uit dezelfde stad afkomstig zijn, of ze elkaar kennen, familie van elkaar zijn, waar hun vrouw en kinderen zitten, wat...'

'En,' onderbrak ze hem, 'ik neem aan dat u ook wilt weten wie de vermoorde man is.'

'Dat spreekt voor zich,' antwoordde Brunetti, 'maar ik denk niet dat het eenvoudig is daarachter te komen. Niemand heeft gebeld. De enige mensen die medewerking hebben verleend, waren een paar Amerikaanse toeristen die erbij stonden toen het gebeurde. Al wat zij weten is dat het gaat om een man die ze beschreven als "mediterraan van uiterlijk", wat ik maar vertaal als donker, en een kleinere man die flink behaarde handen had. Verder kon de hele schietpartij net zo goed ergens anders hebben plaatsgevonden, op een andere planeet zelfs.'

'Daar zitten ze in feite toch ook?' zei ze na enig nadenken.

'Hoe bedoelt u?'

'Ze hebben weinig of geen contact met de autochtone bevolking,' begon ze. 'Zodra de winkels tussen de middag dichtgaan, om halfeen, schieten ze als paddestoelen uit de grond, spreiden hun lakens uit en proberen zo veel mogelijk handel te drijven totdat de winkels weer opengaan. Dan verdwijnen ze, lossen ze op in het niets. 's Avonds zodra de winkels dichtgaan, komen ze uit de ruimte aangezet en pakken hun stekkie van die middag weer. Een paar uur later verdwijnen ze weer.'

'Dat is nog geen andere planeet.'

'Toch wel, meneer. We praten niet met ze, zien ze eigenlijk niet staan.' Ze zag dat Brunetti haar verwonderd aankeek, maar ging gedecideerd verder: 'Ik val niemand aan, noch zit ik hier de *vú cumprá* te verdedigen. Veel vrienden van mij doen dat overigens wel. Die zeggen dat ze slachtoffers van het een of ander zijn. Ik wil alleen maar zeggen dat het vreemd is dat ze hier wonen en afgezien van de uren dat ze werken, hun spulletjes verkopen, verder volkomen onzichtbaar zijn.' Ze keek hem aan om te zien of hij begreep dat ze bloedserieus was. Toen ze zag dat hij aandachtig naar haar luisterde, voegde ze eraan toe: 'Daarom zeg ik dat het lijkt alsof ze op een andere planeet wonen. De enige aandacht die we hun op deze planeet hier geven, is wanneer we ze aanhouden.'

Hij liet haar woorden even op zich inwerken en moest het met haar eens zijn. Hij herinnerde zich dat hij ooit met Paola op weg naar een restaurant was en dat het opeens was gaan regenen. Van het ene moment op het andere was de straat vergeven van de Tamils die voor vijf euro van die automatisch uitschuifbare paraplu's te koop aanboden. Paola had iets gezegd in de trant van dat de Tamils wel sponzen leken: een beetje water en ze konden aan de slag. Je kon de *vú cumprá* met hen vergelijken: zodra er werk aan de winkel was, kwamen ze te voorschijn om daarna even snel weer te verdwijnen.

Hij besloot haar gelijk te geven en zei: 'Dat is misschien een goed uitgangspunt: probeer uit te zoeken waar ze heen gaan als ze in het niets lijken op te lossen.'

'U bedoelt van wie ze woonruimte huren, waar ze wonen?'

'Ja. Gravini zei te weten dat er een stel in Castello woont, in de buurt bij zijn moeder. Vraag Gravini maar waar zijn moeder woont of kijk in het telefoonboek of u die Muhammad kunt vinden. Zo'n veelvoorkomende naam kan het niet zijn.' Hij herinnerde zich wat Gravini had gezegd over zijn relatie met de *vú cumprá*. Van vriendschap kon je gezien de verhouding politieman/arrestant natuurlijk niet spreken. 'Ik wil alleen maar een adres. Ik onderneem niets voordat Gravini de kans heeft gehad om met zijn contact te spreken. Kijk maar eens of u iets kunt vinden over wat ze waar precies huren.'

'Denkt u dan dat er huurovereenkomsten zijn getekend?' vroeg ze. 'In dat geval moet de *Comune* daar kopieën van hebben.'

Brunetti betwijfelde of de meeste huisbazen wel bereid waren de Afrikanen de bescherming van een officieel huurcontract te bieden, zelfs de Venetianen kregen dat slechts bij uitzondering voor elkaar. Zodra de huurder een overeenkomst op zak had, werd hij door de wet beschermd en kon hij niet zomaar, beter gezegd: kon hij onmogelijk op straat worden gezet. Daarnaast moest een officiële huurovereenkomst de huurprijs vermelden, omdat de inkomsten voor de eigenaar belastbaar waren, en iedere weldenkende huiseigenaar wilde dat natuurlijk voorkomen. Hij nam dus maar aan dat er aan de Afrikanen werd onderverhuurd.

'Het lijkt me beter als u gewoon uw ogen openhoudt,' zei Brunetti. 'Zet een lijntje uit bij de mensen van de *Gazzettino* en *La Nueva*. Misschien weten zij wat. Steeds als wij de heren aanhouden en arrestaties uitvoeren, schrijven ze erover. Ze moeten wat weten.'

Zijn gedachten dwaalden af en hij vroeg zich af hoe ze het uithield met die tulband op haar hoofd. Het was warm in de kamer, want die lag aan de kant van het gebouw waar de radiatoren van de verwarming het deden, dus dat geval op haar hoofd moest op een gegeven moment toch wat oncomfortabel worden. Hij zei er niets over en dacht dat Paola het hem misschien kon uitleggen.

'Ik zie wel wat ik kan doen,' zei ze. 'Zijn er vingerafdrukken die ik naar Brussel kan sturen?'

'Ik heb het autopsierapport nog niet,' zei Brunetti. 'Zodra ik wat heb, krijgt u dat van me.'

'Dank u, meneer,' zei ze. 'Ik kijk wel wat ik kan vinden.'

Op de weg terug naar zijn kamer liet hij een aantal contacten die hij had en die hem wellicht zouden kunnen helpen de revue passeren, maar tegen de tijd dat hij bij zijn kamer was, legde hij zich erbij neer dat hij niemand wist die hem wat meer zou kunnen vertellen over de ambulanti. Hij vermoedde dat signorina Elettra het misschien bij het rechte eind had en dat ze inderdaad op een andere planeet zaten. Hij belde Rubini, de inspecteur die was belast met de sisyfusarbeid om de *ambulanti* op te pakken. Toen de inspecteur opnam, vroeg Brunetti hem even boven te komen.

'Gaat het over gisteravond?' vroeg Rubini.

'Ja. Weet je al wat?'

'Nee, maar dat verbaast me ook niets.' Het was even stil, toen: 'Moet ik de dossiers meebrengen?'

'Graag.'

'Ik hoop dat je de tijd hebt, Guido.'

'Hoezo?'

'Ik heb wel twee meter.'

'Dan is het handiger als ik naar beneden kom.'

'Nee, ik neem de samenvatting wel mee, daar ben je overigens ook de hele ochtend zoet mee.' Brunetti dacht even dat hij Rubini hoorde grinniken, maar hij was er niet zeker van en hing op.

Toen Rubini ruim tien minuten later met een stapel dossiermappen binnenkwam, legde hij uit dat hij even had moeten zoeken naar de map met foto's van de Afrikanen die dat jaar waren gearresteerd. Hij zwaaide met de map en zei: 'We moeten eigenlijk van iedereen die wordt aangehouden een foto maken.'

'Hoe bedoel je?'

Rubini legde de stapel op Brunetti's bureau en ging zitten. Rubini kwam uit Murano en had er al een jaar of tien bij het korps opzitten. Net als Vianello was zijn carrière ook langzaam verlopen, waarschijnlijk omdat geen van beiden er ook maar iets voor voelde om hielen te likken. De man was lang en broodmager, zag er haast ondervoed uit, maar was een fervente roeier en ieder jaar hoorde hij bij de eersten die tijdens de Vogalonga de finish haalden.

'In het begin deden we dat ook, maar na een tijdje werd het echt tijdverspilling om foto's te nemen van een kerel die je zes of zeven keer hebt gearresteerd en die je op straat groet.' Hij schoof de mappen in Brunetti's richting en zei: 'We zeggen "*tu*" tegen hen en zij kennen ons allemaal bij naam.'

Brunetti trok de stapel naar zich toe en vroeg: 'Waarom gaan jullie ermee door?'

'Waarmee? Met arresteren?'

Brunetti knikte.

'Dottor Patta wil dat we arrestaties doen, dus dat gebeurt dan ook. Het staat aardig in de statistieken.'

Brunetti had al op een dergelijk antwoord gerekend, maar toch vroeg hij: 'Heeft het ook enige zin?'

'Joost mag het weten,' antwoordde Rubini met een moedeloos hoofdschudden. 'Na een arrestatiegolfje hebben we een week of twee geen last van Patta. Ik denk dat als we het serieus namen, dat we ze dan zouden arresteren én hun koopwaar confisqueren, maar zeker weten dat ze dan weer ergens anders opduiken.'

'Maar?'

Rubini sloeg zijn benen over elkaar, pakte een sigaret en stak die op zonder te vragen of het goed was. 'Mijn jongens laten altijd een stelletje van die tassen met koopwaar ongemoeid, ondanks het feit dat ze eigenlijk alles moeten meenemen. Uiteindelijk moeten die sloebers toch eten, of het nou Italianen zijn of Afrikanen. Als we alle tassen meenemen, hebben ze geen handel meer en dat is pure broodroof.'

'Wat gebeurt er met die tassen?' vroeg Brunetti terwijl hij de deksel van een Nutella-pot naar de inspecteur toe schoof.

Rubini nam een flinke trek van zijn sigaret en blies de rook langzaam uit zijn neus. 'Bedoel je de tassen die we achterlaten of die we innemen?'

'Die gaan toch naar dat magazijn in Mestre?'

'Daar hebben we er tegenwoordig twee van.' Rubini leunde voorover en tikte de as af in de asbak die Brunetti hem toegeschoven had. 'Daar wordt alles bewaard, ja.' Hij wees met de sigaret naar de dossiers en ging verder: 'Ik geloof dat we dit jaar alleen al tienduizend tassen hebben ingenomen. Het maakt niet uit hoe snel we de voorraad stuksnijden of in de hens zetten, er is altijd weer aanbod. Binnenkort hebben we niet meer genoeg opslagruimte.'

'Is er een oplossing?'

Rubini maakte de sigaret uit en zonder een poging te doen zijn moedeloosheid te verhullen zei hij: 'Als het aan mij lag, gaven we de *vú cumprá* de hele bups terug, waardoor ze geen nieuwe voorraad hoeven aan te schaffen. Maar wat denk je dat er dan gebeurt met al die mensen in de fabrieken in Puglia, waar ze gemaakt worden?' Hij stond op, wees naar de stukken en zei: 'Als je iets wilt weten, bel me.' Hij liep naar de deur, bleef even staan, keek om en hief zijn hand als om aan te geven dat het een hopeloze situatie was. 'Het is een krankzinnige toestand,' zei hij ten afscheid.

7

Brunetti had de ILIAS pas gelezen – zijn geploeter met de vertaling op de middelbare school kon je geen lezen noemen – in zijn derde jaar op de universiteit en het was een vreemde ervaring geweest. Hoewel hij de originele tekst nog nooit had gelezen, maakte het zo'n belangrijk deel uit van zijn cultuur en wereldbeeld. Bij elk boek wist hij, nog voor hij eraan begonnen was, wat er ging komen. Hij was niet verbaasd over het perfide karakter van Paris, de onderdanigheid van Helena, hij wist van tevoren al dat de moedige Priamus gedoemd was en dat geen enkele nobele daad van diens zoon Hector de stad Troje van de ondergang zou kunnen redden.

Met de dossiers van Rubini had Brunetti eenzelfde gevoel van literair déjà vu. Hij las over de politieacties in Italië die waren gevolgd op de komst van de *vú cumprá* en realiseerde zich hoeveel hij eigenlijk wist over het verschijnsel. Hij wist dat de eerste *vú cumprá* uit Marokko en Algerije waren gekomen en hoe ze illegaal hun geïmporteerde waar aan de man brachten. Hij herinnerde zich nog wat ze in het begin verkochten: dierenbeeldjes van houtsnijwerk, glazen kralen, versierde messen en glanzende namaakzwaarden. Hoewel het niet in het verslag stond, nam hij aan dat hun benaming een imitatie was van het mengelmoesje van Frans en Spaans dat ze spraken. De ambulante kooplui probeerden de aandacht van de klanten te vangen door '*Vú cumprá!*' te roepen, wat zoiets betekende als: 'U kopen!'

Toen de Noord-Afrikanen werden verdrongen door kooplui uit zuidelijker streken van het donkere continent, veranderde de aard van de bezigheden: de illegale handel bleef, net als de overtredingen van de immigratiewetten, maar diefstal en geweld kwamen

51

haast niet meer voor op het strafblad van de mannen die de naam *vú cumprá* hadden geërfd van hun voorgangers. Er waren in feite nog nauwelijks overeenkomsten met degenen wier naam ze hadden gekregen. De Noord-Afrikanen waren op zoek gegaan naar lucratievere bezigheden. Veel van hen trokken naar Noord-Europa, waar men niet veel anders kon doen dan de werk- en vestigingsvergunning die hun door de welwillende Italiaanse bureaucratie waren verleend, te eerbiedigen. De *Senegalesi*, die weinig of geen misdadige neigingen leken te hebben, werden in het begin door veel autochtone Venetianen als sympathiek bestempeld. Als je op Gravini's verhaal kon afgaan, hadden ze zelfs het respect van ten minste een aantal politiemensen gewonnen, al zouden die dat misschien niet met zo veel woorden toegeven.

Brunetti zocht tevergeefs naar een rapport dat vermeldde dat een *vú cumprá* om iets anders dan een overtreding van de immigratiewetten of illegale straathandel was gearresteerd. Zes jaar geleden was er een verkrachtingszaak, maar de dader was een Marokkaan, geen Senegalees. Het enige verslag van een gewelddadige confrontatie ging inderdaad over een Senegalees, maar zijn slachtoffer was een Albanese zakkenroller die hij tot halverwege de Lista di Spagna was achternagerend, waarna hij hem met een ferme tackle op de grond had gewerkt. De Afrikaan was boven op de Albanees gaan zitten totdat een van zijn kompanen de politie met zijn *telefonino* had gewaarschuwd. Die had na aankomst de Albanees in de boeien geslagen. Een handgeschreven opmerking in de kantlijn meldde dat het zakkenrollertje nog maar zestien jaar was en dus, hoewel hij een recidivist was, nog dezelfde dag werd vrijgelaten, met in zijn bezit een brief waarin stond dat hij het land binnen achtenveertig uur moest verlaten.

In het laatste dossier zag hij een schatting van het aantal *vú cumprá*. In de voorafgaande zomer waren er dagen geweest dat er drie- tot vijfhonderd ambulante verkopers op straat werkten, maar door de aanhoudende politieacties was hun aantal nu gedaald tot ongeveer tweehonderd.

Toen hij het dossier uit had, keek hij op zijn horloge en pakte de telefoon. Uit zijn hoofd belde hij het nummer van Marco Erizzo, die na twee keer overgaan al lachend opnam met: 'Hé, Guido! Wat moet je?'

'Die moderne telefoons ook,' zei Brunetti. 'Ik kan niemand meer verrassen.'

'Het is helemaal James Bond, ik weet het,' gaf Erizzo toe, 'maar ik ontloop op die manier wel een heleboel gesprekjes.'

'Mij ontloop je blijkbaar niet,' zei Brunetti, 'hoewel je van tevoren al weet dat ik je om een gunst ga vragen.' Brunetti probeerde geen praatje voor de beleefdheid op te hangen. Hij vroeg niet naar Marco's gezin, noch verwachtte hij dat Marco naar dat van hem zou informeren. Ze waren al lang genoeg bevriend om te weten dat Brunetti niet voor de gezelligheid belde.

'Het intrigeert me altijd waar de handhavers der wet nu weer mee bezig zijn,' zei Erizzo ernstig, maar met een plagerige ondertoon. 'Je weet maar nooit of ik daar een rol bij kan spelen, zie je.'

'Ik ben niet van de *Finanza*, Marco,' zei Brunetti.

'Hou die geintjes liever voor je, Guido,' zei Erizzo, ernstig nu. 'Gebruik die term nooit over de telefoon, zeker niet als je me op mijn *telefonino* belt.'

Brunetti had geen zin het te hebben over Marco's vaste overtuiging dat alle telefoongesprekken, om maar te zwijgen over faxen en e-mails, werden nagetrokken, in het bijzonder door de belastingdienst. In plaats daarvan zei hij: 'Je gebruikt toch nooit een andere telefoon dan deze?'

'Ik neem alleen deze op. Vertel op, Guido.'

'Het gaat over de *vú cumprá*.'

Marco nam niet eens de moeite te vragen of het te maken had met de moord van de avond ervoor en zei: 'Zoiets is hier in de stad nooit eerder gebeurd, is het niet? In ieder geval niet sinds die keer – was het niet in 1978? – dat die carabiniere is neergeschoten.'

'Dat klopt zo'n beetje,' zei Brunetti. Die afschuwelijke tijd leek al weer zo lang geleden. 'Wat weet je over hen?'

'Dat ze negenenhalf procent van mijn handel van me afpikken,' zei Erizzo plotseling fel.

'Hoe weet je dat zo precies?'

'Omdat ik heb berekend hoeveel tassen ik voor hun komst verkocht en hoeveel erna. Het verschil is negenenhalf procent.'

'Waarom doe je er dan niets aan?'

Erizza lachte, maar er zat geen greintje vrolijkheid bij. 'Heb je een suggestie, Guido? Een klaagbrief aan de burgemeester waarin ik vraag of hij het voor de burgerij wil opnemen? Straks zeg je nog dat ik de paus een kaart moet sturen om hem te vragen zich in te zetten voor mijn geestelijk welzijn.' Behalve boosheid was er nu ook bittere berusting in Erizzo's stem te horen. 'Jullie daar,' ging Erizzo verder en Brunetti begreep dat hij de politie bedoelde, 'houden de heren een dagje op het bureau vast en dan worden ze weer even vrolijk op straat gezet.' Erizzo zweeg en het was even stil, want Brunetti voelde er weinig voor om te reageren en de stilte op te vullen. 'Guido, ik weet niet wat ik eraan kan doen. Het enige waar ik op mag hopen is dat ze hun kleedjes niet pal voor mijn zaak neerleggen zoals ze bij Max Mara doen. Als dat wel gebeurt lopen mijn inkomsten nog verder terug. Politici willen er niks over horen en jullie kunnen – of willen – niks doen.'

Het leek Brunetti verstandiger zijn mening voor zich te houden, dus herhaalde hij zijn vraag. 'Wat weet je over hen?'

'Weinig meer dan de andere mensen die hier wonen. Dat ze uit Senegal komen, moslim zijn, dat ze voornamelijk in Padua wonen en een paar hier in de stad, dat ze zich koest houden, dat de tassen van goede kwaliteit zijn en de prijzen niet slecht.'

'Hoe weet je dat die tassen van goede kwaliteit zijn?'

'Omdat ik ze goed bekijk. Geloof me, Guido. Zelfs Louis Vuitton, als er al iemand is die werkelijk zo heet, kan het verschil tussen zijn authentieke tassen en de namaak die die jongens verkopen niet zien: hetzelfde leer, hetzelfde stiksel en hetzelfde logo dat erop gestempeld is.'

'Maken ze jouw spullen ook na?'

'Nee, dat niet, maar dat is alleen omdat mijn artikelen exclusief hier in de stad worden verkocht. Ik heb omzetderving omdat het publiek op straat een tas koopt en dan niet meer bij mij in de zaak komt. Geloof me, als ik bekender was, mijn tassen in diverse landen te koop waren of zelfs in meer steden in dit land, dan kwamen ze sneller uit hun fabrieken gerold dan dat ik ze hier kan maken.'

'Ik heb gehoord dat die fabrieken in Puglia staan,' zei Brunetti. 'Weet jij daar wat van?'

'Dat zeggen ze. Het schijnen dezelfde fabrieken te zijn die het echte werk produceren. Overdag werken ze voor de merken en 's nachts maken ze de namaak.'

'Als het ook nog eens dezelfde fabrieken zijn, is dat "namaak" niet echt de juiste term meer,' zei Brunetti.

'Klopt, alleen als ze mindere kwaliteit leer en plastic gebruiken,' was Erizzo het met hem eens. 'Als de grondstoffen hetzelfde zijn en het enige verschil is dat ze op een ander tijdstip worden gefabriceerd, dan kun je nauwelijks nog over namaak spreken.'

'Heb je enig idee wie erachter zit?'

Erizzo zweeg even, waarschijnlijk om te bedenken hoe hij zijn antwoord het beste kon formuleren. 'Ik weet het niet zeker,' begon hij, 'dat wil zeggen dat ik geen contacten heb die het met eigen ogen hebben gezien, die er geweest zijn of rechtstreeks van de fabrieken hebben gekocht, waardoor ze kunnen weten met wie ze te maken hebben. Toch moet het heel simpel zijn om uit te vinden wie erachter een geoliede en goedgeorganiseerde onderneming van dat formaat zit.'

Brunetti was zelf al tot die conclusie gekomen, maar hij wilde graag wat meer uit Erizzo's mond horen, dus zei hij: 'Verklaar je nader.'

'Marketing,' was Erizzo's verrassende antwoord.

'Pardon?'

'Denk nou 's na, Guido. Iedereen kan die dingen laten maken. Dat is kinderspel: je hebt de grondstoffen nodig, een plek om ze te maken en genoeg mensen die bereid zijn te werken voor wat je ze biedt. Het probleem is de marketing, het vinden van verkoopkanalen voor wat je hebt gefabriceerd.' Brunetti hield zich stil dus Erizzo ging door. 'Als je een winkel hebt dan heb je vaste kosten, de overhead: huur, verwarming, elektra, een boekhouder, verkoopsters, om nog maar te zwijgen over de belastingen.' Brunetti wist dat hij geen gesprek met Erizzo kon voeren waarin belastingdruk niet ter sprake kwam. 'Dat is de realiteit, Guido,' ging zijn vriend verder met een stem die weer naar woede neigde. 'Ik betaal belasting. Ik betaal belasting over mijn winkel, mijn werknemers, over wat ik verkoop en over wat ik overhoud. En mijn werknemers betalen weer belasting over wat ze verdienen. En een gedeelte daarvan blijft hier in Venetië, en wat ze zelf overhouden besteden ze ook hier.' De warmte in Marco's stem was niet vriendschappelijk of gemoedelijk.

'Vertel mij maar eens wat de *vú cumprá* aan de stad bijdragen,' eiste Marco. 'Je denkt toch niet dat dat geld hier blijft?' Alhoewel het een retorische vraag was, zweeg Erizzo even, alsof hij Brunetti uitdaagde om antwoord te geven. Toen hij dat niet deed, zei Erizzo: 'Het gaat allemaal richting het zuiden, Guido.' Hij vond het onnodig om er meer woorden aan vuil te maken.

'Hoe weet je dat?' vroeg Brunetti.

Brunetti hoorde hem een keer diep ademhalen. 'Omdat niemand ze een strobreed in de weg legt. De Guardia di Finanza niet, de carabinieri niet, jullie niet, en omdat ze hier zonder problemen naartoe kunnen komen en niemand ze lastigvalt aan de grens. Dat betekent dat niemand zich ermee wil bemoeien of dat iemand wil dat zij met rust worden gelaten.' De stilte die volgde was zo lang dat Brunetti dacht dat Marco klaar was met zijn verhaal, maar hij ging verder. 'En als jij had willen horen zou ik nog zeggen dat die straatventers de hand boven het hoofd wordt gehouden door iedereen die weigert ze als illegalen te beschouwen, die dagelijks de wet overtreden terwijl de politie werkeloos toekijkt.'

Brunetti wist niet goed hoe hij op de woede van zijn vriend moest reageren, dus zei hij na een lange pauze: 'Marco, dat is de langste definitie van marketing die ik ooit heb gehoord,' en meteen daarop: 'Maar wel een zeer verhelderende.'

Marco zweeg ook een lange tijd. 'Mooi. Dat doet me deugd,' zei hij uiteindelijk, en Brunetti dacht in dat ene woord dezelfde opluchting te horen die hijzelf voelde. 'Ik heb geen idee of het allemaal waar is, maar het klinkt geloofwaardig genoeg.'

Was dit nou die moeilijke positie van de historicus, dacht Brunetti, nooit zeker te weten of iets waar was of alleen maar geloofwaardig? Gold het ook niet voor de politie? Hij schudde die gedachte van zich af en zei: 'Bedankt Marco. Als je iets hoort, laat het me weten. Afgesproken?'

'Dat spreekt vanzelf,' antwoordde zijn vriend. Ze hingen op.

Het gesprek had dan weinig concreets opgeleverd, het had Brunetti wel gesterkt in zijn geloof dat de straatventers bescherming kregen van – hij wist even niet hoe hij het moest formuleren, maar kwam uiteindelijk met het enigszins eufemistische – 'krachten die functioneerden op een wijze die niet strookte met de richtlijnen van de overheid'.

Hij pakte een opschrijfboekje, sloeg het in het midden open en vond het telefoonnummer dat hij nodig had. Hij wist dat hij een één voor ieder cijfer in het nummer moest draaien. Na vijf keer overgaan hoorde hij een mannenstem, waarna Brunetti zei: 'Goedemorgen. Signor Ducatti, alstublieft.' De man aan de andere kant van de lijn zei dat hij een verkeerd nummer had gedraaid, waarop Brunetti zich verontschuldigde en ophing. Hij had meteen spijt dat hij niet even naar het café bij de brug was gelopen om een beker koffie te halen, want nu zat hij hier in zijn kamer gevangen totdat Sandrini hem zou terugbellen. Om de tijd te doden, pakte hij wat paperassen uit het bakje waar de inkomende post in zat en nam die door.

Na ruim een halfuur ging de telefoon. Hij nam op en dezelfde man die hem had gezegd dat hij een verkeerd nummer had gedraaid, zei: 'Wat is er?'

'O, bedankt voor je belangstelling, Renato. Met mij gaat het goed.'

'Zeg nou maar wat je van me wilt, Brunetti, want ik heb het druk.'

'Je hebt met moeite een gaatje kunnen vinden om even te bellen, begrijp ik?'

'Zeg het nou maar,' reageerde de man met nauwelijks ingehouden woede.

'Ik wil weten of de... – hoe zal ik het zeggen – de zaak van je schoonvader iets met die toestand van gisteravond te maken heeft.'

'Met die dooie nikker?'

'Die dode Afrikaan,' verbeterde Brunetti hem.

'Bel je me daarover?'

'Ja.'

'Je hoort van me,' zei Renato en hing op.

Als Renato Sandrini een wat beschaafder mens was, zou Brunetti wroeging hebben over het feit dat hij de man onder druk zette en afperste. Sandrini was echter een bullebak. Daarnaast was zijn publieke optreden bijzonder arrogant, dus vandaar dat Brunetti er bijna plezier in had om zijn macht over hem te doen gelden. Twintig jaar geleden was Sandrini, strafpleiter in Padova, getrouwd met de enige dochter van een plaatselijke maffiabaas. Uit het huwelijk kwamen niet alleen kinderen voort, maar ook een uiterst lucratieve advocatenpraktijk. Zijn successen in de rechtszaal hadden van Sandrini een plaatselijke legende gemaakt. Zijn praktijk groeide en het figuur van zijn vrouw Julia hield gelijke tred met die groei. Toen ze tegen de veertig was, had ze veel weg van een koe, hoewel ze een koe was met een dure smaak voor juwelen en een beangstigende bezitterigheid jegens haar echtgenoot.

Dat alles zou niet in Sandrini's nadeel hebben gewerkt, noch in Brunetti's voordeel, ware het niet dat er in een hotel op het Lido brand was uitgebroken. Door de rookontwikkeling moesten vier mensen in bewusteloze toestand naar het ziekenhuis worden vervoerd. Daar werd geconstateerd dat de gast in kamer 307, die aan het hotel de naam Franco Rossi had opgegeven, een *carte d'identità* en creditcards bij zich had op naam van Renato Sandrini. Gelukkig voor hem was hij voordat het ziekenhuis zijn vrouw had kunnen inlichten over zijn toestand bij bewustzijn gekomen. Ondertussen was de politie al gewaarschuwd dat er een discrepantie bestond tussen 's mans opgegeven naam en zijn papieren. Het had allemaal afgedaan kunnen worden als een fout van het hotel, ware het niet dat er omstandigheden waren die men niet zomaar naast zich neer kon leggen: de andere gast in Sandrini's hotelkamer was een vijftienjarige Albanese prostituee.

Het politierapport lag al de volgende morgen op Guido Brunetti's bureau. Brunetti wilde de zaak omzichtig behandelen, dus sprak hij eerst uitgebreid met het hoertje en haar souteneur. De verhoren werden opgenomen en ze ondertekenden hun verklaringen. Het tweetal werkte mee omdat ze in de veronderstelling verkeerden dat ze te maken hadden met ene Franco Rossi uit Padova, vertegenwoordiger in vaste vloerbedekking. Hadden ze geweten dat het om Sandrini ging, of liever gezegd, wie Sandrini's schoonvader was, dan had het tweetal liever een tijdje achter de tralies gezeten dan dat ze zich met die aardige commissario van politie van Venetië hadden onderhouden.

Al na het eerste gesprek onder vier ogen had Brunetti de advocaat de raad gegeven dat het gezien de nogal Victoriaanse opvattingen die sommige *mafiosi* erop na hielden over de belofte van de huwelijkstrouw, wellicht verstandig zou zijn de aimabele commissario zo nu en dan wat tips te geven. Tot nu toe had Brunetti zijn belofte gestand gedaan dat hij Sandrini nooit zou vragen de vertrouwensrelatie tussen advocaat en cliënt te schenden, maar hij wist zelf dat die toezegging niets voorstelde. Hij zou Sandrini zonder scrupules de duimschroeven aandraaien als het in zijn straatje te pas kwam.

Brunetti legde de paperassen in zijn Uit-bakje en ging naar huis om te lunchen, op een vreemde manier opgevrolijkt door de gedachte aan zijn eigen slechtheid.

8

ALS HIJ DACHT DAT HIJ ONGEWISHEID EN ONBEHAGEN OP DE Questura achter zich kon laten, kwam hij bedrogen uit, want thuis werd hij met beide geconfronteerd. Ze manifesteerden zich in de aura van gekwetstheid die zowel Paula als Chiara om zich heen had hangen, zo'n beetje als de woekeraars van Dante die zich met een geldbuidel om de nek door de helse eeuwigheid bewogen. Hij nam aan dat zowel zijn vrouw als zijn dochter vond dat zij gelijk had. Trouwens, was het ooit voorgekomen dat iemand die het met een ander oneens is er anders over dacht?

Zijn gezin zat aan tafel. Hij gaf Paola een kusje op haar wang en streek Chiara in het voorbijgaan over het haar. Zodra ze de hand van haar vader voelde, trok ze haar hoofd weg. Blijkbaar wilde ze niet gestreeld worden door iemand wiens andere hand op de schouder van haar tegenstandster rustte. Hij deed net of hij het niet had gemerkt en vroeg Raffi hoe het op school was gegaan. In het aangezicht van al die vrouwelijke nukken gaf zijn zoon hem een demonstratie van mannelijke solidariteit. Hij vertelde dat het goed ging en begon aan een lange verhandeling over het mysterie van een computerprogramma dat ze bij de scheikundeles gebruikten. Brunetti, die veel meer geïnteresseerd was in zijn *linguini* met *scampi* dan in iets wat ook maar in de verste verte met computers te maken had, glimlachte naar zijn zoon en deed zijn best hem zo nu en dan een slimme vraag te stellen. De conversatie zette zich voort, ook tijdens een bord met gebakken zalm met artisjokbodems en rucola-salade. Chiara duwde het eten op haar bord een beetje met haar vork heen en weer en liet het meeste staan, wat zonder meer bewijs was dat het allemaal goed diep zat.

Toen de kinderen hoorden dat er geen toetje was, stonden ze op van tafel. Brunetti zette zijn lege glas neer en zei: 'Ik heb het idee dat ik zo'n blauwe helm moet vinden die de mensen van de VN-vredesmacht dragen als er kans is dat ze onder spervuur komen te liggen.'

Paola schonk hen allebei nog wat wijn in. Het was de Loredan Gasparini die hij haar met Kerstmis had gegeven en die hij liever in betere tijden met haar had gedronken. 'Ze trekt wel bij,' zei Paola en om haar woorden kracht bij te zetten, liet ze de fles een beetje hard op tafel neerkomen.

'Ik twijfel er geen seconde aan,' antwoordde Brunetti rustig. 'Ik heb alleen geen zin om zolang dat nog niet heeft plaatsgevonden in deze sfeer te moeten eten.'

'Nou zeg. Zo erg is het ook weer niet.' Hij dacht te beluisteren dat ze het, indien daartoe aangemoedigd, niet erg zou vinden haar ergernis op hém te botvieren. 'Met een dag of twee is het weer over.'

'We zijn al één dag verder en er is nog niets opgelost.'

Paola zweeg even en zei toen: 'Wat wil je daarmee zeggen?'

Nu was het zijn beurt om te zwijgen. Hij zocht naar woorden die haar niet in het verkeerde keelgat zouden schieten. 'Dat ik denk dat je haar beledigd hebt,' zei hij uiteindelijk.

'Ik háár?' vroeg Paola gespeeld verontwaardigd. 'Hoezo?'

Hij schonk zichzelf nog wat wijn in, maar liet het glas op tafel staan. 'Door haar aan te vallen zonder dat je haar de kans hebt gegeven zich te verklaren.'

Ze keek hem strak aan. 'Aan te vallen?' herhaalde ze zijn woorden. 'Wil je beweren dat er ook maar enige uitleg mogelijk is voor een dergelijke denkwijze, dat de dood van een medemens kan worden weggewuifd met het woordje "maar". Moet ik dat zomaar over mijn kant laten gaan? Als ik haar daarop aanspreek, is dat dan meteen maar "aanvallen"?'

'Natuurlijk niet,' zei hij. Hij ging maar niet in op haar tactiek van overdrijven. 'Dat bedoel ik niet.'

'Wat dan wel?'

'Dat het misschien verstandiger was geweest als je had geprobeerd te achterhalen waar ze die denkbeelden vandaan heeft en je best had gedaan die met haar te bespreken.'

'In plaats van haar aan te vallen, zoals jij het noemt?' vroeg ze met nauwelijks verholen woede.

'Inderdaad,' zei hij rustig.

'Ik maak er geen gewoonte van om met mensen met vooroordelen te discussiëren.'

'Hoe denk je het dan op te lossen? Door erop in te hakken?'
Hij zag dat ze wat wilde terugzeggen, maar haar woorden inslikte. Ze nam een slokje wijn, nog een, en zette haar glas neer. 'Oké,' zei ze uiteindelijk. 'Misschien ben ik wel een beetje al te streng opgetreden. Maar het was zo gênant om haar die dingen te horen zeggen en me te realiseren dat ik er misschien gedeeltelijk verantwoordelijk voor ben dat ze er zo over denkt.'
'Hebben we het nu over Chiara of over jou?' vroeg hij.
Ze perste haar lippen op elkaar, keek uit het raam aan de noordkant van het huis en knikte, om aan te geven dat hij de spijker op zijn kop had geslagen. 'Je hebt gelijk.'
'Het gaat me niet om mijn gelijk,' zei Brunetti.
'Waar gaat het je dan om?'
'Dat ik in mijn eigen huis in vrede kan leven.'
'Meer dan dat heeft een mens ook niet nodig.'
'Was het maar zo simpel, hè?' zei hij. Hij stond op, plantte een kus boven op haar hoofd en ging terug naar de Questura, terug naar het onderzoek naar de moord op de man die "maar" een *vú cumprá* was.

De dood van de Afrikaan, liever gezegd, de doodsoorzaak, was geboekstaafd op de uitdraai van het autopsierapport die op zijn bureau lag. Hij was verbaasd dat het rapport al klaar was. Hij keek op de achterkant om te zien of Rizzardi daar iets over had gemeld. Zijn verbazing groeide toen hij zag dat het vakje waar de dienstdoende lijkschouwer normaal gesproken zijn paraaf zette, blanco was gelaten. Hij pijnigde zijn hersenen maar niet over het waarom en begon te lezen.
Het slachtoffer was naar schatting eind twintig en hoewel er tekenen waren dat het een straffe roker was geweest, was de man, waren al zijn organen, kerngezond. Hij was een meter tweeëntachtig lang en woog achtenzeventig kilo. Een setje vingerafdrukken was al ter identificatie naar Brussel verzonden. Hij was door vijf kogels geraakt, wat overeenkwam met het aantal knallen dat de Amerikanen hadden gehoord. De schoten hadden alle vijf interne verwondingen aangericht en twee ervan waren op zich al genoeg geweest om de dood te veroorzaken. Eentje had zijn ruggengraat geraakt en een ander was in de linker hartkamer gedrongen. De resterende drie zaten in het onderlijf. Van die drie zat er een in de lever en de andere twee hadden zich zonder een orgaan te raken in zijn vlees geboord. Het feit dat alle vijf schoten raak waren, zei

Brunetti niet alleen dat hij van dichtbij was beschoten – van de Amerikanen had hij al begrepen dat de daders op een meter afstand van hem hadden gestaan – maar ook dat het uitstekende schutters waren. De baan van de kogels suggereerde dat de daders van ongeveer dezelfde lengte waren en het feit dat de kogels in het lichaam waren gebleven, wees op een wapen van een laag kaliber. De kogels waren voor analyse naar het lab gestuurd. In het rapport stond verder dat het een gok was, maar dat het waarschijnlijk een .22 kaliber pistool betrof. Dat kaliber, zo wist Brunetti, werd nogal eens door huurmoordenaars gebruikt.

'Een gok?' vroeg Brunetti zich hardop af terwijl hij het rapport opzijschoof. Rizzardi, die een jaar of tien geleden van Napels naar Venetië was gekomen, had waarschijnlijk meer dan wie ook in de stad ervaring met dood door geweld, dus het was niet waarschijnlijk dat hij de term 'gok' zou bezigen.

Het rapport was per e-mail verzonden en dat betekende dat de foto's in signorina Elettra's computer moesten zitten. Brunetti had er geen enkele behoefte aan om die te zien. Hij kon niet goed tegen het zien van wonden. Het ging hem alleen om de achterliggende redenen, het motief.

Hij moest toegeven dat hij niet veel wist over Afrika. Hij zag het werelddeel als een vage, vormeloze massa waar van alles fout ging, waar de mensen veel ellende meemaakten en van honger omkwamen, hoewel de natuur het continent met gulle hand met bodemschatten had bedeeld. Hij had wel gelezen over de koloniale overheersing, maar hoe recenter de geschiedenis, hoe minder hij zich erin had verdiept, wat in feite in het algemeen gold voor zijn interesse in geschiedenis.

Brunetti staarde uit het raam naar de hijskranen die nog steeds boven het *casa di riposo* van San Lorenzo uittorenden en dacht na. Een man die in zijn levensonderhoud voorzag met het slijten van nep merktassen en was doodgeschoten door een stel professionele moordenaars. Het eerste kon je over alle *vú cumprá* zeggen: nep merktassen waren hun nering. Het tweede daarentegen niet: bij de paar geweldsdelicten waarbij *extracomunitari* betrokken waren, zaten geen Afrikanen, als slachtoffer noch als dader. Er waren voor zover hij wist maar twee zaken die met de moord verband konden houden: iets uit het verleden van de man, een bepaalde gedraging of actie, of iets waar hij recentelijk mee te maken had. Wat het verleden betrof, moest Brunetti toegeven dat hij niet eens wist uit welk land hij kwam, hoewel Senegal voor de hand lag. In het recente verleden van de man konden natuurlijk ook dingen gebeurd zijn, maar even snel als Brunetti een reden bedacht, verwees hij die weer naar het land der fabelen. Jaloerse echtgenoten sturen geen huurmoordenaars om hun geschonden eer te wreken en voor zover Brunetti wist, zouden de groothandelaren van de koopwaar geen moord plegen om hun afnemers een lesje te leren. De Afrikanen waren veel te blij met het werk om dat in de waagschaal te stellen met het belazeren van hun leverancier. Er waren natuurlijk vele andere mogelijkheden, maar om die allemaal de revue te laten passeren, was een gebed zonder end.

Hij pakte een kopie van het rooster van die week en draaide het om. Hij begon aan een lijst van dingen die ze over het slachtoffer moesten uitvinden. Naam, nationaliteit, opleiding, strafblad, aantal jaren in Italië, adressen, familieleden, vrienden. Hij peinsde waar hij moest beginnen met het oplossen van het mysterie en moest opeens denken aan iets wat hij een paar maanden daarvoor in de *Gazzettino* had gelezen. Hij nam de hoorn van de haak en belde naar beneden. Zoals hij al hoopte, nam Vianello op.

'Heb je even?' vroeg Brunetti.

'Jazeker.'

'Ik zie je over twee minuten,' zei Brunetti en voegde eraan toe: 'We hebben een boot nodig.'

Het kostte hem meer dan twee minuten om zijn jas aan te trekken en een paar extra handschoenen te vinden. Hij vond ze in de zakken van een vergeten bodywarmer die ergens achter in zijn kast hing.

Vianello zat al in de hal op hem te wachten. Hij had zo veel lagen truien en slip-overs onder zijn jack dat hij twee keer zo omvangrijk oogde als normaal. 'Zeg, we gaan niet naar Vladivostok, hoor,' begroette Brunetti hem.

'Nadia heeft griep en de kinderen zijn verkouden. Ik heb geen zin om ziek te worden waardoor ik moet thuisblijven.'

'Wie past er op ze?'

'Nadia's moeder. U weet dat ze vlak bij ons woont, dus ze rent de hele dag in en uit.' Vianello trok de deur open, waardoor er een vlaag ijzige kou de hal in woei. Hij stak zijn handen in zijn zakken en liep de straat op.

De agent die de boot zou besturen stond op het dek en dankzij een minieme opening in zijn met bont gevoerde capuchon was een klein driehoekje met zijn neus en ogen zichtbaar. Toen Brunetti aan boord stapte, vroeg hij: 'Kun je ons naar San Giovanni Degolà varen?' waarna hij de trap naar de kajuit afging en naar binnen vluchtte.

Vianello volgde hem op de voet en liet de dubbele deur achter zich dichtvallen. Het was koud in de kajuit, maar ze waren tenminste uit de wind, die nu tegen de deuren beukte. Toen ze tegenover elkaar zaten vroeg Vianello: 'Wat gaan we daar doen?'

'Naar don Alvise.'

Vianello knikte instemmend bij het horen van de naam van de voormalige priester. Alvise Perale was jaren geleden pastoor in Oderzo geworden, een slaperig stadje even ten noorden van Venetië. Gedurende zijn jaren als *parocco* van de plaatselijke kerk had hij zich niet alleen volledig gegeven aan het geestelijk welzijn van zijn parochianen, maar ook aan het materiële welzijn van de tallozen die door de getijden van oorlogen, opstanden en armoede waren aangespoeld op de oevers van de Livenza. Onder hen waren Albanese dames van plezier, Bosnische monteurs, Roemeense zigeuners, Koerdische schaapherders en Afrikaanse handelaren. Voor don Alvise waren het stuk voor stuk, het maakte niet uit welke nationaliteit ze hadden of welke godsdienst ze aanhingen, kinderen van de God die hij aanbad. Dus konden ze allemaal op zijn zorg rekenen.

Zijn parochianen bekeken zijn activiteiten met gemengde gevoelens: sommigen waren het ermee eens dat de rijkdom van de Kerk gedeeld werd met de allerarmsten, anderen voelden meer voor het aanbidden van een God die wat minder scheutig was. Toen don Alvise een familie uit Sierra Leone onderdak bood in de pastorie protesteerde dat laatste contingent bij de bisschop. De bisschop schreef don Alvise daarop een brief waarin stond dat de familie moest vertrekken. Hij verduidelijkte zijn standpunt door erop te wijzen dat 'sommige van deze mensen stenen aanbidden'.

Don Alvise had de brief nog maar net gelezen of hij ging naar het plaatselijke bankfiliaal en nam het grootste deel van het tegoed van de kerk op. Twee dagen later, nog voor hij de bisschop een antwoord had gestuurd, gebruikte hij het geld voor de aanschaf van een bescheiden appartement in het naburige Portoguaro. De woning stond op naam van de vader van het gezin uit Sierra Leone. Diezelfde avond schreef don Alvise de bisschop een brief waarin hij uitlegde dat hem niets anders restte dan zijn soutane aan de wilgen te hangen omdat hij wilde doorgaan met het helpen van de zwakkeren in de samenleving en weinig zin had in de strijd met zijn superieuren. Zijn laatste regels, hoe respectvol ook, luidden dat hij liever in gezelschap verkeerde van mensen die stenen aanbaden dan van mensen die op de plaats van hun hart een steen hadden zitten.

De vele vrienden die hij in de loop der jaren had gemaakt, schoten te hulp en binnen een paar weken had hij een nieuwe baan als maatschappelijk werker in Venetië, zijn geboortestad, waar hij de leiding kreeg over een opvangcentrum waar politieke vluchtelingen en asielzoekers eten en onderdak geboden werd. Hoewel hij nu ambtenaar was en geen geestelijke meer, stonden de mensen die voor hem werkten erop hem uit eerbetoon niet signor Perale te noemen maar don Alvise. Of hij nou een spijkerbroek droeg, een snor liet staan waar menige macho jaloers op kon zijn of zelfs in het gezelschap van vrouwen verkeerde: de aanspreektitel bleef. Hij was en bleef don Alvise.

Brunetti kende hem al een paar jaar, sinds hij aan een zaak had gewerkt van een verdwenen vrouw uit Kosovar van wie men vermoedde dat ze in de drugshandel zat. De vrouw was nooit gevonden, maar hij en don Alvise hadden een goed contact opgebouwd. Sindsdien hadden ze elkaar zo nu en dan met iets geholpen of inlichtingen bij elkaar ingewonnen.

Brunetti wist dat er officiële kanalen waren waar hij inlichtingen kon inwinnen over de *extracomunitari*. De Questura had zeker gegevens over hen, maar hij wist dat wat don Alvise hem zou kunnen vertellen, veel beter was dan wat hij via de geëigende kanalen zou horen. Misschien kwam het wel door het feit dat de officiële instanties die mensen als probleemgevallen zagen, terwijl don Alvise hen zag als mensen met problemen.

Terwijl de boot langzaam over het Canal Grande voer, legde Brunetti Vianello uit waarover hij de voormalige pastoor wilde spreken. 'Ze vertrouwen hem,' zei Brunetti, 'en ik weet dat hij voor veel *clandestini* onderdak vindt.'

'Ook voor de *Senegalesi*?' vroeg Vianello. 'Ik dacht dat die een nogal gesloten gemeenschap vormden. De meesten zijn moslim.'

Brunetti had hetzelfde gehoord, maar op het moment was don Alvise de enige die hem wellicht verder kon helpen. Daarbij kon het de *don* niet schelen welke god iemand aanbad. 'Dat kan wel zijn,' reageerde hij dan ook, 'maar dat wil niet zeggen dat hij er niet een paar kent.' Toen Vianello geen blijk gaf van enig enthousiasme, vroeg Brunetti: 'Heb jij soms een beter idee?'

Vianello zei niets.

De boot sloeg links af de Rio di San Zan Degolà in. Brunetti stond op, moest even bukken toen hij de kajuit uit ging en liep het dek op. 'Daar graag, nog vóór de brug,' zei hij tegen de agent, die daarop het vaartuig naar de kade stuurde, de motor in zijn achteruit zette en zwijgend op de bemoste treden afstevende. Brunetti keek even naar het mos en twijfelde of hij van de dobberende boot op de treden durfde te springen. De agent liep met het meertouw in de hand achter hem langs, sprong op de *riva* en trok de voorplecht van de boot richting kademuur. Hij bond het touw aan een stalen ring die op de kade was bevestigd, stak een hand naar zijn passagiers uit en hielp hen beiden de kade op.

Brunetti zei de agent dat hij een kop koffie kon gaan drinken en dat ze over een halfuur terug zouden zijn. De agent liep naar een café even verderop en Brunetti wandelde met Vianello langs de kerk, waarna ze een nauwe *calle* in gingen.

'Calle dei Preti,' las de altijd oplettende Vianello op het straatnaambord. 'Lijkt me toepasselijk, de Priesterstraat.'

Aan het eind van de straat sloegen ze links af, richting Canal Grande. 'Nou, bijna dan,' zei Brunetti, 'want we zitten nu op de Fontego dei Turchi.'

'Turken helpt hij vast ook,' zei Vianello, 'dus wat dat betreft zitten we nog steeds goed.'

Brunetti herinnerde zich de deur, een zware groene *portone* met twee koperen handgrepen in de vorm van leeuwenkoppen. Hij belde aan en wachtte. Via de intercom werd gevraagd wie er was, waarop Brunetti zijn naam noemde en de deur openging. Ze kwamen bij een lange, smalle binnenplaats met aan het eind een waterput. Aan beide kanten waren houten deuren. Zonder dralen liep Brunetti naar de tweede deur links, die openstond. Ze liepen een paar treden op en kwamen bij nog een open deur, waarachter een kleine, enigszins gebogen man hen stond op te wachten.

'*Ciao*, Guido,' zei Perale, die Brunetti bij de ellebogen pakte, op zijn tenen ging staan en de commissario op beide wangen zoende. Brunetti omhelsde hem en nam Perales rechterhand in de zijne, waarna hij zich omdraaide en Lorenzo Vianello als 'mijn vriend' voorstelde.

Don Alvise wist wanneer hij een wetsdienaar voor zich had, maar dat belette hem niet Vianello vriendelijk de hand te schudden. 'Welkom, welkom. Kom verder,' zei hij, Vianello met de hand meetrekkend. Hij sloot de deur van zijn woning achter hen, vroeg of hij hun jassen kon ophangen en hing die aan twee haken aan de binnenkant van de deur. Hij was minstens een kop kleiner dan

Brunetti en zijn gebogen houding maakte hem nog korter. Zijn wilde grijze haardos, die nogal ongelijk geknipt was, had in geen tijden een kam of borstel gezien en hing van achteren over zijn kraag. Hij droeg een bril met een plastic montuur en glazen die zo dik waren dat ze zijn ogen vervormden. De neus leek wel een homp klei die op zijn gezicht was gedrukt, de mond onder de macho snor was klein en rond als van een baby.

Zonder de warmte die uit ieder woord en iedere blik straalde, zou zijn uiterlijk misschien een beetje koddig genoemd kunnen worden. Je kreeg het idee dat de man alles om zich heen goedkeurend en met affectie bezag, dat hij elke uitwisseling van ideeën begon met respect voor zijn gesprekspartner.

Hij ging hen voor naar een kamer die gezien het bureau dat scheef in een hoek stond, zo kon doorgaan voor een kantoor, ware het niet dat er een bed tegen de muur stond met aan het hoofdeinde een plank waarop een vale spijkerbroek, een stapeltje truien en keurig opgevouwen ondergoed lagen. Don Alvise trok de bureaustoel bij en zette die naast de enige leunstoel in de kamer. Hij gebaarde het bezoek plaats te nemen en ging zelf op de punt van het bureau zitten. Hij moest even een aanloopje nemen om erop te komen en toen hij zat, bungelden zijn voeten een stukje boven de vloer.

'Wat kan ik voor je betekenen, Guido?' vroeg hij toen iedereen zat.

'Het gaat over de man die gisteravond is vermoord.'

Don Alvise knikte. 'Dat dacht ik al.'

'Ik hoopte dat je hem kende of iets over hem kunt vertellen,' zei Brunetti terwijl hij de pastoor aankeek. Hij probeerde iets van diens gezicht af te lezen, een flikkering van herkenning, maar zag niets van dien aard. Hij zweeg en wachtte op het antwoord op de vraag die hij niet had gesteld.

'Heb je geen foto bij je?' vroeg Perale.

Brunetti zweeg even. 'Dat leek me overbodig. Als je het slachtoffer inderdaad hebt gekend, dan heb je die niet nodig.' Daarbij leek het Brunetti een goede daad om de pastoor de foto's niet te laten zien.

'Da's waar.'

Brunetti liet een lange stilte vallen. 'Nou?' zei hij uiteindelijk.

Perale keek naar de vloer en schopte zachtjes, als een kind dat aan de tand wordt gevoeld of een standje krijgt, met zijn voeten tegen de poot van het bureau. Een twee, een twee. Even konden zijn bezoekers zijn gezicht niet zien, maar na een paar seconden keek hij naar Brunetti op en zei: 'Ik moet daar eens even goed over denken. Ik moet even overleg plegen voor ik je wat zeg.'

'Voor je wat zégt of voor je wat kúnt zeggen?' vroeg Brunetti.

'Wat is het verschil?' vroeg de priester onschuldig.

Brunetti keek hem even aan, onzeker over hoe hij dit gemanoeuvreer moest aanpakken. 'Kom op, don Alvise,' besloot hij en hij liet er met een vrolijk gezicht op volgen: 'Toen ik je leerde kennen was je niet zo'n jezuïet, dus houd daar nou maar mee op.'

Even leek de gespannen sfeer van terughoudendheid verdwenen, maar niet voor lang. 'Oké Guido. Ik heb begrip voor je positie, maar voor ik wat zeg wil ik eerst even met wat mensen overleggen.'

'Wat als die zeggen dat je niet met me moet praten?'

De voetjes hernamen het oude ritme weer, alsof hun zekerheid hem zou helpen met zijn eigen onzekerheid. 'Dan moet ik er nog eens goed over nadenken,' antwoordde hij.

'Hoe het ook zij, de immigratiedienst wordt er niet bij betrokken,' zei Brunetti. 'Wat je me ook te vertellen hebt.'

Het ritmische getik hield op en de pastoor keek hem aan. 'Hangt dat niet af van wat ik eventueel te zeggen heb?'

Brunetti waagde het erop. 'Als ik je mijn woord geef dat niets van wat je me te zeggen hebt bij de dienst terechtkomt, geloof je me dan?'

Het kleine mondje vormde een brede glimlach. 'Guido, als jij me je woord geeft dat de burgemeester een eerlijk mens is, dan geloof ik je zonder meer.' Toen hij Brunetti's en Vianello's verbaasde blikken zag, ging hij door: 'Maar reken er maar op dat ik mijn hand mooi op mijn portemonnee houd als ik hem tegenkom.'

Brunetti liet het er maar bij. Hij wist dat don Alvise hem zou vertellen wat hem goeddacht en daarmee uit. Meer dan op de wijsheid van don Alvise vertrouwen kon hij niet. In die wetenschap stond Brunetti op en na beleefd afscheid te hebben genomen, gingen Brunetti en Vianello de deur uit.

9

'Is hij altijd zo sluw?' vroeg Vianello.

'Sluw?'

'Slim, geslepen... hoe je het ook wilt noemen,' zei Vianello geïrriteerd. 'Hij weet donders goed om wie het gaat. Dat was duidelijk en desondanks komt hij met het smoesje dat hij het moet overleggen.' Hij brieste en een wolkje adem kringelde in de koude lucht. 'Als hij weet wie het is, hem heeft gekend, dan is hij volgens de wet verplicht mee te werken.'

Brunetti was verbaasd dat een man als Vianello zo rechtlijnig dacht en hij deed een poging diens woede te temperen. 'Ja en nee.'

'Hoezo dat?'

In plaats van hem meteen antwoord te geven, liep Brunetti naar de overkant van de *calle*, waar een café was. 'Ik heb behoefte aan koffie,' zei hij, terwijl hij de deur openduwde. Binnen viel de warmte als een deken over hem heen en alsof het zo getimed was liet het espressoapparaat een stoot stoom ontsnappen die wel wat weg had van Vianello's boze gebries van daarnet. Ze gingen naar de bar, waar Brunetti twee espresso bestelde. Terwijl ze daarop wachtten, zei hij: 'Als hij denkt dat hij er mensen mee in gevaar brengt, hoeft hij niets te zeggen.' Nog voor Vianello de wet in dezen kon opdreunen, voegde Brunetti eraan toe: 'Dat wil zeggen... Volgens de wet wel, dat weet hij best, maar daar laat hij zich niet door leiden, niet als hij er mensen mee in gevaar brengt.'

'U hebt hem toch beloofd niet naar de immigratiedienst te gaan?' drong Vianello aan. 'Vertrouwt hij u dan niet?'

'Misschien is hij bang dat het gevaar van een andere kant komt.'

'Waarvandaan dan wel?'

De espresso werd geserveerd en ze hielden zich bezig met het openscheuren van hun suikerzakje om de inhoud in het kleine kopje te legen. Na een slok zette Brunetti het kopje terug op het schoteltje en zei: 'Geen idee, maar ik kan nu niet meer doen dan afwachten en zien of er iets uitkomt. Als hij me niks wil vertellen, moet ik zien uit te vinden waarom niet.'

Hij zweeg even om Vianello de kans te geven te reageren, maar de inspecteur gebaarde met zijn kopje in de hand om aan te geven dat Brunetti verder moest gaan.

'Wat hij ook doet, of ik nou wat uit hem krijg of niet, hij verschaft ons wel degelijk informatie. Zodra ik die heb, kan ik mijn plan trekken.'

Vianello haalde zijn schouders op, waarna ze opstonden en terugliepen naar de boot. De agent had de motor de hele tijd laten draaien, dus het was nu behaaglijk in de kajuit. Brunetti wist niet of het nou aan de warmte in de kajuit lag of aan de kick die de espresso met suiker hem had gegeven, maar op de een of andere manier was hij nu wat beter geluimd en genoot hij van het boottochtje naar de Questura. De *palazzi* aan beide oevers kwamen langs en de vrolijke, gevarieerde bouwstijlen vochten om zijn aandacht: hier een streng gotisch raam, daar een gevel met een speels mozaïek aan kleuren, links het door het water geteisterde atrium van de Cà d'Oro en daartegenover de gapende leegte van de markt die nu afgelopen was, maar waar Paola die ochtend vis had gekocht.

Die gedachte deed hem terugdenken aan zijn gezin en de spanningen tijdens het middageten. Wat moesten ze met Chiara aan? Heel even bekroop hem de gedachte haar mee te nemen naar het mortuarium van het ziekenhuis, haar het lijk van de man te laten zien als bewijs wat er kon gebeuren als je hem zag als 'maar' een *vú cumprá*. Hij verwierp de gedachte meteen, omdat het vermoedelijk goedkoop melodrama zou opleveren. Daarbij was niet gezegd dat Chiara oorzakelijk gevolg zou zien tussen het een en het ander. Trouwens, was dat er eigenlijk? Zijn gedachten keerden terug naar het gesprekje met don Alvise, maar toen hij naar buiten keek, zag hij het Dogenpaleis links van de boot opdoemen en stond hij op. 'Kom,' zei hij tegen Vianello. Hij ging het dek op. De snerpende kou deed zijn ogen tranen, wat zijn zicht vertroebelde en het *palazzo* deed veranderen in een bewegende, glanzende vorm boven het dansende water.

Vianello kwam de kajuitstrap op en ging naast Brunetti aan dek staan. De vlaggen aan de hoge vlaggenstokken voor de *basilica* wapperden strak in de wind; de aangemeerde boten en gondels dobberden op en neer, heen en weer, en maakten nogal wat lawaai dat boven de wind uit te horen was. Op het *piazza* ploegden de mensen met gebogen lichaam in de wind voort en de toeristen kropen diep in hun kraag, maar de wind joeg alle plezier uit hun lijf.

Zou de wereld er beter uitzien als alles anders was en La Serenissima heerseres was over de wereldzeeën? Misschien was de moord op die naamloze Moor dan tóch gepleegd, zeker als de moordenaars wisten dat diens anonieme bestaan hen zou beschermen. Hij deed zijn ogen even dicht en toen hij ze opende, hadden de Brug der Zuchten en de gevels van de hotels aan de *riva* de plaats ingenomen van het *palazzo*. De bijtende kou was hier op open water nog vinniger, maar hij bleef op het dek staan totdat ze bij de Questura aanlegden. Brunetti bedankte de agent en vroeg Vianello met hem mee te komen.

Het laatste stukje van de boottocht had hen tot het bot verkleumd en het duurde zeker vijf minuten voor ze het warm genoeg hadden om hun jas uit te trekken. Terwijl Brunetti zijn jas in de kast hing, zei hij: 'Waanzinnig. Ik kan me niet herinneren dat het rond deze tijd van het jaar ooit zo koud is geweest.'

'Het broeikaseffect,' zei Vianello die zijn jas over de leuning van een van de stoelen voor Brunetti's bureau gooide. Hij nam plaats op de andere.

Brunetti wachtte tot Vianello zat en zei: 'Hoezo, broeikaseffect? Dan zou het toch warmer moeten zijn?'

Vianello wreef zich in de handen om ze te warmen en zei: 'Dat is ook zo, of liever gezegd: dat komt nog, zoveel is zeker. Maar de seizoenen raken ook van slag. Herinnert u zich al die regen in de herfst en in het voorjaar nog?' Brunetti knikte en Vianello ging verder: 'Het heeft allemaal met elkaar te maken. Het hangt af van stromingen in de oceanen en de atmosfeer.'

Vianello gaf de indruk dat hij wist waarover hij het had, dus vroeg Brunetti: 'Hoe kom je aan die wijsheid?'

'Ik heb het VN-rapport over het broeikaseffect gelezen. Nou ja, stukken dan. Het staat er allemaal in. Het mooie is dat het gebied dat er als laatste wat van gaat merken, als de wetenschappers het tenminste bij het rechte eind hebben... Weet u over welk land, over welke landmassa ik het dan heb?'

Brunetti had geen idee en schudde zijn hoofd dan ook maar.

'Noord-Amerika. De Amerikanen zitten goed omdat ze daar

aan weerszijden enorme watermassa's hebben. De stromingen zijn hen daar welgezind. Terwijl wij hier omkomen door hun uitstoot en van de warmte, kunnen zij gewoon hun gang blijven gaan.'

Vianello wond zich er flink over op en dat was niets voor hem, dus vroeg Brunetti: 'Overdrijf je nou niet een beetje, Lorenzo?'

'Overdrijven? Omdat zij daar mijn leven bekorten en mijn kinderen vermoorden?'

Brunetti had er al spijt van dat hij Vianello had aangemoedigd zijn stokpaardje te berijden: de ecologische veranderingen. Op rustige toon zei hij dan ook: 'Het is allemaal lang niet zeker, Lorenzo.'

'Dat mag zo zijn, maar het is ook niet zeker dat ik aan longkanker sterf als ik weer ga roken en drie pakjes per dag soldaat maak, maar aannemelijk is het wel.'

'Je denkt dat de klimaatsverandering ons gaat nekken?'

Door Brunetti's rustige manier van spreken was Vianello wat gekalmeerd. 'Ik weet het niet. Ik ben natuurlijk geen expert. Ik lees erover en ik weet dat de VN haar goedkeuring aan het rapport heeft gegeven. Het is opgesteld door klimatologen uit alle windstreken, dus wat mij betreft is het waar, tenzij ik op iets stuit wat me van gedachten doet veranderen.'

'Denk je dat we het kunnen oplossen?' vroeg Brunetti. Vianello fronste zijn voorhoofd en aan de V die zijn donkere wenkbrauwen vormden, zag hij dat hij zijn vraag moest verduidelijken. 'Dat broeikaseffect, bedoel ik.'

'Ze zeggen van niet, dat we al te ver heen zijn.'

'Hoezo dat?' vroeg Brunetti, die enige betrokkenheid begon te voelen.

'Te laat om het tij te keren dat we in de afgelopen vijftig jaar zelf hebben veroorzaakt.'

'Dat is een somber vooruitzicht,' zei Brunetti. De collega's op de Questura plaagden Vianello al jaren met zijn opvattingen over ecologie, maar Brunetti zag het in hetzelfde licht als het fanatisme waarmee zijn kinderen plastic flessen afwezen en hun oud papier verzamelden om het in de oud-papierbak bij de Rialto te gooien. Wat Vianello hem nu vertelde, was heel wat somberder dan wat de inspecteur voorheen had beweerd.

'Dus er valt niets meer aan te doen?'

Vianello haalde zijn schouders op.

'Geef nou antwoord, Lorenzo.'

Even was Brunetti bang dat Vianello wilde opstaan en weglopen, maar hij was te nieuwsgierig naar het antwoord op zijn vraag, dus hij drong aan. 'Kom op.'

'Gewoon doorgaan met leven en werken, denk ik,' zei Vianello na enig nadenken, waarna hij snel van onderwerp veranderde, alsof het voorgaande helemaal niet ter sprake was gekomen. 'Wat de Senegalees betreft, als don Alvise blijft zwijgen, hoe komen we dan achter zijn identiteit?'

Brunetti begreep dat de discussie gesloten was en gaf hem antwoord. 'Gravini kent een Afrikaan die bij zijn moeder in de buurt woont, in Castello. Hij gaat proberen of hij de man aan de praat kan krijgen. Ik heb signorina Elettra gevraagd haar best te doen om uit te vinden wie er woonruimte verhuren aan Afrikanen.'

'Goed idee. Hij moet een dak boven zijn hoofd hebben gehad.' Hij hoorde zelf hoe raar dat klonk, dus voegde hij eraan toe: 'Ik bedoel hier in de stad ergens. Tenslotte had hij weinig meer dan een sleutel op zak.'

'Heb je het autopsierapport gezien?' vroeg Brunetti. Hij verbaasde zich erover dat hij dat op weg naar don Alvise al niet had gevraagd.

'Nee.'

'Daarin staat dat hij eind twintig was, in goede gezondheid verkeerde en dat twee schoten elk op zich al fataal geweest zouden zijn.'

'Wat een wereld.' Ze zwegen even, totdat Vianello vroeg: 'Ze komen toch voornamelijk uit Senegal, is het niet?'

'Dat geloof ik wel. Ik ben er altijd van uitgegaan, maar dat wil nog niet zeggen dat het ook zo is.'

'Dus...' begon Vianello. Hij zweeg en keek erbij alsof hij een moeilijk probleem probeerde op te lossen. 'Dus dan kunnen ze uit verschillende steden en dorpen komen, van verschillende stammen zijn.' Hij keek Brunetti aan, kneep zijn lippen samen en zei: 'Vreemd dat we zo weinig over hen weten, over heel Afrika, bedoel ik.'

Brunetti knikte, maar reageerde niet.

'Behalve dan dat ze zwart zijn,' zei Vianello en trok zijn wenkbrauwen op ter illustratie van de ironie van die opmerking.

Brunetti negeerde dat maar en zei: 'Wij lijken niet op Duitsers en Finnen lijken niet op Grieken, maar we zijn wel allemaal Europeanen.'

'Nou en?' zei Vianello, niet erg onder de indruk van Brunetti's observatie.

'Misschien zijn er mensen die wél verschillen zien.'

Op dat moment kwam signorina Elettra de kamer binnen. Ze had een vel papier bij zich, wat Brunetti's hoop dat ze iets over de identiteit van de *vú cumprá* te weten was gekomen deed groeien. De term *vú cumprá* spookte nog door zijn hoofd, maar hij nam zich voor de groep vanaf dat moment te betitelen als *ambulanti*.

'Ik heb er twee,' zei ze terwijl ze even naar Vianello knikte, die opstond en haar zijn stoel aanbood. Hij hing zijn jas met de schouders over de leuning, wachtte tot zij zat en ging zelf op de stoel met de jas zitten.

'Twee wat?' vroeg Brunetti ongeduldig.

'Huisbazen,' zei ze en nog voor Brunetti wat kon vragen, ging ze verder: 'Ik heb een kennis gebeld die bij *La Nuova* werkt...' Ze zag hoe de twee mannen reageerden op het horen van de naam, dus zei ze snel: 'Ik weet het, ik weet het, maar we kennen elkaar nog van de basisschool en hij had werk nodig.' Nadat ze zich had verontschuldigd voor de werkkring van de kennis, vervolgde ze: 'Daarbij, hij krijgt nú de kans om bekende mensen die hier wonen te ontmoeten.'

Vianello had genoeg gehoord en liet demonstratief zijn mond openhangen. Signorina Elettra keek hem aan en deed hem na. 'Zielig hè? Bekend doordat je hier woont... Alsof iets van de stad op je afstraalt of zo.'

Brunetti had vaak over dergelijke dingen nagedacht en vooral als het buitenlanders betrof, vond hij het maar een vreemde zaak. Dikwijls dachten die dat een bepaald adres hun cachet verleende, alsof een woning in de wijk Dorsoduro of een *palazzo* aan het Canal Grande hun conversatie, hun wezen zelfs, iets extra's gaf, hun weinig interessante leven opfleurde of dat de droesem van hun saaie bestaan daardoor in goud veranderde.

Als hij erover nadacht, moest hij erkennen dat hij blij was Venetiaan te zijn, maar iets als trots voelde hij niet. Hij had geen keuze gehad in zijn geboorteplaats, noch in welk dialect zijn ouders spraken, dus waarom zou je daar trots op zijn? Niet voor het eerst werd hij overvallen door een gevoel van treurigheid als hij dacht aan de ijdelheid van de menselijke soort.

'... daar bij Santa Maria Materdomini,' hoorde hij signorina Elettra zeggen toen hij zijn aandacht weer richtte op het tweetal dat voor hem zat.

'U noemde Bertolli?' zei Vianello. 'U bedoelt die man die in de gemeenteraad heeft gezeten?'

'Klopt. Renato. Hij is advocaat,' zei signorina Elettra.

'En die andere?' vroeg Vianello.

'Cuzzoni. Alessandro Cuzzoni.' Ze wachtte even om te zien of die naam beide mannen wat zei. 'Hij komt uit Mira, maar tegenwoordig woont hij hier. Hij heeft een eigen zaak.'

'Wat voor zaak?'

'Hij is juwelier, maar wat hij verkoopt komt voor het overgrote deel zo uit de fabriek,' zei ze op een toon die verried dat ze nooit een dergelijk ding zou dragen.

'Waar zit die zaak?' vroeg Brunetti. Niet dat het hem nu zoveel kon schelen, maar hij wilde laten zien dat hij hun gesprek wel degelijk volgde.

'In een zijstraatje van Ventidue Marzo, in die *calle* die van de brug naar het Fenice loopt.'

In gedachten liep Brunetti door de nauwe *calle* vanaf de brug naar het Campo San Fantin, voorbij de antiekzaak. 'Tegenover dat café?' vroeg hij.

'Ik geloof van wel,' antwoordde signorina Elettra. 'Ik ben er niet langsgelopen, maar ik geloof dat het de enige juwelier daar is.'

'Deze twee heren verhuren aan *extracomunitari*?' vroeg Brunetti.

'Volgens Leonardo. Zonder huurovereenkomst, zonder te vragen hoeveel mensen er komen te wonen en alles handje contantje.'

'Gemeubileerd?' vroeg Vianello.

'Gemeubileerd? Als u het zo wilt uitdrukken. Leonardo heeft er een jaar of twee geleden een artikel aan gewijd, hoewel het toen over een andere huisbaas ging. Hij zei dat je je geen voorstelling kon maken van die holen: zeven op een kamer en het krioelde er van de kakkerlakken. Hij zei dat de keuken en het toilet iedere beschrijving tartten. Hij gaf me dus maar geen details en zei dat ik het ook helemaal niet wílde weten.'

'Die huisbaas was dus niet een van de twee die je zojuist noemde?'

'Ik geloof van niet. Ik weet ook niet of de appartementen van dat tweetal net zo erg zijn als wat ik daarnet beschreef, alleen dat Leonardo zei dat zij tweeën waarschijnlijk aan *extracomunitari* verhuurden.'

'Weet hij waar hun appartementen zijn?'

'Nee. Hij weet trouwens niet zeker of ze huisjesmelkers zijn, maar hij zei wel dat áls er lieden zijn die dergelijke appartementen verhuren, dat dit tweetal er dan vermoedelijk wel bij zit.'

'Is dit hier Bertolli's werkadres?' vroeg Brunetti, die op het papier wees dat signorina Elettra had meegebracht. Hij vroeg zich af waar het precies was.

'Ja. Ik heb het nagetrokken in de *Calli, Campielli e Canali*. Ik geloof dat het net voorbij die *fabbro* is, die smidse waar ze ook sleutels maken.' Brunetti wist het weer. Hij was er een paar keer geweest, een jaar of vijf geleden, toen hij een ijzeren trapleuning had laten maken voor het laatste stukje trap naar hun appartement. Hij kende de buurt wel, maar die lag nogal achteraf voor een advocatenkantoor.

'Ik moet eens even nadenken over hoe ik dat ga aanpakken,' zei Brunetti terwijl hij met het papier wapperde. 'Als we de heren ondervragen over de verhuur, krijgen ze het vast Spaans benauwd, net als iedereen trouwens, bang als ze zijn dat we ze bij de belastingdienst aangeven.' Dat beide heren de inkomsten netjes bij de gemeente hadden gemeld en er belasting over betaalden, kwam niet eens in Brunetti op. 'Weten jullie iemand die een van tweeën misschien kent?'

'Een paar vrienden van me zijn advocaat,' zei signorina Elettra verlegen, bijna alsof het een overtreding was. 'Ik kan mijn licht wel eens opsteken.'

'En jij, Vianello?' vroeg Brunetti.

De inspecteur schudde zijn hoofd.

'En die Cuzzoni?' drong Brunetti aan.

Ze schudden nu allebei het hoofd. Signorina Elettra zag Brunetti's teleurstelling en opperde: 'Ik kan het *ufficio castato* wel even bellen en laten uitzoeken of de heren inderdaad appartementen bezitten. Zodra we de adressen hebben, kunnen we nagaan of er huurovereenkomsten zijn.'

Brunetti's oom, die in de buurt van Feltre woonde, was gek op de jacht en was dan altijd in gezelschap van Diana, een Engelse setter. Diana's grootste genoegen, afgezien van haar baasje liefdevol aankijken wanneer die haar oren aaide, was vogels op te jagen. In de herfst, als de atmosfeer veranderde en het jachtseizoen begon, werd Diana onrustig. Ze kon geen rust vinden voordat het baasje zijn geweer pakte en de deur opende die uitkwam op de bossen achter het huis. Nu hij signorina Elettra zo op het puntje van de stoel zag zitten, moest hij denken aan de gelijkenis met Diana: dezelfde hongerige donkere ogen, de opengesperde neusvleugels en de nauwelijks verholen spanning als ze dacht aan de prooi die moest worden binnengehaald. 'Kunt u alles op dat ding van u vinden?' vroeg hij, niet de moeite nemend de computer te benoemen.

Ze keek hem aan en ging wat rechterop zitten. 'Misschien niet alles, meneer, maar wel heel veel.'

'Ook over don Alvise Perale?' vroeg hij. Hij wist zeker dat hij Vianello daarmee had verrast, hoewel de inspecteur aanvankelijk niets liet merken, maar algauw zag Brunetti dat Vianello hem inderdaad verbaasd aankeek. Brunetti glimlachte haast ongemerkt en Vianello schudde zijn hoofd ten teken van waardering dat Brunetti het in zich had om iedereen te vertrouwen.

Brunetti wist dat het niet nodig was Diana aan te sporen. Bij de geringste aanwijzing dat er wat op til was, werd de setter al hongerig. Ook signorina Elettra verspilde geen tijd. 'U bedoelt die ex-pastoor?'

'Ja.'

Ze stond gracieus op en zei: 'Ik kijk wel wat ik kan doen.'

'Het is tegen achten, signorina,' meende hij te moeten zeggen.

'Het is zo gepiept,' zei ze en haastte zich de kamer uit.

Toen ze de deur achter zich had dichtgedaan, zei Vianello: 'Maakt u zich maar geen zorgen. Ze heeft hier geen bed staan. Uiteindelijk gaat ze heus wel naar huis.'

10

Brunetti vond een zitplaats linksachter in de kajuit van de *vaporetto*. Terwijl hij over het Canal Grande voer, zag hij de San Giorgio en de gevels van de wijk Dorsudoro langsglijden. Hij was op weg naar San Silvestro en zag de mooie oevers wel, maar zijn gedachten waren niet bij Venetië, zelfs niet bij Europa.

Hij dacht aan de hopeloze toestand van Afrika en aan de eeuwige discussie of het allemaal de schuld was van wat de bevolking in de loop der eeuwen was aangedaan of dat die het aan zichzelf te danken had. Hij wist niet genoeg van het onderwerp af om er wat zinnigs over te zeggen, maar hij had niet de indruk dat men ooit tot een conclusie zou komen die kon doorgaan voor wat men 'historische feiten' noemde.

Hij dacht aan het slagschip van Joseph Conrad, het bestoken van het oerwoud om de bevolking tot overgave te dwingen, de aangespoelde lijken aan de oevers van het Victoriameer, de glans van het brons in Benin en de gapende mijnen waar zo veel van de rijkdommen der aarde werden gedolven. Hij wist natuurlijk dat die zaken niet de essentie van Afrika waren, net zomin als de brug waar de *vaporetto* nu onderdoor voer wezenlijk was voor Venetië of Italië.

Alle afzonderlijke gebeurtenissen waren stukjes van een puzzel die niemand kon oplossen. Hij herinnerde zich de Latijnse tekst die hij ooit onder aan een kaart van het donkere continent had zien staan waarop was aangegeven waar de westerse kolonisatie van Afrika was gestopt· HIC SCIENTIA FINIT. Het betekende: hier houdt de kennis op. Wat een arrogantie, dacht Brunetti, en hoe arrogant zijn we nog steeds.

Thuis was het vredig, of misschien was het beter te spreken van een wapenstilstand die werd geëerbiedigd. Chiara en Paola praatten tijdens het eten weer normaal met elkaar en te oordelen naar de twee porties pasta met broccoli en kappertjes die Chiara naar binnen werkte, gevolgd door twee stoofperen, leek haar eetlust ook weer op peil. Het was een goed teken, dus was hij na het eten heerlijk op de bank gaan liggen met een klein glaasje grappa binnen handbereik en het boek dat hij aan het lezen was op zijn buik. De afgelopen week had hij Ammianus Marcellinus' verhandeling over de laatste vier eeuwen van het Romeinse Rijk herlezen, een boek dat hij vooral zo goed vond vanwege de manier waarop keizer Julianus, een van zijn grootste helden, was neergezet. Ook door dit boek werd hij met Afrika geconfronteerd en wel door de beschrijving van het beleg van Leptis Magna in Tripolitanië. Hij werd opnieuw gegrepen door de slechtheid van zowel de agressor als de onderdrukte. Gegijzelden werden vermoord, mensen die de onwelkome waarheid spraken werd de tong afgesneden, roof en slachtingen lieten niets heel van het land. Hij was tot aan hoofdstuk negenentwintig gekomen, maar sloeg het boek dicht en besloot dat een vroege nachtrust hem misschien zou doen vergeten dat de mensheid er in bijna tweeduizend jaar weinig bij had geleerd.

's Ochtends, toen de kinderen al naar school waren, had hij het met Paola over Chiara gehad. Geen van beiden begreep wat de reden was van de ommedraai van hun dochter. Brunetti herhaalde dat hij zich zorgen maakte over de mening die ze had geventileerd.

'Weet je,' zei Paola, 'al jaren hoor ik de ouders van hun klasgenootjes reageren op slechte cijfers. Het ligt altijd aan de leraar. Waar het ook om gaat, wie van de kinderen het ook betreft: de leerkracht heeft het altijd gedaan.' Ze doopte een koekje in haar *caffé latte*, nam er een hap uit en vervolgde: 'Nooit zegt er eens iemand: "Klopt, Gemma is niet zo slim, dus het verbaast me niets dat ze niet meekomt met wiskunde", of "Nanni is een dommerdje, weet je, vooral waar het vreemde talen betreft". Niets van dat alles. De kinderen zijn allemaal superintelligent, de ouders denken dat ze de hele dag met hun neus in de schoolboeken zitten en hun verlichte geest zegt hun dat geen enkele leraar ooit iets heeft bijgedragen tot hun intellect, in positieve of negatieve zin. Toch zijn het dezelfde kinderen die hier over de vloer komen en het alleen maar over popmuziek en films hebben, alleen over dergelijke onderwerpen wat weten te vertellen en als ze misschien even niet over dat soort dingen kleppen, dan bellen ze elkaar met hun *telefonino's* en sturen elkaar e-mails. Begin maar niet over grammatica en zins-bouw, want daar word je helemaal eng van.'

Brunetti at een koekje, nam er nog een, keek haar aan en vroeg: 'Bereid je je tijdens de afwas op dit soort toespraken voor of komt die retoriek spontaan bij je op?'

Ze dacht even na en antwoordde even speels als zijn vraag was. 'Spontaan, zou ik zeggen, maar ik behoor nou eenmaal tot het korps van de taalpolitie, altijd en eeuwig op jacht naar onvolko-menheden en stommiteiten.'

'Heb je het er druk mee?'

'Vreselijk.' Ze schonk hem een glimlach, maar die verdween al snel. 'Wat ik maar wilde zeggen, is dat ik geen idee heb waar Chia-ra die ideeën heeft opgepikt.'

Tijdens het gesprek waren Brunetti's gedachten nooit lang van het slachtoffer afgedwaald en na een korte stilte vroeg hij: 'Als je wat tijd overhebt en niet voor de taalpolitie bezig bent, kun je dan eens nadenken of je iemand bij de universiteit kent die je een foto van een Afrikaan kunt geven en die hem dan kan plaatsen? Ik be-doel, iemand die kan zien van welke stam hij is?'

'Heb je het over het slachtoffer?'

Hij knikte. 'We weten alleen dat hij Afrikaan is, vermoedelijk Senegalees, maar zelfs dát is niet zeker. Weet je iemand die er mis-schien wat zinnigs over kan zeggen?'

Ze doopte weer een koekje, at het, nam een slokje koffie en zei: 'Ik ken iemand bij archeologie die zes maanden per jaar in Afrika zit. Ik kan het proberen.'

'Graag. Zal ik signorina Elettra vragen de foto's naar de univer-siteit te sturen?'

'Kun je ze niet mee naar huis nemen en ze me gewoon geven?'

'Ze zitten in de computer,' zei Brunetti op rustige toon, die haar moest doen geloven dat hij begreep hoe zoiets kon.

Ze keek hem verwonderd aan en zag Brunetti's blik. 'Mijn klei-ne computerfreak...' zei ze met een glimlach.

Spijtig beantwoordde hij haar glimlach en vroeg: 'Hoe weet je dat?'

'Dat is nou ook de taalpolitie,' zei ze. 'We weten meteen wan-neer er gelogen wordt.'

Hij dronk zijn koffie en stond op. 'Ik denk dat ik thuis ben voor de lunch.' Op weg naar de keuken gaf hij haar een zoen en zei: 'Van de ene diender voor de andere.'

Bij aankomst op de Questura lag er een stapeltje papieren op zijn bureau. Op het bovenste zag hij een lijst van appartementen waarvan Renato Bertolli en Alessandro Cuzzoni de eigenaar waren. In de kantlijn stond dat Cuzzoni ongehuwd was en dat Bertolli's vrouw alleen mede-eigenaar was van het appartement dat ze samen bewoonden.

Bertolli, die zelf in Sante Croce woonde, had zes appartementen. Twee daarvan waren officieel verhuurd en de huurcontracten waren netjes gearchiveerd in het *ufficio delle entrate*. Het feit dat de huurcontracten respectievelijk tweeëndertig en zevenentwintig jaar geleden waren getekend – Bertolli was toen nog maar een kind – wees erop dat de woonruimte was verhuurd aan Venetiaanse gezinnen die er huurbescherming genoten en er niet zomaar uitgezet konden worden. Het echtpaar Bertolli woonde zelf in het derde appartement op de lijst en voor de overige waren geen huurovereenkomsten. Die zouden dus leeg moeten staan, maar na wat signorina Elettra's kennis had gezegd, leek dat niet erg waarschijnlijk.

Signorina Elettra had er met een paperclip een briefje bij gedaan waarop stond: *Ik heb uw vriendin Stefania van de makelaardij gebeld en gevraagd of ze her en der haar licht eens wilde opsteken. Ze heeft al teruggebeld en wist te vertellen dat Bertolli de overige appartementen per week of per maand aan buitenlanders verhuurt. Ze zei me ook u te zeggen dat ze nog steeds haar best doet om het huis bij Fondamenta Nuove te verkopen.*

Cuzzoni dan maar. Hij woonde in San Polo en zo te zien was het dicht bij Brunetti in de buurt. Hij was de eigenaar van het appartement waar hij woonde en had een pand in Castello, hoewel daar geen huurcontract geregistreerd stond bij het *ufficio delle entrate*.

Het was maar makkelijk dat de diverse gemeentelijke instanties nog niet de meest elementaire informatie uitwisselden. Als er geen huurcontract was, was er geen reden om aan te nemen dat de eigenaar huuropbrengsten had en wie moest er nou inkomstenbelasting betalen over een niet-verhuurd appartement? Er waren mensen die dat de gewoonste zaak van de wereld vonden, maar Brunetti, die zijn werkzame leven had besteed aan het uitpluizen van de complexe manieren waarop de ene burger de andere belazerde, was het er niet mee eens. Iedereen belazerde de staat, dat was bekend, maar hij vermoedde dat hier meer aan de hand was. Er werd grootscheeps gesjoemeld met huuropbrengsten.

Hij pakte de stratengids, de *Calli, Campielli e Canali*, erbij en zocht Cuzzoni's adres op. Het was aan de andere kant van de Rio dei Meloni, twee huizen verder dan waar Brunetti woonde, hoewel je er alleen via het Campo San Aponal kon komen en dan weer terug moest richting water. Hij zocht waar het huurpand van Cuzzoni was. Het had een hoog huisnummer in Castello, een buurt waarvan de meeste Venetianen vonden dat die net zo ver weg was als Milaan. Cuzzoni zelf was vast niet moeilijk te vinden, in zijn zaak of op zijn huisadres, maar Brunetti besloot eerst maar eens naar Castello te gaan om te kijken of daar mensen in en uit gingen en wat voor mensen dat waren.

Het weer was niet beter geworden en zodra hij de Questura uit kwam, werd hij door de kou overvallen. Zijn sjaal wapperde als een vis die aan de haak was geslagen en zich wilde bevrijden. Hij knoopte hem wat beter om zijn nek, liep gebogen tegen de wind in naar de brug en richting Castello. Hij herinnerde zich de plattegrond nog vrij goed en daarbij kende hij het pand omdat een vroegere klasgenoot destijds in het huis ernaast woonde. Om zijn gezicht te sparen, trok hij zijn kraag op, keek naar de grond en liet zich door een denkbeeldige radar leiden. Hij liep langs het Arsenale en zag dat de leeuwen bij de ingang vanwege de kou lang niet zo tevreden keken als anders.

Hij liep linksaf de Via Garibaldi in en kwam langs het monument voor de held naar wie de straat was genoemd. Garibaldi keek neer op het bevroren water van de vijver aan zijn voeten en zo te zien leden die meer onder de kou dan de leeuwen. Hij liep de tweede *calle* rechts in, sloeg meteen links af en daarna rechts af. Het huisnummer dat hij zocht, was het tweede aan de linkerkant, maar hij liep erlangs en ging naar binnen bij een klein café op het pleintje even verderop.

Er zaten drie oudere mannen, jas aan en hoed op, aan een tafeltje in de hoek te kaarten. Bij ieders rechterhand stond een glas rode wijn. Een van de drie gooide een kaart op tafel, nummer twee deed hetzelfde en daarna nummer drie, die met handen die stijf stonden van de reumatiek de kaarten bijeenveegde. Hij legde ze netjes in het midden van de tafel, waaierde zijn eigen kaarten open en legde een nieuwe kaart op tafel.

Brunetti liep naar de bar en bestelde een *caffé coretto*, niet zozeer omdat hij zin in grappa had, maar omdat het eruitzag als een café waar de klanten 's ochtends tegen elven een *caffé coretto* dronken.

Hij liep naar het eind van de toog en pakte de krant, *La Nuova*, op. De koffie werd voor hem neergezet en hij mompelde een bedankje. Hij leegde er twee suikerzakjes in, roerde en sloeg de krant open. De mannen waren al weer bezig met een volgend potje. Op pagina 12 stond een artikel over de moord. 'Gut, het zou me niets verbazen als ze ook op ons gingen schieten,' prevelde Brunetti voor zich uit, maar wel expres in Venetiaans dialect. Hij dronk zijn koffie op en zette het kopje terug op het schoteltje. Hij las het artikel uit, keek de man achter de bar aan en vroeg: 'Woont Filippo Lanzerotti nog steeds daar op de hoek?'

'Filippo?'

Brunetti knikte en omdat hij vermoedde dat de man zou vragen waarom hij dat wilde weten, zei hij: 'We hebben samen op school gezeten, maar ik heb hem in geen jaren gezien. Ik vroeg me af of hij hier nog woont.'

'Jazeker. Zijn moeder is een paar jaar geleden gestorven en toen zijn hij en zijn vrouw erin getrokken om...'

Brunetti onderbrak hem. 'Ik herinner me dat huis wel. Je keek er mooi uit over de tuinen achter. Destijds gaven we daar natuurlijk niet om.' Hij vouwde de krant terug en schoof hem opzij. Hij tastte in zijn zakken en diepte er wat kleingeld uit op. Hij keek de barkeeper vragend aan, de man noemde een bedrag en Brunetti betaalde. Hij knikte naar de krant die openlag op het artikel over de moord en vroeg: 'Zitten die hier nou veel in deze buurt, die *vú cumprá*?' Hij had er meteen al spijt van, want het klonk niet alleen houterig en geforceerd, maar ook ongepast nieuwsgierig.

De man achter de bar reageerde niet meteen, maar even later zei hij. 'Als dat al zo is, dan merk je er niets van.'

'Komen ze wel eens in de zaak hier?'

'Hoezo?'

'Zomaar. Ik weet dat een heleboel mensen niets van ze moeten hebben en ik vind ze zelf altijd heel beleefd en vriendelijk.' Toen, alsof hij zich iets herinnerde: 'Een van hen heeft me ooit zijn *telefonino* geleend toen ik de mijne vergeten was en écht even moest bellen.' Brunetti besefte dat hij veel te veel praatte.

Zijn voorbeeld had niet veel indruk gemaakt, want de barkeeper zei alleen maar: 'Ik heb geen last van ze.'

'Nee, dan die Albanezen,' werd er aan de kaarttafel met een grafstem gezegd, maar tegen de tijd dat Brunetti zich had omgedraaid, zat het drietal al weer te kaarten en hij kon met geen mogelijkheid zeggen wie er had gesproken.

'Zeg,' zei Brunetti, 'mocht u Filippo binnenkort zien, doe hem de groeten van Guido.'

'Guido?'

'Ja. Guido van de wiskundeles. Dan weet hij het wel.'

'Komt in orde,' zei de man. Voor Brunetti nog wat kon zeggen, vroeg een van de kaartspelers nog een glas wijn, waarop de bar-keeper zich omdraaide om een schoon glas te pakken.

Buiten gekomen liep Brunetti terug naar de Via Garibaldi. Hij liep de groentezaak aan de linkerkant van de straat in, zag dat de andijvie uit Latina kwam en kocht een kilo. Toen de vrouw de an-dijvie voor hem uitzocht, vroeg hij, ook in het dialect: 'Verhuurt Alessandro nog steeds aan die *vú cumprá*?' Hij maakte een gebaar met zijn hoofd in de richting van Cuzzoni's pand. Ze keek op, ver-baasd als ze was door de gedachtesprong van andijvie naar onroe-rend goed. 'Alessandro Cuzzoni,' verduidelijkte hij. 'Een paar jaar geleden heeft hij geprobeerd me dat huis van hem te verkopen, daar om de hoek, maar ik heb wat in San Polo gekocht. Nu gaat mijn neefje trouwen en hij zoekt woonruimte, dus ik dacht meteen aan Alessandro. Iemand heeft me ooit verteld dat hij aan *vú cumprá* verhuurde en ik vroeg me af of dat nog zo was. Ik moet het weten voor ik mijn neefje erop afstuur.' Meteen daarop, om haar geen tijd te geven argwanend te worden, zei hij: 'Mijn vrouw zei dat ik ook wat *melanzane* moest meenemen, van die lange.'

'Ik heb alleen de ronde,' zei ze, meer op haar gemak nu het over aubergines ging en niet over de zaken van haar klanten.

'Nou, vooruit dan maar. Ik zeg wel dat er niet anders was. Doe ook maar een kilo aubergines.'

Ze pakte een tweede papieren zak en zocht drie mooie uit. Als-of de stevige aubergines haar op haar gemak hadden gesteld zei ze: 'Ik geloof niet dat het nog te koop staat, dat huis.'

'O, nou ja.' Het was hem toch gelukt haar een antwoord te ont-futselen. Ze gaf hem de plastic tas waar ze de papieren zakken in had gedaan en hij rekende af, in de hoop dat Paola er iets mee kon doen.

Hij besloot naar huis te gaan. Paola was maar wat tevreden met de kwaliteit van de andijvie en zou die voor het avondeten berei-den. Over de aubergines zei ze niets en hij verzweeg maar dat ze in zekere zin geholpen hadden bij het onderzoek.

De kinderen zouden niet thuiskomen voor de lunch en hij ver-moedde dat het de reden was dat de lunch nogal simpel was: *risotto* met *radicchio di Treviso* en kaas toe. Blijkbaar had Paola gezien dat hij ook een beetje teleurgesteld was over het aantal kaassoorten, dus kwam ze naast hem staan en zei: 'Oké, vanavond varkensvlees.'

Brunetti sneed een stukje geitenkaas af en legde het op zijn bord. Hij keek blij naar haar op en vroeg: 'Varkensvlees met wát?'

'Met olijven en tomatensaus.'

'En die andijvie dan?'

Ze sloeg haar ogen ten hemel en zei, misschien wel tegen de lamp die boven haar hing: 'Waaraan heb ik dit verdiend? Ooit ben ik met een man getrouwd, maar nu zit ik opgescheept met een veelvraat.'

'Met boter en *parmigiano?*' stelde hij voor terwijl hij de kaas dik op zijn brood deed.

Om kwart over drie ging hij het huis uit en liep naar San Aponal, richting Fondamenta Businello, waar het appartement moest zijn. Hij zag een deurbel waar alleen 'Cuzzoni' naast stond en belde aan. Na een paar seconden drukte hij nog een keer op de bel.

'*Sì?*' hoorde hij een mannenstem.

'Signor Cuzzoni?'

'Ja. Wat wilt u?'

'Even met u praten. Politie.'

'Waar gaat het over?' klonk het rustig.

'Over onroerend goed dat in uw bezit is,' antwoordde Brunetti even kalm.

'Komt u maar.' De deur werd van afstand geopend. Brunetti duwde hem verder open en stond in een grote tuin waar alles erop wees dat die, zelfs gedurende de winterslaap, bijzonder goed werd verzorgd. Aan weerskanten van een betegeld pad dat werd omzoomd door een heg waar nog kleine blaadjes aanzaten, stonden pijnbomen. In het gras had men met tegels twee ruitvormige tuinen ontworpen. Onder flinke stukken melkwit plastic zag hij iets wat leek op viooltjes. Achter in de tuin was een grote deur met aan beide kanten enorme ramen met stevig traliewerk.

De deur was niet op slot, dus hij ging naar binnen en liep de brede marmeren trap op die naar de *piano nobile* voerde. Boven aan de trap was weer een deur, maar zodra Brunetti daar was aangekomen, werd de deur al opengedaan en keek hij in het gezicht dat hij meteen herkende.

De man was een paar jaar jonger dan hij, hoewel zijn haar, zo constateerde Brunetti tevreden, dunner was dan het zijne; hij had er altijd al een vermoeden van gehad, maar nu werd het dus bevestigd. Hij was even lang als Brunetti, maar wel wat slanker, had een fijne neus en grote bruine ogen, die misschien zelfs iets te groot waren voor zijn gezicht. Net als Brunetti was ook hij verbaasd een bekend gezicht te zien.

Cuzzoni was eerder bekomen van de verrassing dan Brunetti. Hij stak zijn hand uit en zei: 'Alessandro Cuzzoni.' Brunetti schudde hem de hand, maar nog voor hij een woord kon uitbrengen, zei Cuzzoni: 'Grappig u na al die jaren weer te zien. Het is net alsof we elkaar al kennen.'

'Brunetti, Guido,' zei hij. Hij volgde Cuzzoni het appartement in. Het eerste wat hem opviel, waren een enorme vochtplek op de achtermuur van de hal en een soortgelijke plek op het plafond, een meter van de achtermuur af, maar meteen daarna viel zijn oog op een slordig hoopje vloerdelen.

'Mijn hemel! Wat is hier gebeurd?' vroeg Brunetti.

Cuzzoni keek heel even naar de ellende op het plafond, de muur en de vloer, maar blijkbaar was het te pijnlijk. Hij wees op het plafond en zei: 'Vier dagen geleden heeft de bovenbuurvrouw de was in de wasmachine gestopt en is naar de Rialto gegaan. De afvoerslang is losgeraakt, dus de hele bups is langs de muur naar beneden komen zetten. Ik was op mijn werk en zij kwam pas tegen de middag thuis.'

'Wat een ellende,' zei Brunetti. 'Waterschade is echt een ramp.'

Cuzzoni haalde zijn schouders op en deed zijn best te glimlachen, maar het kostte veel moeite. 'Gelukkig – dat wil zeggen voor haar – is het gebouw niet waterpas, dus het water is naar de muur gestroomd en hier naar beneden gekomen. Zíj had nauwelijks schade.'

Terwijl Cuzzoni praatte, keek Brunetti naar de achtermuur, waar hij een paar rechthoekige plekken dacht te zien die donkerder waren dan de rest van de muur. Aan de andere muur hingen schilderijen, gravures en tekeningen. Eén ervan was misschien een Marieschi. 'Wat hing er aan die muur?' vroeg hij.

Cuzzoni haalde diep adem. 'De titelpagina van de *Carceri*. Een wiegendruk, met een handtekening die waarschijnlijk authentiek was. Plus een kleine Holbein.'

Net als wanneer iemand vertelde dat er een ernstig zieke in de familie was, wist Brunetti ook nu niet wat hij moest zeggen. 'En?' Meer dan dat kon hij niet uitbrengen.

'Houd er maar over op.'

'Het spijt me,' zei Brunetti. Hij liet het wel uit zijn hoofd te vragen of de boel verzekerd was. Zelfs als Cuzzoni of de bovenbuurvrouw een verzekering had, dan nog waren er zaken die hersteld noch vervangen konden worden. Daarbij was bekend dat verzekeringsmaatschappijen toch nooit wat uitbetaalden.

'Komt u mee naar mijn werkkamer?' vroeg Cuzzoni die naar rechts liep en een deur opende. Pas toen besefte Brunetti dat het erg warm was in het appartement, minimaal vijfentwintig graden. Cuzzoni zag dat hij zijn jas losknoopte en zei: 'Geeft u mij de jas maar. Ik moet zo hard mogelijk stoken. De schilders kunnen niet beginnen als de boel nat is.'

'Hoe zit het met de vloerdelen?' vroeg Brunetti toen hij zijn jas aangaf.

Cuzzoni hing hem aan een kapstok in een hoek achter de deur en gebaarde dat Brunetti op de lange bank die tegen de muur stond kon zitten. Zodra Brunetti zat, nam Cuzzoni zelf plaats in een comfortabele leunstoel tegenover de bank. 'Die vloer gaat me nog het meest aan het hart. Die is van kersenhout, achttiende-eeuws, en die is absoluut niet te vervangen.'

'Valt er nog wat van te redden?'

Cuzzoni haalde zijn schouders op. 'Misschien. Ik heb overlegd met iemand die vroeger voor me heeft gewerkt. Hij is gepensioneerd timmerman en zou komen kijken. Als hij denkt dat hij wat kan doen, neemt hij de boel mee om er in zijn werkplaats aan te werken. Zijn zoon heeft het timmerbedrijf overgenomen, maar hij werkt nog steeds. Hij had het over het hout nathouden en het onder een pers leggen totdat het weer recht is. Hij zei wel dat er kleurverandering zou ontstaan en dat het niet eenvoudig was het oorspronkelijke patina terug te krijgen.' Hij haalde zijn schouders weer op. 'Ik zeg steeds tegen mezelf dat het maar materie is, niet meer dan dat, maar de boel is wel eeuwen bewaard gebleven en het is allemaal echt heel naar.'

Hoewel signorina Elettra Brunetti had verteld dat Cuzzoni uit Dolo kwam, achtte hij het verstandiger net te doen of hij niets van hem wist. Vandaar dat hij zijn hand opstak en de kamer rondkeek. 'Is dit huis altijd in de familie geweest?'

'O nee. Verre van dat. Ik heb het nog maar een jaar of acht, maar het ligt me na aan het hart en ik vind het vreselijk wat er gebeurd is.' Hij glimlachte om te illustreren dat hij wist dat het sentimenteel klonk, maar veranderde toen van onderwerp. 'De politie is hier toch niet om naar de wasmachine van de buurvrouw te informeren?'

Brunetti glimlachte en zei: 'Nee, niet echt. Ik wil graag wat meer weten over een pand van u aan het eind van de Via Garibaldi.'

'O?' Het klonk nieuwsgierig, maar dat was ook alles.

'Ik wil weten of u het aan *extracomunitari* verhuurd.'

Cuzzoni leunde achterover, plantte zijn ellebogen op de leuningen en vormde met zijn vingers en duimen een driehoek waar hij zijn kin op liet steunen. 'Mag ik weten waarom u daarin geïnteresseerd bent?'

'Het heeft niets te maken met huurbelasting.'

'Meneer Brunetti,' zei Cuzzoni, 'ik neem ook niet aan dat een politiefunctionaris zich bezighoudt met belastingen, maar ik wil desondanks graag weten waarom u me ernaar vraagt.'

'Omdat er hier in de stad een moord is gepleegd.' Brunetti had besloten de man te vertrouwen, zij het dat het misschien hierbij bleef.

Cuzzoni liet zijn hoofd zakken en steunde nu zijn mond op zijn ineengestrengelde vingertoppen. Na enige tijd keek hij Brunetti aan en zei: 'Dat dacht ik al.' Het was weer even stil en hij ging verder: 'Ja, ik heb er *extracomunitari* zitten. In alle drie de appartementen, maar ik weet niet of het slachtoffer een van hen was.' Brunetti besefte dat in het artikel in de krant geen naam had gestaan, noch dat er een foto was geplaatst.

'Weet u wie het zijn, die mensen aan wie u verhuurt?'

'Ik vraag altijd naar hun papieren, paspoort en ik herinner me één werkvergunning. Ik heb geen idee of die paspoorten, noch die werkvergunning, ook écht zijn.'

'Toch verhuurt u aan ze?'

'Ze verblijven in mijn appartementen, ja.'

'Ook al is het illegaal?' vroeg Brunetti alleen maar nieuwsgierig, zonder ook maar de geringste ergernis te tonen.

'Het is niet aan mij om dat uit te zoeken.'

'Mag ik u vragen waarom u aan die mensen verhuurt?'

Cuzzoni liet de vraag even voor wat die was en antwoordde met een wedervraag. 'Mag ik vragen waarom u dat wilt weten?'

'Omdat ik een nieuwsgierig mens ben.'

Cuzzoni glimlachte en bracht zijn handen naar de stoelleuning: 'Omdat wij het zo goed hebben en zij niet. Omdat een kennis van me die met deze mensen werkt me heeft gezegd dat het nette lieden zijn en dat ze mijn hulp heel goed kunnen gebruiken.' Brunetti reageerde niet, waarop Cuzzoni zei: 'Begrijpt u?'

'Ja,' antwoordde Brunetti en meteen daarna: 'Kan ik die appartementen zien?'

'Om uit te vinden of het slachtoffer er woonde?'

'Ja.' Omdat hij veronderstelde dat het een verschil zou maken, voegde hij eraan toe: 'De mensen die er wonen hebben niets te vrezen, in ieder geval niet van mij.'

Cuzzoni dacht even na en vroeg: 'Hoe weet ik dat ik u kan vertrouwen?'

'Vraagt u don Alvise maar.'

'Aha.' Cuzzoni zat Brunetti lange tijd aan te kijken, kwam uit de stoel omhoog en toen hij eenmaal stond, zei hij: 'Ik geef u een setje sleutels.'

11

Brunetti liep Cuzzoni's huis uit en wist niet of hij nu terug zou gaan naar Castello of dat hij meteen maar naar het pand moest gaan. Hij had drie setjes van twee sleutels in zijn hand. Een van de twee was waarschijnlijk voor de voordeur en de andere voor het appartement. Hij kwam bij de Rialto aan en twijfelde nog steeds of hij erheen zou gaan. Toen hij in het midden van de brug was, voelde hij een snerpend koude windstoot die volgens hem zó uit Siberië kwam, die het speciaal op hem had gemunt en alleen maar kwaad in de zin had. Hij verloor zijn evenwicht zowat en dat zou een mooi excuus geweest zijn om niet te gaan, ware het niet dat hij zich realiseerde dat dit het deel van de dag was dat ze thuis zouden zijn en zijn vragen konden beantwoorden.

Hij pakte zijn *telefonino* uit zijn zak en draaide het rechtstreekse nummer van de Questura. Alvise nam op, maar gaf de hoorn meteen aan Vianello door. 'Kun je me over een minuut of twintig treffen bij het begin van de Via Garibaldi?' vroeg hij.

'Waar bent u op het ogenblik?'

'Bij de Rialto. Ik ben op weg naar Lijn 82.'

'Mooi. Ik kom eraan,' zei de inspecteur en hij hing op.

Vianello, ook nu door alle lagen kleding tweemaal zijn normale omvang, stapte in bij de halte San Zaccharia. Brunetti bracht hem snel op de hoogte van zijn gesprek met Cuzzoni en zei dat hij het prettiger vond als er een collega bij was als hij de Afrikanen ondervroeg.

'Bent u dan bang voor die mensen?'

'Dat niet, maar misschien zijn zij wel bang voor mij.'

'Denkt u dan dat versterking hun angst wegneemt?'

'Nee, maar op die manier beperken we hun mogelijkheden om hun angst in daden om te zetten.'

'Waarmee u wilt zeggen dat ze minder kans hebben te vluchten?' vroeg Vianello. Hij sloeg met zijn handschoenen tegen zijn borst om aan te geven dat hij een achtervolging van jongere en slankere mannen weinig kans van slagen gaf.

Brunetti glimlachte om het gebaar en zei: 'Dat niet, nee.' Hij wist niet precies hoe hij Vianello duidelijk moest maken dat diens aanwezigheid de Afrikanen misschien gerust zou stellen, een effect dat de inspecteur wel vaker op getuigen had. Wat hij óók maar niet zei, was dat hij het geen onplezierig idee vond niet alleen tegenover een groep mannen te staan van wie de meesten illegaal in het land waren, die illegaal werk deden en werden ondervraagd over een moordzaak.

Ze stapten bij de Giardini uit en liepen terug naar de Via Garibaldi. Brunetti bracht hem op de hoogte van wat Cuzzoni hem had verteld, dat de man nauwelijks opkeek van het feit dat de politie zich voor zijn huurders interesseerde en dat hij de indruk gaf trots te zijn op het feit dat hij aan de Afrikanen verhuurde.

'Kortom: een weldoener,' merkte Vianello op.

Brunetti haalde zijn schouders op. Hij besefte dat die term een negatieve klank had gekregen. Hoe kwam het dat het dezer dagen verdacht was om goed te willen doen? 'Dat weet ik nou ook weer niet,' zei hij dan ook, 'maar misschien heeft hij inderdaad het hart op de goede plaats.'

Vianello, die normaal gesproken net zo snel als Brunetti een oordeel over anderen klaar had, reageerde niet. Brunetti liep dezelfde route als die ochtend, maar nu bleef hij staan voor een van de panden in de nauwe *calle*.

'Wat doen we?' vroeg Vianello. 'Aanbellen en ons aankondigen of gaan we met de sleutel naar binnen?'

'Het is hun thuis,' zei Brunetti, 'dus ik vind dat we moeten vragen of we mogen binnenkomen.' Hij drukte op de onderste van de drie bellen.

Na een paar seconden hoorden ze: '*Sì?*'

'We komen van signor Cuzzoni,' zei Brunetti. Het was in feite nog waar ook. Tenslotte had hij de sleutels van hem gekregen.

Het was even stil, waarna er gevraagd werd: 'Waar gaat het over?'

'Ik wil even met u praten.'

'Met wie?'

'Met u allemaal.'

Het was lange tijd stil. De man aan de andere kant van de intercom deed niet zijn best onhoorbaar te overleggen, waardoor Brunetti en Vianello vragen en antwoorden heen en weer hoorden gaan in een taal die ze geen van beiden herkenden. Eén van hen was zo te horen nogal opgewonden, maar een ander wist hem te kalmeren. Na een paar minuten hoorden ze de eerste stem zeggen: 'Komt u maar binnen.'

De deur werd op afstand geopend en ze stapten over de drempel. Voor hen was een korte trap en boven aan die trap stond een drietal Afrikanen klaar om hen de weg te versperren. Brunetti liep voorop. Toen ze nog twee treden te gaan hadden, bleef Brunetti staan en keek op naar de mannen. De middelste van de drie was langer en zwarter dan de overige twee. Zijn neus was zo breed dat het leek alsof hij ooit gebroken was. De man links was klein en breedgebouwd. Hij droeg een dik jack, wat betekende dat hij óf net thuis was óf op het punt stond naar buiten te gaan. De man rechts was broodmager, waardoor zijn toch redelijk strak gesneden spijkerbroek hem erg ruim zat.

'Fijn dat u ons even te woord wilt staan. Ik ben commissario Brunetti. Politie.'

De magere man deinsde snel achteruit, draaide zich om, waarbij zijn hand hoorbaar op het bot van zijn achterwerk sloeg, en ging het appartement in. De middelste man deed een stap naar achteren om plaats te maken op de overloop. Brunetti bleef boven aan de trap staan, wachtte tot Vianello naast hem stond en stak zijn hand op. *'Piacere,'* zei hij tegen de twee resterende Afrikanen.

Verbaasd gaven ze Brunetti een hand, maar ze zeiden niets. Vianello deed een stap naar voren, stelde zich voor en gaf hun ook een hand. De Afrikanen restte niets anders dan hoffelijkheid, dus de grootste man liep naar de deur en gebaarde de wetsdienaren binnen te komen.

Brunetti mompelde een beleefdheidsfase en ging naar binnen, met Vianello in zijn kielzog. Het eerste wat Brunetti opviel was de geur. Er hing een scherpe geur van vlees en kruiden: het kon lamsvlees zijn, maar de kruiden herkende hij niet. Verder hing er een mensenluchtje, de geur van personen die te dicht op elkaar zitten en hun kleren niet vaak genoeg wassen.

Binnen werden ze opgewacht door vier mannen, onder wie de magere. Brunetti en Vianello knikten en wachtten af wie er het eerst wat zou zeggen.

De grote man leek de leidersrol te vervullen, dat wil zeggen dat de anderen beurtelings naar het bezoek en naar hem keken. Het viel Brunetti op dat de ruimte zeer spaarzaam gemeubileerd was en dat hij zo te zien zowel als keuken als eetkamer diende. Aan de achterwand was een brede plank met zeil erop die dienstdeed als aanrecht. Erop stond een komfoor met een rubberen slang die naar een gasfles liep. Hij herinnerde zich dit type kookgelegenheid van de flat waar hij als kind woonde en hij vroeg zich af waar je tegenwoordig zo'n gasfles op de kop kon tikken.

Op de branders stonden grote pannen en de gootsteen met de enkele kraan stond vol vuile vaat. Het aanrecht zag er keurig schoon uit, net als de eettafel.

'Wat wilt u van ons?' vroeg de leider. Zijn Italiaans had een accent dat Brunetti niet kon thuisbrengen en zijn stem was zwaar, zij het niet erg hard.

'Ik wil graag het een en ander weten over de man die is vermoord,' begon Brunetti. 'Wat u ook weet.'

Voordat de grote man aan wie Brunetti de vraag had gesteld wat kon zeggen, zei de magere: 'Wij moeten wat over hem weten omdat wij ook zwart zijn?' Ondanks zijn magere lijf was zijn stem nog zwaarder dan die van de leider; het was een resonerende bas; het soort stemgeluid dat een concertzaal zou kunnen vullen en een gehoor tot luisteren kon dwingen.

Wat waren mensen toch snel op hun tenen getrapt, dacht Brunetti, of deed die man nou alsof? Had hij soms het idee dat de politie het onderzoek naar de dood van een Afrikaan in de Chinese gemeenschap zou beginnen? Hij slikte die vraag maar in en richtte zich tot de grote man. 'Ik ben hierheen gekomen omdat u misschien met hem hebt gewerkt of hem kende.'

Voor hij daarop wilde antwoorden, trok de leider een plastic stoel van bij de eettafel met het linoleum blad vandaan. Ook het soort stoel deed Brunetti aan zijn jeugd denken. De man wees naar een andere stoel, waarop de man met het jack die bijtrok en Vianello gebaarde te gaan zitten.

Toen ze allebei zaten, zei de leider iets in een taal die Brunetti niet verstond, waarop een van de anderen een kast openmaakte en er twee glazen uit haalde. Hij zette ze op tafel, deed een andere kast open, pakte er een fles mineraalwater uit, schroefde de dop eraf en schonk het water in de glazen.

Brunetti bedankte hem, knikte naar de leider en dronk het glas half leeg. Vianello volgde zijn voorbeeld. Brunetti zette het glas neer, pakte de tafelrand beet, keek de leider aan en zweeg.

De stilte duurde minstens twee minuten, maar uiteindelijk zei de leider: 'U bent van de politie?'

'Ja,' antwoordde Brunetti.

'U wilt wat over hem weten?'

'Ja.'

'Wat precies?'

'Zijn naam, waar hij vandaan kwam. Ik wil weten waar hij woonde en wat voor werk hij deed voor hij hierheen kwam. Daarnaast wil ik graag van u horen of er ook maar iemand is die hem een kwaad hart toedroeg en of u enig idee hebt waarom hem dit is overkomen.'

De man liet het even op zich inwerken en zei: 'Zo te horen wilt u alles weten.'

'Nee,' zei Brunetti. 'Lang niet alles. Het interesseert me namelijk niet hoe hij hier is gekomen, met wat voor documenten, tenzij die omstandigheden iets met zijn dood te maken hebben. Ik ben hier niet voor ú en het interesseert me echt niet hoe u aan de kost komt, tenzij het met zijn dood van doen heeft.'

'Het gaat u dus niet om onze status?'

'Nee. Ik ben bezig aan een onderzoek en hoewel ik de politie vertegenwoordig, kan uw status me niets schelen.'

'En als mens?'

'De mens Brunetti weet niets over u. Ik weet niet eens waar u vandaan komt, waarom u de keuze hebt gemaakt hierheen te komen. Ik heb geen idee hoelang u wilt blijven. Wat ik wél weet, is dat gezegd wordt dat u hier niet bent om te stelen, in te breken of anderszins problemen te veroorzaken. U bent hier om te werken, als u zo fortuinlijk bent dat te vinden.'

'Voor iemand die zich niet voor ons interesseert, bent u goed op de hoogte,' zei de man.

Brunetti knikte. 'Ja, dat is waar. U, dat wil zeggen uw collega's en vrienden, bent hier al jaren, dus ik denk dat ik inderdaad wel een en ander over u weet.' Nog voor de man kon reageren, ging hij verder: 'Ik weet niets over úw cultuur, maar hier worden de dingen van mond tot mond overgebracht en als iemand wat hoort, vertelt hij het door, maar er wordt altijd wat veranderd. Er wordt wat aan toegevoegd of wat weggelaten, dus de informatie verandert al snel. Vandaar dat je niet kunt afgaan op wat je wordt verteld.' Hij zweeg even om te zien of het allemaal werd begrepen. 'Dus het komt erop neer dat wat ik ook over u en uw kompanen heb gehoord, ik geen idee heb of het waar is.' Brunetti pakte zijn glas water op en nam een slok. De man die hem had ingeschonken deed een paar passen naar voren om hem bij te schenken, maar Brunetti bedankte hem en zei dat hij genoeg had.

De leider wendde zich tot de anderen en vroeg hun wat. Hij luisterde naar de reacties, wat Brunetti de gelegenheid gaf nog wat rond te kijken. Hij besefte nu pas hoe koud het er was, zó koud dat hij blij was dat hij zijn jas aanhad. Verder zag hij dat het er, ondanks de rommel, niet vuil was. Het zeil op de vloer was grijs, maar zo te zien recentelijk geveegd. Voor zover hij wist had de man de glazen uit beleefdheid even met een doek afgeveegd, niet omdat ze vies waren. Niemand zei wat, totdat de magere man met de ruimvallende spijkerbroek zijn mond opendeed. Toen hij sprak, werd zijn toon steeds opgewondener. Niemand reageerde, dus hij kon ongestoord doorgaan. Op een gegeven moment hief hij zijn hand en wees op de bezoekers. Brunetti meende iets op te vangen wat leek op 'politie', maar het woord zat ingekapseld in een lang betoog. Zo ging het een tijdje door, maar opeens, na een nogal boos uitgesproken woord, zweeg hij. Al de tijd dat hij aan het woord was, had zijn rechterarm naast zijn lichaam gehangen.

De leider sprak het opgewonden standje op geruststellende toon toe en legde zijn hand op zijn schouder. De jongere man liet zich blijkbaar niet ompraten en opnieuw uitte hij een spervuur aan woorden. Nu was het woord 'politie' duidelijk te onderscheiden.

De leider hoorde het zonder ongeduldig te worden aan en richtte zich toen tot Brunetti: 'Hij zegt dat de politie niet te vertrouwen is.'

Brunetti had de indruk dat de man veel meer had gezegd, maar hij moest hem eigenlijk wel gelijk geven. Hij zou dat natuurlijk hier niet toegeven, maar er zat wat in. Ze waren illegaal in het land en verkochten namaakmerkartikelen. Ze hadden geen geld om een winkel, een restaurant of een café te beginnen, dus hoefden ze niet op steun van de officiële instanties te rekenen. Geen enkele ambtenaar zou zijn best doen een werk- of verblijfsvergunning voor ze te regelen, niemand zou ze helpen om de gemeentelijke belastingdienst zover te krijgen dat ze die hinderlijke regeltjes over de herkomst van grote hoeveelheden contant geld even vergaten en als er een politieactie op til was, zou niemand de avond ervoor de telefoon pakken en de heren waarschuwen. Zonder bestuurlijke goede feeën waren de Afrikanen een gemakkelijke prooi voor arrogante politiemensen die hen onvriendelijk bejegenden. Het was dus zeer begrijpelijk dat ze de politie wantrouwden.

Brunetti overdacht dit alles in stilte en hoopte maar dat ze zijn zwijgen opvatten als respect voor de leider. Een van de anderen, een jonge vent die niet veel ouder was dan Raffi, zei wat, een paar woorden maar, waarop de leider iets zei tegen de man met het jack. Die gaf met één enkele syllabe antwoord. Daarop zei de leider wat tegen iedereen afzonderlijk, waarop ze stuk voor stuk 'nee' schudden.

Het was weer even stil, maar toen richtte de leider zich tot Brunetti met de woorden: 'Mijn vrienden hebben me gezegd dat ze er liever niet over praten.'

Brunetti zweeg even en vroeg: 'Hoewel ze weten dat ik u allemaal kan laten oppakken?'

De leider glimlachte breed en gemeend, te zien aan de rimpels die zijn glimlach veroorzaakten. 'Dat is niet zo'n slimme opmerking. U weet dat wij tegen de tijd dat u de telefoon hebt gepakt en om assistentie hebt gevraagd, allang verdwenen zijn.'

Brunetti keek hem vriendelijk aan en zei: 'U gelooft niet dat mijn collega en ik u kunnen arresteren?'

'Ons met z'n allen naar de gevangenis brengen?' vroeg de Afrikaan op vriendelijke toon. Toen, een beetje pesterig: 'U met z'n tweetjes?'

Tijdens het gesprek had Brunetti de indruk gekregen dat de leider en de magere vent de enigen waren wier Italiaans goed genoeg was om alles te kunnen volgen. Misschien dat de anderen wel begrepen waarover het ging, maar hij betwijfelde of ze de ondertoon en de wijze waarop ze elkaar wilden aftroeven doorhadden.

'Jazeker,' zei Brunetti met gespeelde dreiging terwijl het duidelijk was dat hij er zelf geen woord van geloofde, 'waar we u met zachte hand kunnen overhalen te praten.'

De man met de ruimvallende spijkerbroek haalde hoorbaar diep adem en zette een stap in Brunetti's richting. Hij stak zijn linkerhand op, zijn rechterarm hing nog steeds slap langs zijn lichaam. De leider wierp hem een waarschuwende blik toe, dus bleef het bij dat gebaar. Hij stond daar maar met geheven hand, grote, woedende ogen en hijgend nu. Vianello was razendsnel opgestaan en had een stap in zijn richting gedaan, maar toen hij zag dat de jonge man zich had bedacht, ging hij terug naar zijn stoel, hoewel hij bleef staan.

De leider leek oprecht teleurgesteld dat het gesprek zo was verlopen en zei: 'Misschien was het niet zo verstandig van u om het woord "overhalen" te gebruiken, signore.'

Brunetti stond op en deed een paar voorzichtige passen in de richting van de jonge man. Heel langzaam pakte hij zijn opgeheven hand en bracht hem omlaag ter hoogte van hun beider middel.

Zijn linkerhand legde hij over de hand van de jonge man heen zodat hij die nu tussen de zijne gevangen hield. De man deed zijn ogen dicht en probeerde zijn hand terug te trekken, maar Brunetti liet hem niet los.

Toen hij eindelijk zijn ogen opende, zei Brunetti: 'Ik hoop dat u me wilt verontschuldigen voor wat ik daarnet zei. Ik vraag het u en alle aanwezigen hier, maar ook uw gestorven vriend. Ik dacht niet na toen ik dat zei. Het was heel dom van me.' De man probeerde zijn hand los te wurmen, maar met minder wilskracht dan voorheen.

Brunetti keek de man recht in de ogen. 'Omdat uw vriend iets vreselijks is overkomen en omdat niemand op zo'n manier aan zijn eind mag komen, wil ik degenen vinden die daar schuld aan hebben.'

Hij liet de hand los en deed een paar stappen naar achteren, zijn armen langs zijn lichaam, een houding waarin hij zich niet zou kunnen verdedigen als dat nodig mocht zijn. De man staarde hem aan maar zei niets. Na enige tijd wendde Brunetti zich tot de leider en zei: 'Signor Cuzzoni heeft me ook de sleutels van de andere appartementen gegeven, dus ik wil daar ook graag even een kijkje nemen.'

'Waarom vertelt u me dat?'

'Omdat u hier met toestemming van de eigenaar woont. Hij heeft me dan wel de sleutels gegeven en gezegd dat ik mijn gang kon gaan, maar het zou niet in de haak zijn als ik u niet vertelde wat ik van plan was.'

'U bedoelt dat u ons vraagt of het goed is?'

'Nee,' zei Brunetti met een hoofdschudden. 'Ik vertél het u.'

Brunetti keek Vianello even aan en liep richting deur. Toen hij bij de deuropening was, bleef hij even staan, draaide zich om en zei tegen alle aanwezigen: 'Mijn naam is Brunetti. Als u me wilt spreken, kunt u me bellen of naar de Questura komen.'

Ze staarden hem aan en leken wel versteende, zwarte standbeelden. Brunetti draaide zich om en stapte de overloop op.

12

'Nou, heb ik dát even handig aangepakt,' zei Brunetti toen ze op het overloopje stonden.

'Tot op het moment dat die man zijn hand hief, besefte ik helemaal niet dat het zo bedreigend klonk allemaal,' zei Vianello om Brunetti op te beuren. 'Het was toch zo'n beetje hetzelfde als wat u tegen de *capo* zei?'

'Als ik wat beter had nagedacht, als ik me had gerealiseerd wat dreigementen bij die mensen naar bo...'

'As is verbrande turf,' zei Vianello. 'Gaan we naar boven?'

Brunetti knikte en ze liepen de trap op. Hij was blij dat Vianello hem tot zwijgen had gebracht. Hij wist waartoe de politie in sommige landen in staat was met betrekking tot arrestanten en een vriend die voor Amnesty International werkte had hem nog een paar dingen meer kunnen vertellen. Hij had gewoon eerst moeten nadenken voor hij wat zei. Hij dacht er maar niet aan wat zijn woorden betekenden voor hun bereidheid bij het onderzoek te helpen, maar hij had wel degelijk spijt. Toen ze bij de volgende verdieping waren aangekomen, schudde hij die gedachten maar van zich af.

Brunetti had de sleutels bij zich die hij in de zak van het slachtoffer had gevonden. Het had hem verstandiger geleken om maar geen officiële aanvraag in te dienen, dus had hij de envelop waar ze in zaten eenvoudigweg geopend en ze in zijn zak gestoken. Hij probeerde ze in het slot van het appartement op de tweede verdieping, maar ze pasten niet. Pas nadat hij een paar sleutels van Cuzzoni had geprobeerd, ging het slot open. Hij duwde de deur open en werd verwelkomd door dezelfde mensenlucht die in het andere appartement hing, maar omdat dit in het geheel niet werd verwarmd, was de lucht hier minder zwaar.

In de gootsteen stonden alleen maar wat kopjes en glazen, dus hij vermoedde dat er beneden gezamenlijk gegeten werd. In de zitkamer stonden twee veldbedden tegen de muur en in de slaapkamer stonden er nog eens vijf. De garderobekast puilde uit van de hangertjes met jassen en spijkerbroeken. Op de vloer stond een groot aantal trimschoenen. De lucht die uit de kast kwam, was zo vies dat Brunetti de deur maar gauw dichtdeed en naar de badkamer liep.

De badkamer zag er niet al te weerzinwekkend uit. Er was een klein bad, grijs en aangekoekt, met een groene streep onder de druppelende kraan. Er hingen wat handdoeken, geen van alle schoon, over de rand van het bad en aan de binnenkant van de deur hingen er nog een paar aan spijkers. Er zat geen bril op de wc, want die stond rechtop tegen de muur. De wastafel was smerig, vol haar, gedroogd scheerschuim en ander spul waar Brunetti zich het hoofd maar niet over brak. De spiegel zat vol witte spetters en vingerafdrukken. Een paar tandenborstels stonden in een leeg conservenblikje.

'Moet jij nog even in die kast kijken?' vroeg Brunetti aan Vianello, die onder alle bedden had gekeken.

'Als het niet per se hoeft,' zei hij, 'dan liever niet. We weten niet eens waar we naar op zoek zijn.'

Brunetti kon niet anders dan hem gelijk geven. 'Oké,' zei hij, 'dan maar een verdieping hoger.'

Ze stonden op de overloop, deden de deur achter zich dicht en liepen de trap naar de bovenste verdieping op. Dit was een trap met houten, smalle treden, terwijl de andere trappen van steen waren en flink breder. Aan de buitenkant van het huis was niet te zien dat er een derde woonlaag was. Misschien was de zolderverdieping er later aan toegevoegd, net als bij zijn eigen flat in San Polo zonder bouwvergunning.

Op deze verdieping was geen overloop. De trap eindigde pal voor de deur. Brunetti pakte de sleutels die hij van de Questura had meegenomen en stak er een in het slot. Het was meteen raak. Toen hij de deur openduwde, viel het licht uit het trappenhuis naar binnen, maar de ruimte zelf had geen ramen. Hij tastte met zijn hand over de muur, voelde een lichtknop en knipte die aan.

Aan het plafond van wat ooit een berging moest zijn geweest, hing een peertje. Er waren geen ramen en boven zich zagen ze de rode dakpannen door het houtwerk. Er was geen enkele isolatie, wat werd bevestigd door de wolkjes die hun adem vormde.

Tegen de achtermuur stond een eenpersoonsbed met wat armetierige dekens. Er was verder alleen maar plaats voor een kleine tafel met een elektrisch kookplaatje, waarvan het snoer naar het lichtknopje bij de voordeur liep. Iemand had het met veel tape en weinig kennis van zaken aangesloten. Naast het kookplaatje stonden een metalen beker en een doosje theezakjes. Onder de tafel een metalen emmer, waarover een handdoek hing. Brunetti was met één stap bij de tafel. Hij pakte de handdoek en zag dat er een laagje ijs op het water in de emmer zat. Hij reikte naar de voordeur en duwde die dicht. Aan de binnenkant van de deur hingen een spijkerbroek en een rode trui aan twee spijkers. Zonder na te denken voelde Brunetti in de zakken van de spijkerbroek. Onder in de rechterzak zat iets hards. Hij haalde het eruit en keek ernaar. Het had het formaat van een ei en was gewikkeld in een schoon, wit lapje. Hij legde het op tafel, pakte het uit en zag een hoofd van houtsnijwerk. Het was zo klein dat het in Brunetti's hand zou passen, ware het niet dat er onderaan een paar lange splinters zaten, waaruit afgeleid kon worden dat het ergens afgebroken was, van een stok misschien.

'Wat hebt u daar?' vroeg Vianello die naast hem kwam staan.

'Geen idee. Een vrouwengezicht, denk ik,' zei Brunetti terwijl hij het ophield. De neus was een klein driehoekje, de ogen smalle streepjes in perfecte ovalen. Vooral het haar bewees dat de maker een kei was: strak gevlochten haar in een symmetrisch patroon. Midden op het voorhoofd was een geometrisch patroon gekerfd, vier driehoeken, die als een kruis naar een diamantje in het midden wezen.

'Mooi dingetje,' zei Vianello.

'Prachtig,' zei Brunetti. Hij draaide het om en bekeek de splinters aan de onderkant. 'Ik denk dat het ergens afgebroken is.' Hij wikkelde het weer in het lapje en stopte het in zijn zak.

Vianello liep naar het bed, bukte zich en sloeg de overhangende deken op het bed. Hij trok een kartonnen doos onder het bed uit, kwam overeind en zette die op het bed. Verder was er niets in de kamer: geen wc, zo op het oog geen stromend water, geen kast. Brunetti wees op de beker, draaide zich naar Vianello om en zei: 'Hierin heeft hij vast water gekookt.'

Vianello knikte, maar vond het niet interessant genoeg om erop te reageren. Hij keek neer op de doos, rommelde er wat in met zijn vinger en zei: 'Niets.'

Hij hurkte en wilde de doos terugzetten, maar Brunetti vroeg: 'Wat zit erin?'

'Etenswaar.'

'Wacht even,' zei Brunetti. Vianello bleef op zijn hurken zitten omdat hij blijkbaar weinig zin had om op te staan en weer te moeten bukken om de doos terug te zetten. Brunetti keek erin en zag een pakje kaakjes, een zak pinda's in de dop, een geopende doos keukenzout, een stuk kaas waarvan hij vermoedde dat het *asiago* was, twee sinaasappels en een plastic zak met suikerzakjes. Toen Vianello zag dat Brunetti de inhoud had bekeken, wilde hij de doos weer terugzetten, maar Brunetti zei: 'Zout? Dat is vreemd,' en gebaarde Vianello de doos te laten staan.

'Hoezo?'

Brunetti hief beide handen en keek nadrukkelijk om zich heen. 'Wat moest hij nou met keukenzout? Ik zie geen pannen, dus ik denk niet hij hier kookte. Waarom had hij dan zout?'

Vianello, die het pak niet goed bekeken had, zei: 'Misschien om zijn tanden mee te poetsen,' bracht zijn wijsvinger naar zijn mond en maakte schrobbende bewegingen om te laten zien wat hij bedoelde.

Brunetti boog voorover en pakte het zout. 'Nee, kijk nou eens. Het is *sale grosso*. Grof keukenzout. Daar kun je echt je tanden niet mee poetsen, daar zijn de korrels veel te groot voor.' De bovenkant van de doos was aan drie kanten opengesneden en het karton was losgetrokken zodat het makkelijk te strooien was. Brunetti trok de verpakking wat verder open en zag de grove korrels, zo groot als linzen. Hij likte aan zijn vinger, doopte die in het zout en proefde. Het was zout, dat leed geen twijfel.

Hij zette het pak op het bed en pakte zijn zakdoek, die hij platstreek en op de deken legde. Langzaam strooide hij het zout op de zakdoek. Toen de doos halfleeg was, werden de korrels helderder en hadden ze niet meer dat melkwitte van zout. Het leek wel of de korrels werden getransformeerd: ze werden almaar groter en helderder, totdat ze volkomen doorzichtig waren en zo groot als doperwten.

'*Dio mio*,' liet Vianello zich ontvallen.

Brunetti staarde zwijgend naar het bergje op zijn zakdoek en dacht na over wat hij voor zich had. De stenen lagen er roerloos maar schitterend bij in het gedempte licht van het peertje. Misschien zou zonlicht er wat meer leven in brengen, maar eigenlijk had hij geen idee. Hij wist niet eens precies wat hij voor zich zag: de facetten, die edelstenen hun glans en een herkenbare vorm geven, ontbraken. Voor zover Brunetti wist, kon dit net zo goed het afval van een glasblazer van Murano zijn: kleine, heldere kralen die misschien ooit bedoeld waren als de oren van glazen beertjes of de neus van konijntjes.

Als dat zo was, was het vreemd dat ze verstopt waren in de kamer van een vermoorde man. Vianello stond op en vroeg: 'Wat doen we ermee?' Zijn vraag deed Brunetti denken aan sommige collega's op de Questura. Als die een dergelijke vraag hadden gesteld, zou je het kunnen interpreteren als: hoe kunnen we de vondst ongezien in onze zakken laten glijden? Bij Vianello was daar geen sprake van, maar Brunetti twijfelde of het verstandig was ze in de buurt van de grijpgrage handen op de Questura te bewaren. Waren er niet een hoop vakantiehuizen gekocht met de opbrengst van in beslag genomen goederen? Waren er geen verre reizen betaald met de opbrengst van geconfisqueerde drugs en drugsgeld?

'Geef me je wanten eens,' zei Brunetti.

'Pardon?' zei Vianello.

'Je wanten. We stoppen ze in je wanten en nemen ze mee.'

'We nemen ze mee?'

'Wou je ze hier dan achterlaten?' vroeg Brunetti. 'De heren beneden en Cuzzoni weten dat we in hem geïnteresseerd zijn.'

'Ik dacht dat u zei dat u hem vertrouwde?'

Brunetti wees op de piramide op zijn zakdoek en zei: 'Tot ik weet wat die daar waard zijn, vertrouw ik hem niet.'

'Wat als u het wél weet? Wie kunt u dan vertrouwen?' vroeg Vianello terwijl hij zijn wanten uit zijn jaszakken haalde.

Brunetti negeerde hem, pakte de zakdoek bij de vier hoeken op en schudde een beetje, zodat hij een soort schenktuitje had gevormd. Het zout en de stenen wogen zwaar en vormden een zak in de niet helemaal schone zakdoek. Vianello hield een van de wanten onder de tuit, waarna Brunetti de inhoud van de zakdoek erin goot. De want was nu tot op een paar centimeter gevuld. Vianello pakte de want aan de bovenkant vast, hield de opening gesloten en schudde even, zodat zelfs de duim gevuld werd. Hij hield het geheel aan één punt vast, maakte met zijn andere hand het horloge dat om zijn linkerpols zat los en probeerde de want met de schakelband af te sluiten, maar dat lukte niet, dus hij deed het horloge weer om zijn pols en besloot de want nog maar een paar keer te schudden. Hij liet hem in zijn jaszak glijden en ritste de zak dicht.

Ze herhaalden de oefening met de tweede want, die hij in zijn linkerzak stopte. Brunetti bleef zitten met een aantal stenen en zout. Hij knoopte de vier hoeken van de zakdoek dicht, stopte het geheel in zijn jaszak en zorgde dat die goed dicht was. Het lag voor de hand dat er vingerafdrukken op de doos met zout zaten, dus sneed hij die met een sleutel open, maakte hem plat en stak het karton in zijn andere jaszak. Toen dat alles gebeurd was, pakte hij zijn *telefonino* en belde de technische recherche op de Questura. Hij zei waar ze moesten zijn, dat het waarschijnlijk de woonruimte van de vermoorde man was en vroeg of er iemand kon komen om vingerafdrukken te nemen. Hij voegde eraan toe dat de collega beter geen uniform kon dragen, op de bovenste bel moest drukken en inderdaad, dat hij en Vianello op hem zouden wachten.

Toen Brunetti had opgehangen, zei Vianello: 'U hebt me nog geen antwoord op mijn vraag gegeven.'

'Op welke vraag?'

'Wie u zou vertrouwen als u weet wat ze waard zijn.'

Voor het eerst sinds ze het pand waren binnengegaan, glimlachte Brunetti. 'Niemand,' zei hij.

De man van de technische recherche was er pas na een klein uur, dus hadden Vianello en Brunetti in de vrieskou op het bed zitten wachten en besproken wat de mogelijkheden waren. Toen het echt te koud werd, waren ze een verdieping afgedaald en hadden zichzelf binnengelaten. Daar was het iets minder koud, zij het niet veel minder, en ze hielden om de beurt de wacht bij de deur om er zeker van te zijn dat niemand naar boven ging.

Brunetti ging naar de keuken en vond twee plastic tassen. Hij vroeg Vianello zijn wanten in de plastic tassen te doen en knoopte de hengsels dicht. Terwijl ze daarmee bezig waren, bespraken ze de vondst, maar geen van beiden had er een goede verklaring voor. Brunetti zei dat hij wel iemand wist aan wie hij kon vragen wat voor stenen het waren. Toen Vianello de wacht hield, belde hij Claudio Stein, een goede vriend van wijlen zijn vader, en vroeg of hij de volgende ochtend kon langskomen om wat inlichtingen in te winnen.

Claudio dacht net als vele anderen dat de telefoonlijn een open verbinding was met diverse overheidsinstanties, dus hij stelde verder geen vragen, zei dat hij om negen uur in zijn kantoor zou zijn en zich erop verheugde Brunetti weer eens te zien.

Toen Brunetti had opgehangen vroeg Vianello: 'Wie is hij?'

'Een vriend van mijn vader. Ze waren strijdmakkers in de oorlog.'

'Hoe oud is hij dan wel niet?'

'Zeker tachtig, zou ik zeggen. Ik weet het eigenlijk niet.' Hij had geen idee of Claudio ouder of jonger was dan zijn vader, alleen dat hij een van de weinigen was die Brunetti senior vertrouwde en al helemaal een van de weinigen die zijn vader tot in de schemerige jaren voor diens dood trouw was gebleven.

Voor Vianello verder kon vragen, hoorden ze boven de bel gaan. Toen de man van de technische recherche bij de tweede woonlaag was aanbeland, legde Brunetti hem uit dat hij in de ruimte op de verdieping erboven vingerafdrukken moest nemen. Hij haalde de verpakking van het zout voorzichtig bij een van de hoeken uit zijn jaszak en wachtte totdat de man een zak voor bewijsstukken uit zijn tas had gehaald. 'Er moeten vingerafdrukken van het slachtoffer op zitten; de overige zijn van mij. Ik vraag me af of er nog meer zijn.' Hij zei tegen de man dat de deur boven openstond en dat hij hoopte dat Bocchese, die op het lab op de Questura werkte, er haast mee zou maken. Toen de man de trap opliep, riep Brunetti hem na: 'Als je klaar bent, zorg dan dat je alle tekenen dat je er geweest bent wegpoetst, oké? Daarna wil ik graag dat je dít appartement onder handen neemt.'

De man stak zijn hand op om aan te geven dat hij het had begrepen en nam de volgende treden. Zodra hij boven aan de trap was gekomen, was er voor Brunetti en Vianello geen reden meer om langer te blijven. Ze daalden af en klopten op de deur van het appartement op de eerste woonlaag.

'Zouden ze weg zijn gegaan?' vroeg Vianello.

Brunetti keek op zijn horloge en zag tot zijn verbazing dat het al na zevenen was. Ze waren al ruim twee uur in het pand. 'Ze zullen wel aan het werk zijn.' De *vú cumprá* werkten alleen maar tussen de middag, als de winkels sloten, en 's avonds na sluitingstijd. 'Die zijn niet voor middernacht terug.'

'Met andere woorden?' vroeg Vianello.

'We zetten er een punt achter voor vandaag. Morgenochtend zit ik bij Claudio.'

'Zal ik meegaan?' vroeg Vianello.

'Om me te verdedigen zeker!' zei Brunetti met een knipoog en hij wees naar de deur.

'Als ik goed heb geraden wat voor zaken die Claudio doet, dan denk ik dat híj wel wat bescherming kan gebruiken,' zei Vianello met een brede glimlach.

'Hij en mijn vader zijn van Berlijn naar hier gelopen. Ik denk dat als je dát in de benen hebt, je nergens meer bang voor bent,' zei Brunetti. Hij bedankte Vianello voor het aanbod en liep naar huis, waar hem varkensvlees met tomatensaus wachtte.

13

CLAUDIO STEIN HAD EEN APPARTEMENT IN DE BUURT VAN PIAZZALE
Roma, aan het eind van een *calle* met blinde muren in de buurt
van de gevangenis. Brunetti was er vaak geweest. Toen hij klein
was, was hij dikwijls met zijn vader mee geweest en had hij aandachtig geluisterd als de twee mannen herinneringen ophaalden
over hun jeugd in Venetië, voor de oorlog, en over de tijd dat ze als
jonge soldaten in Griekenland en Rusland zaten. Brunetti herinnerde zich alle anekdotes: de pastoor in Castello die had gezegd
dat het een zonde was als ze geen lid werden van de fascistische
partij, de vrouw in Thessaloniki die een fles ouzo voor hen had, de
kapitein van de artillerie die het tweetal had willen dwingen zich
aan te sluiten bij zijn eskadron en alleen onder dreiging van geweld op andere gedachten was gebracht. In al hun verhalen waren
de twee jonge kerels de helden en het feit dat ze de oorlog hadden
overleefd, was in feite genoeg bewijs.

Brunetti wist niet precies hoe hij tot de conclusie was gekomen,
maar na al hun verhalen te hebben beluisterd, was hij tot de slot-
som gekomen dat zijn vader in alle avonturen die ze in de jaren
vóór de oorlog hadden beleefd de heldenrol vervulde. Senior was
uitbundig, vrijgevig en slim, de geboren leider van de jongens uit
de buurt. Na de oorlog had zijn vriend, de veel rustiger Claudio,
de leidersrol overgenomen: hij was voorzichtig, eerlijk, betrouw-
baar en wat zijn beste vriend betrof, beschermend en loyaal.
Claudio was zo tactvol om de onderwerpen die Brunetti's vader
tot razernij konden brengen wat af te zwakken, of het nou ging
over sommige politici, de legerleiding of het materieel waarmee ze
moesten werken. Claudio wist de verhalen altijd te herleiden tot
hun succesvolle zoektochten naar voedsel en vertier. Wat er van

waar was, Brunetti had geen idee en het kon hem niet schelen ook. Hij hoorde ze graag vanwege de beelden die ze opriepen, hoe weinig plausibel, hoe vertekend door de lens van de verteller ze ook waren. Hij hield van het beeld dat hij had van zijn vader als jongen, van de tijd dat de oorlog nog geen greep op hem had gekregen.

De deur ging meteen open. Het eerste wat Brunetti opviel, was dat het leek alsof de oude heer geen schoenen aanhad. Ze omhelsden elkaar en toen Claudio hem voorging, keek hij naar de voeten van de oude man en zag dat hij wel degelijk schoenen droeg. Brunetti hield zijn pas in en zag toen dat het niets anders was dan de onvermijdelijke truc die ouderdom met je uithaalt: Claudio was sinds Brunetti's laatste bezoekje een paar centimeter gekrompen.

'Leuk je weer eens te zien, Guido,' zei hij met de zware stem die Brunetti zo goed kende van vroeger. Hij ging Brunetti voor en vroeg of hij zijn jas kon ophangen. Brunetti zette zijn aktetas op de grond, trok zijn jas uit en keek toe hoe Claudio hem ophing. Brunetti herinnerde zich dat Claudio hem voor zijn zestiende verjaardag tienduizend lire had gegeven. Destijds was dat een aardig bedrag, maar Brunetti had het in het buurtcafé in één avond met zijn vrienden opgedronken. Het was de goeie ouwe tijd van Coca-Cola en *Limonata*. Wijn hadden ze thuis, dus waarom zouden ze daarmee feestvieren?

Claudio liep naar de ruimte die hij altijd als zijn kantoor betitelde, een kamer met een groot bureau, drie stoelen en een enorme, manshoge kluis. Steeds als Brunetti hem opzocht, was het bureau leeg. Slechts één keer, een jaar of zes geleden, toen Brunetti hem in zijn hoedanigheid van politieman had ondervraagd, had er wat op gestaan: een mooie, suède doos die een stelletje oplichters had achtergelaten nadat ze op de een of andere manier een wisseltruc hadden uitgehaald met de edelstenen waarin ze zogenaamd geïnteresseerd waren.

Het was een klassiek voorbeeld van de wisseltruc, goed voorbereid ook, want ze hadden Claudio's gangen nagegaan, zich bij familie en vrienden ingelikt en na een tijdje wisten ze alles over zijn privé-leven en zaken. Ze hadden Claudio wijsgemaakt dat ze oude klanten waren van zijn vader, die de zaak aan Claudio had overgedaan.

De dag dat de verkoop zou plaatsvinden, waren ze naar het kantoor gekomen en Claudio had hun zijn mooiste bezit laten zien: edelstenen die zo veel waard waren dat hij snikte toen Brunetti hem er naderhand naar vroeg. De dieven hadden steen per steen bekeken en Claudio had ze heel voorzichtig in de suède doos gelegd. Op het allerlaatste moment had de man die later de leider bleek, een ring met een gigantische solitaire uitgezocht en die boven op de diamanten gelegd. Ze hadden gezien hoe Claudio de doos had gesloten en het suède met zwart elastiek had dichtgesnoerd. 'Dat is makkelijk,' had de man nog gezegd terwijl hij naar het suède bobbeltje wees waar de ring zat, 'zo weet u precies welke doos de onze is.'

Meteen daarna was het gebeurd, gedurende de paar seconden tussen het moment dat Claudio de doos had dichtgemaakt en het moment dat hij hem op de bovenste plank in de kluis had gezet. Had een van hen hem iets gevraagd, hem een sigaret aangeboden? Toen hij ontdekte dat de dozen verwisseld waren, kon hij zich niets herinneren van de ogenblikken ervoor en erna. Hij merkte het pas na twee dagen toen de heren niet kwamen betalen en de spullen niet ophaalden. Toen hij daarop de kluis opendeed en de doos pakte, wist hij het al, hoewel hij zich niet kon voorstellen dat het was gebeurd, dat ze de twee dozen hadden verwisseld, in zijn bijzijn nog wel, en dat hij niet beter had opgelet. Maar het was wel degelijk het geval.

Nadat hij hem had gezegd hoeveel de gestolen diamanten waard waren, had de oude heer Brunetti laten beloven het aan niemand te vertellen: Claudio kon met een dergelijke schande niet leven, wilde niet dat zijn vrouw wist hoe onzorgvuldig hij had gehandeld, noch dat zijn vrouw zou horen dat de heren die zij tijdens een treinreis had verteld hoe trots ze op haar man en zijn werk was, degenen waren die hem hadden bedonderd.

De dieven waren gepakt en opgesloten, maar dat kon Claudio verder niet veel schelen; het geld was in de diverse casino's die Europa rijk is vergokt. De verzekeringsmaatschappij betaalde niet uit omdat hij niet had opgegeven dat hij de edelstenen in huis had; hij had verzuimd bij het afsluiten van de polis een lijst op te stellen met herkomst, prijs, gewicht en slijpwijze. Dat Claudio een groothandel had en daarom duizenden edelstenen op voorraad hield, dat het opstellen van zo'n lijst maanden zou hebben gekost, werd niet meegewogen bij hun beslissing niet uit te betalen. Die hele zaak spookte door zijn hoofd toen ze door de gang naar het kantoor liepen.

'Wil je wat drinken, Guido?' vroeg de oude man toen ze het kantoor in gingen.

'Nee, dank je. Ik heb net koffie gehad. Misschien als we klaar zijn.' Brunetti wist dat Claudio pas zou gaan zitten als hij zat, dus trok hij een stoel bij, ging zitten en zette de aktetas tussen zijn voeten.

Claudio liep achter het bureau om en ging zitten. Hij sloeg zijn handen ineen en zoals gebruikelijk leunde hij ook nu over het bureau. 'Hoe is het met Paola en de kinderen?'

'Goed. Met allemaal,' antwoordde Brunetti. Het was een bekend ritueel. 'Op school gaat het uitstekend. Zelfs met Paola,' voegde hij er schalks aan toe. 'En met Elsa?'

Claudio hield zijn hoofd scheef en maakte een grimas. 'De artrose wordt er niet beter op. Ze heeft het nu ook in haar handen, maar ze klaagt nooit. Iemand heeft ons een dokter in Mira aanbevolen en daar komt ze nu al een maand. Hij heeft haar een geneesmiddel voorgeschreven dat in Amerika is ontwikkeld en ze gelooft dat het helpt.'

'Laten we het hopen,' zei Brunetti. 'Hoe is het met Riccardo?'

'Gelukkig, ook in het werk. In juni maakt hij me voor de derde keer grootvader.'

'Hij of Evvie?' vroeg Brunetti.

'Zij samen, lijkt me zo.'

Toen de plichtplegingen achter de rug waren, vroeg Claudio: 'Waar wil je me over spreken?' Hij kwam altijd snel terzake, hoewel hij de laatste jaren wel wat trager was geworden en zo veel tijd had dat het idee die te verdoen hem niet eens tegenstond.

'Ik heb wat edelstenen gevonden,' zei Brunetti, 'en ik wilde je vragen of je me er wat over kunt vertellen.'

'Wat voor edelstenen?'

'Moment,' zei Brunetti die zijn aktetas openmaakte, de plastic tas met Vianello's wanten eruit haalde en die op het bureau zette. Hij pakte de zakdoek met de resterende stenen uit zijn jaszak en zette het bundeltje voorzichtig naast de plastic tas. Hij keek even naar Claudio en zag dat die het schouwspel enigszins verbaasd, maar met interesse volgde.

Hij begon met de zakdoek, haalde de eerste knoop met zijn nagels los en toen de tweede. Hij schoof het geheel in Claudio's richting, waarna hij de plastic tas openmaakte, er de wanten uit haalde en de inhoud voorzichtig boven op het bergje op de zakdoek deponeerde. Een paar stenen rolden over het bureaublad. Brunetti pakte ze, legde ze bij de andere en zei: 'Vertel me maar wat je hier ziet.'

Claudio, die gedurende zijn leven meer edelstenen had gezien dan wie ook in Venetië, keek er met een effen gezicht naar en maakte geen aanstalten er een op te pakken. Na ruim een minuut staren likte hij aan zijn wijsvinger, raakte er een van de kleinere stenen mee aan en streek met de vinger over zijn lippen. 'Waar komt dat zout vandaan?' wilde hij weten.

'Ze zaten verstopt in een doos met zout.'

Claudio knikte om aan te geven dat hij het begreep.

'Heb je ze nodig?'

'Hoe bedoel je? Als bewijs?'

'Nee. Wat ik bedoel is, moet je ze mee hebben?'

'Nee,' zei Brunetti, die daar nog niet echt over had nagedacht.

'Ik denk van niet. Hoezo? Wat stel je voor?'

'Ik wil ze even in kokend water leggen om dat zout kwijt te raken. Dan pas kan ik zien hoe of wat, hoeveel ze wegen.'

'Je gaat ze wegen?'

Claudio richtte zijn aandacht weer op de stenen en zei: 'Natuurlijk moeten ze worden gewogen. Dat je dat niet snapt, Guido.'

'Kun je me dan ook vertellen wat ze waard zijn en waar ze vandaan komen?'

Claudio pakte zijn eigen zakdoek uit de borstzak van zijn jasje en veegde zijn wijsvinger schoon. Heel voorzichtig streek hij met dezelfde vinger het bergje glad totdat hij nog maar één laag stenen voor zich had. Hij knipte een bureaulamp aan en richtte die zó dat de lichtbundel vlak voor hem op het bureau viel. Hij trok de middelste la open en pakte een lange pincet. Met de pincet nam hij drie van de grotere stenen op, stuk voor stuk zo groot als een doperwt, en legde ze in het lamplicht. Hij nam niet de moeite naar Brunetti op te kijken en zei achteloos: 'Wat ik zó al kan zeggen, is dat ze uiterst zorgvuldig zijn uitgezocht.' Brunetti zei niets, want wat hem betrof waren het net kiezelsteentjes.

Claudio zette een juweliersloep, een weegschaaltje en een klein doosje op het bureau. Uit het doosje haalde hij een setje kleine, koperen gewichtjes. Hij keek naar de uitstalling, schudde zijn hoofd en keek Brunetti aan. 'Macht der gewoonte, dat weegschaaltje.' Hij trok een van de laden naast zich open en haalde er een elektronisch weegschaaltje uit. Hij zette het aan en in het venstertje verscheen een verlichte nul. 'Dit gaat sneller en is in feite beter,' zei hij. Met de pincet pakte hij een van de stenen die hij had uitgezocht op, legde hem op de weegschaal, draaide die naar zich toe zodat hij het gewicht beter kon aflezen, legde de tweede steen erop en toen de derde. Weer pakte hij wat uit de la, nu een vierkant fluwelen matje van circa acht vierkante centimeter dat hij links van de weegschaal legde. Met behulp van de pincet legde hij de stenen op het matje, pakte de loep en bekeek ze om beurten. Toen hij klaar was, legde hij de loep neer en keek Brunetti aan. 'Zijn het Afrikaanse?' vroeg hij.

'Vermoedelijk.'

De oude man knikte tevreden. Met de pincet beroerde hij de stenen, schoof er een aantal opzij totdat er in het midden drie overbleven die groter waren dan het eerste drietal dat hij had bekeken. Hij nam ze met de pincet op en legde ze gescheiden van de andere op het matje. Hij bestudeerde ze en toen hij daarmee klaar was, legde hij de loep naast de zakdoek, net als de lange pincet. 'Ik kan morgen meer zeggen, als ik ze heb geteld en gewogen, maar ik weet wel dat je op de een of andere manier een fortuin hebt vergaard, Guido.'

Brunetti reageerde maar niet op dat 'vergaard' en op de vraag die daarin besloten lag en vroeg: 'Hoe groot is dat fortuin?'

'Dat hangt af van hoeveel zout erbij zit en of de kleinere even gaaf zijn als de grote,' zei de juwelier en wees op de zes stenen op het matje.

'Hoe weet je van ongeslepen diamanten wat ze waard zijn? Ze hebben tenslotte geen – hoe noem je dat? – facetten?'

'De facetten komen pas in een later stadium en kunnen alleen worden geslepen in een perfecte diamant. Dat wil zeggen, alleen een perfecte diamant geeft die mooie schittering.' Hij gebaarde naar de stenen op het bureau en zei: 'Ik heb er zoals je ziet slechts zes bekeken, maar die zes lijken me perfect, of in ieder geval van uitstekende kwaliteit. Ik kan niets garanderen, maar ik geloof dat het goed spul is.' Hij staarde even naar de muur achter Brunetti en zei: 'De slijper is degene die eruit haalt wat erin zit.'

Blijkbaar had zijn korte betoog hem ertoe aangezet de zes stenen nogmaals te bekijken. Hij pakte de loep, zette hem voor zijn oog en boog zich over het zestal. Eén steen bekeek hij wat beter, vanuit meerdere hoeken, en toen hij daarmee klaar was, legde hij de loep weer op het blad. Hij knikte en alsof hij Brunetti antwoord gaf op een vraag, zei hij: 'Nee, ik herinner me niet ooit een dergelijke kwaliteit gezien te hebben.'

'Kun je me zelfs geen grove schatting doen van de waarde?'

'Kijk nou toch eens,' zei Claudio met een schittering in zijn ogen die Brunetti vertaalde als hartstocht. Brunetti's vraag bracht hem al snel terug naar de werkelijkheid, waar diamanten niet alleen naar hun pracht worden beoordeeld, maar ook naar hun waarde.

'Als die grote geslepen zijn, dan denk ik dat ze zo'n dertig- tot veertigduizend euro opbrengen, maar het hangt ervan af hoeveel er verloren gaat bij het slijpen.' Hij pakte een van de ruwe diamanten en hield hem voor Brunetti op. 'Als ze perfect geslepen worden, hebben we het over een groot fortuin.'

Wat moesten ze dan in een kamer zonder warmtebron, stromend water en isolatie, vroeg Brunetti zich af. Wat moest een straatventer die nagemaakte merktassen en portemonnees aan de man brengt ermee?

'Hoe weet je nou dat ze uit Afrika komen?' vroeg Brunetti.

'Dat weet ik niet. Dat wil zeggen, ik weet het niet zeker, maar het zou heel goed kunnen.'

'Hoe zie je dat?'

Claudio hoefde nauwelijks na te denken over de vraag die hem zonder twijfel vaker gesteld was. 'Iets in de kleur, in het licht, of de schittering, plus het ontbreken van vlekjes en imperfecties die diamanten van elders vaak hebben.' Hij keek van Brunetti naar de stenen en zei: 'Eerlijk gezegd kan ik het niet uitleggen, niet goed in ieder geval, maar als je er zoals ik honderdduizenden hebt gezien, weet je of denk je te weten wat de herkomst is.'

'Honderdduizenden?'

De oude man ging wat rechterop zitten, maar hij leek er nauwelijks groter door te worden. Hij sloeg zijn handen ineen en zei: 'Ik heb ze nooit geteld, Guido. Ik sla er een slag naar, maar het kan best zijn. Kleintjes van eenzestiende karaat tot aan exemplaren van meer dan dertig, veertig karaat, zó perfect dat het was of je naar de zon keek.' Hij zweeg even en het leek alsof hij zijn eigen woorden woog. 'Het is net als met vrouwen. Hoe ze er ook uitzien, ze hebben altijd wel íets moois.'

Brunetti, die het daarmee eens was, grinnikte om de vergelijking. 'Oké, nu wat betreft de herkomst. Hoe kom je erachter waar ze vandaan komen?'

Claudio dacht even na en zei: 'Wat ik kan doen, is ze aan een paar collega's laten zien en vragen wat zij ervan vinden. Als we het eens zijn, nou ja, dan zijn ze inderdaad Afrikaans of we hebben het allemaal bij het verkeerde eind.'

'Kun je dan ook zeggen uit welk Afrikaans land?'

'Diamanten kennen geen grenzen, Guido. Ze komen uit pijpen en die hebben geen nationaliteit.'

111

'Pijpen?'

'In de aardkorst. Het zijn diepe kraters, of liever gezegd, diepe bronnen. De diamanten zijn daar gevormd kilometers onder de aardkorst, miljoenen jaren geleden – en allengs komen ze naar boven.' Claudio zat nu echt op zijn praatstoel, met de autoriteit van de kenner, en Brunetti luisterde aandachtig. 'Ze zitten vaak dicht op elkaar, die pijpen, en soms ook gaat het maar om een enkele, zoals de Kimberlymijn in Zuid-Afrika. Het spreekt voor zich dat die pijpen soms landsgrenzen overschrijden en dus feitelijk van twee naties zijn.'

'Hoe lossen ze dat op?'

'De sterkste probeert ze van de zwakste af te nemen.'

Brunetti knikte. Zo ging het altijd als twee landen om iets streden, daarvoor had hij te veel geschiedenisboeken gelezen. 'Gaat het in Afrika ook zo?'

'Helaas wel. Nóg een reden voor de mensen van dit arme werelddeel om de strijdbijl op te pakken.'

'Alsof ze geen redenen genoeg hebben.'

Het sombere perspectief had Claudio's woordenstroom wat ingedamd. 'Kom ze morgen maar ophalen. Als je me ermee vertrouwt, natuurlijk.'

Brunetti leunde voorover en legde zijn hand op Claudio's arm. 'Bewaar ze maar gewoon voor me, als je wilt.'

'Voor hoelang?'

Brunetti haalde zijn schouders op. 'Geen idee. Tot ik weet wat ik ermee aan moet.'

'Is het bewijsmateriaal?'

'Ja, zo kun je het stellen.'

'Weet iemand anders dat je ze hebt?'

'Ja.'

'Godzijdank.'

'Pardon?' zei Brunetti. 'Wat maakt dat uit?'

'Dan ben ik minder geneigd ze achterover te drukken,' zei Claudio terwijl hij opstond.

14

OP WEG NAAR DE QUESTURA DACHT BRUNETTI NA OVER WAT Claudio hem had verteld. Het was allemaal nieuw voor hem en alleen daarom al interessant, maar welbeschouwd was hij wat de link met de Afrikaan betrof nauwelijks wijzer geworden. De stenen vertegenwoordigden een enorme som geld en waren vermoedelijk Afrikaans. Dat was aardig om te weten, maar het had Brunetti niets wijzer gemaakt over de connectie tussen de edelstenen en het slachtoffer, of liever gezegd: de edelstenen en de moord. Natuurlijk, hebzucht was een van de beste motieven voor misdaad in het algemeen, maar als de moordenaars wisten dat de man ze had, waarom hadden ze die dan na zijn dood niet meegenomen? Daarbij, als het hen om de stenen te doen was, waarom hadden ze hem dan vermoord? Het lag immers niet voor de hand dat de politie een eenvoudige *vú cumprá* die aangifte deed van de diefstal van een fortuin aan diamanten, zou geloven.

Brunetti besloot dat hij het maar het beste direct met zijn directe baas, vice-questore Giuseppe Patta, kon opnemen en diens toestemming vragen om het onderzoek te mogen voortzetten. Het klonk tegenstrijdig, maar om dat voor elkaar te krijgen, zou hij Patta er op de een of andere manier van moeten overtuigen dat hij er weinig voor voelde.

Op de Questura aangekomen, liep hij rechtstreeks naar Patta's kamer, maar hij trof de vice-questore al in signorina Elettra's kantoortje.

Het leek haast of iemand die ochtend bij het opstaan heel zachtjes 'diamanten' in hun oor had gefluisterd, want Patta droeg een nieuwe, buitengewoon opzichtige dasspeld: een gouden pandabeertje met als ogen twee diamantjes. Signorina Elettra, alsof ze gewaarschuwd was door een of ander modebewust waarschu-wingssysteem, had smaakvolle oorbellen met diamantjes in, die het effect van Patta's panda misschien niet wegvaagden, maar wel verminderden.

Brunetti groette hen beiden met gespeelde achteloosheid en vroeg signorina Elettra of ze erin was geslaagd het artikel in de *Gazzettino* over de vroegere directeur van het *casinò* te vinden. Hoewel Brunetti dat ter plekke had verzonnen om zijn aanwezig-heid te verklaren, antwoordde signorina Elettra dat ze het had, waarop ze een map van haar bureau pakte en die aan Brunetti gaf.

'Waar ben je op het ogenblik mee bezig, Brunetti?' vroeg Patta.

Brunetti hield de map op en zei: 'Dat onderzoek naar het *casinò*, meneer,' op een toon die Hercules zou hebben aangeslagen als hem gevraagd was waarom hij zo veel tijd in de stallen door-bracht.

Patta draaide zich om en liep naar zijn kamer. 'Kom even mee,' zei hij. De vraag kon voor zowel signorina Elettra als Brunetti be-doeld zijn, maar uit het ontbreken van een beleefdheidsvorm be-grepen ze dat hij Brunetti bedoelde.

Een Iranese vriend van Brunetti had hem ooit verteld dat on-dergeschikten de bevelen van een superieur daar begroetten met een woord dat klonk als 'sjazaam', Farsi voor 'ik doe het op mijn ogen', wat zoveel wilde zeggen als dat de ondergeschikte de beve-len van de baas op zijn ogen plakte en totdat die waren uitgevoerd, niets anders zou zien dan die bevelen. Hij vond het jammer dat het Italiaans geen woord kende dat het begrip 'onderdanigheid' even treffend benoemde.

Patta stond bij het raam, waardoor Brunetti niet kon gaan zit-ten en hij bleef dan ook maar dicht bij de deuropening staan om af te wachten wat Patta te zeggen had. De vice-questore staarde zo lang uit het raam dat Brunetti even bang was dat Patta hem was vergeten. Hij schraapte zijn keel maar eens, maar Patta reageerde niet.

Juist toen Brunetti wat wilde zeggen, draaide Patta zich om en vroeg: 'Ze hebben jou gebeld, nietwaar, die avond?'

'Over die Afrikaan, bedoelt u?'

'Ja.'

Brunetti knikte.

'Thuis?'

'Ja.'

'Waarom?'

'Pardon, meneer?'

'Waarom hebben ze jou gebeld?'

'Ik begrijp niet wat u bedoelt, meneer. Ik neem aan dat ze degene die het dichtstbij woont bellen, of dat iemand hier op het bureau mijn naam heeft laten vallen. Ik heb geen idee.'

'Mij hebben ze niet gewaarschuwd,' zei Patta kregelig.

Brunetti dacht even na over het beste antwoord en zei: 'Ik denk dat ze de eerste de beste hebben gebeld. Of misschien hebben ze een lijst en bellen ze degene die aan de beurt is om naar een plaats delict te gaan.' Terwijl Brunetti aan het woord was, had Patta zich omgedraaid en toen zijn baas niet reageerde, voegde hij eraan toe: 'Ik weet zeker dat ze u als de hoogste baas zien en ik neem aan dat ze u niet wilden lastigvallen met de eerste stadia van een onderzoek.' Dat met name de eerste indrukken en acties uiterst belangrijk waren bij het oplossen van een zaak, liet hij maar achterwege. Patta bleef zwijgen, dus ging Brunetti rustig verder: 'Daarbij bent u er altijd erg goed in de juiste man op de juiste zaak te zetten.' Hij besefte dat hij het niet bonter moest maken, dus besloot hij het daarbij te laten.

Het was weer een tijdje stil, maar toen vroeg Patta: 'Is dit een zaak die jou ligt?'

Brunetti telde heel langzaam tot vijf en antwoordde: 'Nee, eigenlijk niet.'

Hij had de woorden nog niet uitgesproken of Patta sprong er al bovenop. 'Bedoel je dat je ervan af wilt?'

Deze keer telde Brunetti tot zeven voor hij reageerde. 'Ik wil er best van af en aan de andere kant ook weer niet, meneer,' loog hij. 'Ik denk dat het uitdraait op een vete tussen de verschillende groepen Afrikanen, dat we een heleboel mensen moeten ondervragen en dat ze stuk voor stuk gaan zeggen van niets te weten. Uiteindelijk komen we geen steek verder, sluiten we het dossier en brengen het naar het archief met onopgeloste zaken.' Hij deed zijn best zowel verveeld als afkeurend over te komen en toen Patta niets zei, vroeg hij: 'Wilde u me hierover spreken, meneer?'

Patta draaide zich weer om en zei: 'Je kunt er beter maar even bij gaan zitten, Brunetti.'

Brunetti deed zijn best om een effen gezicht te trekken en deed wat hem werd gezegd. Hij wachtte tot Patta op zijn bureaustoel zou gaan zitten, maar hij bleef bij het raam staan. Het werd bewolkt en het werd langzaam donker. Hij kon Patta's gezicht haast niet meer onderscheiden en het liefst had Brunetti de schemerlamp aangedaan om zijn gelaatsuitdrukking te zien.

Na een poosje zei Patta: 'Dergelijke desinteresse ben ik niet van je gewend, Brunetti.'

Brunetti wilde wat zeggen, maar het leek hem beter om niet te happig over te komen, dus zweeg hij even en zei toen: 'Dat begrijp ik, meneer, maar ik heb het nogal druk en ik heb zo'n idee dat wát we ook ondernemen, het niets oplevert.' Hij keek even naar Patta, zag diens roerloze gestalte en begreep daaruit dat hij goed luisterde. 'Wat ik over de *vú cumprá* heb gehoord,' ging hij verder, 'is dat het een zeer gesloten gemeenschap is waar we met geen mogelijkheid kunnen binnendringen.' Hij dacht even na over een groep waarmee hij de Afrikanen kon vergelijken en het eerste wat hem te binnen schoot was: 'Net als de Chinezen.'

'Hè?' zei Patta. 'Wat zei je?'

Patta's toon verraste hem en hij zei: 'Dat het net is als bij de Chinezen, meneer, dat het een gesloten gemeenschap is, een eigen wereldje, en dat we weinig weten over hun onderlinge relaties en leefregels.'

'Hoe kom je nou op de Chinezen?' wilde Patta weten.

Brunetti haalde zijn schouders op. 'Omdat het de enige andere gesloten groep van formaat is hier. Etnische groep, welteverstaan.'

'En de Filippino's dan? De Oost-Europeanen? Zijn dat dan geen etnische groeperingen?'

Brunetti dacht daar even over na en zei: 'Ja, dat is ook weer zo. Om u de waarheid te zeggen, denk ik dat ik ze met elkaar vergelijk omdat ze er anders uitzien dan wij en wij dus op de een of andere manier vreemder tegen hen aankijken.' Patta reageerde niet, dus vroeg Brunetti maar: 'Hoezo, meneer?'

Patta kwam bij het raam vandaan en liep naar het bureau. Hij ging niet zitten, maar trok een stoel bij en zette die tegenover die van zijn bezoeker, wat nogal vreemd op Brunetti overkwam.

'Wij vertrouwen elkaar niet echt, is het niet?'

Normaal gesproken zou Brunetti daar met een leugentje op geantwoord hebben: dat ze allebei dienders waren en dat ze elkaar moesten vertrouwen als ze het beste met het politieapparaat voorhadden. Iets zei Brunetti echter dat Patta niet gediend zou zijn van dergelijke praat, dus zei hij: 'Dat klopt.'

Patta woog het antwoord even, keek van hem weg, staarde naar de vloer, maar toen hij sprak, keek hij Brunetti recht in de ogen. 'Ik moet je iets vertellen waar ik verder geen uitleg over kan geven, maar je moet me maar vertrouwen als ik zeg dat ik de waarheid spreek.'

Brunetti moest meteen denken aan een probleemstelling die zijn professor filosofie ooit had geponeerd: als iemand die altijd liegt tegen je zegt dat hij liegt, spreekt hij dan de waarheid of liegt hij? Na al die jaren wist hij niet meer wat het antwoord was, maar Patta's opmerkingen deden hem onwillekeurig aan die stelling denken. Hij zei niets en luisterde.

'We moeten de zaak laten rusten,' zei Patta uiteindelijk.

Toen het ernaar uitzag dat het daarbij zou blijven, vroeg Brunetti: 'Ik neem maar aan dat u doelt op de moord op die Afrikaan?'

Patta knikte.

'Op wat voor manier laten rusten? Er geen tijd meer aan besteden of net doen alsóf we ermee bezig zijn en dus niets vinden.'

'Doen alsof, waarmee ik bedoel: mensen ondervragen en rapport uitbrengen, maar geen dingen vinden.'

'Dingen?' vroeg Brunetti.

Patta schudde zijn hoofd en zei: 'Meer heb ik er niet over te zeggen, Brunetti.'

'Wilt u beweren dat we de dader of daders niet mogen vinden?'

'Ik heb je gezegd wat de bedoeling is, Brunetti. We laten de zaak voor wat die is.'

Brunetti had het liefst geschreeuwd, maar hij hield zich in en in plaats daarvan vroeg hij op kalme toon: 'Waarom?'

Op even kalme toon antwoordde Patta: 'Omdat ik je een boel ellende wil besparen.' Toen Brunetti niet reageerde, voegde hij eraan toe: 'Ons allemaal.'

Brunetti stond op. 'Bedankt dat u me hebt gewaarschuwd, meneer,' zei hij terwijl hij naar de deur liep. Hij bleef even staan, nieuwsgierig of Patta zou vragen of hij het goed begrepen had allemaal en dienovereenkomstig zou handelen, maar de vicequestore zei niets, dus hij liep de kamer uit en deed de deur zachtjes achter zich dicht.

Signorina Elettra keek verwachtingsvol naar hem op. Ze wilde wat zeggen, maar Brunetti legde de lege map op haar bureau, hield zijn wijsvinger voor zijn lippen en gebaarde dat hij naar boven ging.

Brunetti sloot de deur van zijn kamer achter zich en dacht na. Het feit dat de vice-questore hem met zoveel woorden had gezegd dat hij zich niet met de zaak moest bemoeien, hield in dat Patta op zíjn beurt een gelijkluidend decreet had gekregen, dus rees de vraag van wie dat afkomstig was. Wie had genoeg macht om de vice-questore zó te kunnen overtuigen en nog wel zo snel? Of hadden ze hem de duimschroeven aangedraaid? Patta was niet vies van mensen met geld en macht, hoewel Brunetti niet wist welke van de twee hij belangrijker vond. Hij zou zonder meer het hoofd buigen voor geld, maar alleen machtsoverwicht zou hem op de knieën kunnen krijgen, dus de krachten achter het verzoek waren machtig genoeg om hem tot overgave te dwingen.

Patta had geïnsinueerd dat de waarschuwing voor Brunetti's bestwil was, maar dat wuifde hij al bij voorbaat weg. Waarschijnlijk was Patta bang dat Brunetti niet kon of geen gehoor wilde geven aan het bevel en gewoon zou doorgaan met het onderzoek, zelfs als hij orders had gekregen om ermee te stoppen. Patta's listigheid bleek maar weer uit zijn zogenaamde zorgen om Brunetti, want in feite maakte hij zich alleen maar zorgen om zijn eigen hachje.

Welke krachten konden zo'n macht over de vice-questore van politie uitoefenen dat die eraan toegaf? Brunetti deed zijn ogen dicht en liep de rozenkrans aan mogelijkheden af. De kandidaten moesten waarschijnlijk gezocht worden bij de overheden, de geestelijkheid en in de criminele sfeer. De tragedie van zijn vaderland, zo wist hij, was dat die alle drie evenveel in de melk te brokkelen hadden.

15

Signorina Elettra onderbrak zijn overpeinzingen. Ze klopte op de deur, kwam ongenood binnen, liep naar zijn bureau en vroeg, of liever gezegd eiste: 'Wat moest hij?' Maar toen drong kennelijk tot haar door hoe brutaal dat klonk want ze deed een stap naar achteren en zei: 'Ik bedoel... Hij wilde u zó graag spreken.'

'Het ging over de moord op die Afrikaan.'

'Hij was in zo'n vreemde bui...' probeerde ze.

Brunetti haalde zijn schouders op. 'Hij is altijd nerveus als er wat naars is gebeurd. Dit soort zaken is niet goed voor de naam van de stad.'

'Voor hem dus ook niet.'

'Zelfs als het slachtoffer niet een van ons is,' zei Brunetti, zich ervan bewust hoezeer hij nu net klonk als Chiara. Snel, om te voorkomen dat ze gekwetst werd in haar universele medegevoel, voegde hij eraan toe: 'Geen Venetiaan, bedoel ik.'

Zo te zien was het in orde, want ze vroeg: 'Waarom nou zo'n arme donder? Ze doen geen vlieg kwaad. Ze proberen hun waar te slijten om een beter leven te kunnen leiden.' Ze liet haar overpeinzingen voor wat ze waren en vroeg: 'Hebt u de zaak toegewezen gekregen?'

'Niet met zoveel woorden,' zei hij, 'maar hij zei ook niet dat hij er een ander op ging zetten, dus ik neem maar aan dat ik kan doorgaan.' Terwijl hij die weinig zeggende zin had uitgesproken, dacht hij aan Patta's woorden en wat erachter stak. Als Patta inderdaad werd bedreigd, dan liep iedereen die zich ermee bemoeide gevaar.

Hoe had Patta het ook alweer gezegd? 'We moeten de zaak laten rusten.' Typisch Patta, alsof het een beslissing was die pas na ampel beraad was genomen. Dat 'moeten' duidde op de consensus dat de zaak, de moord, vergeten moest worden, verwezen naar die tot aan de rand gevulde doofpot.

Wat hij eigenlijk had moeten zeggen was: 'Ik heb te horen gekregen dat we die moord niet mogen onderzoeken. Om te voorkomen dat ik mijn baan verlies of dat me wat overkomt, werk ik mee met het blokkeren van de rechtsgang en belet ik u uw werk te doen. Als ík er maar ongeschonden uit te voorschijn kom.'

De denkbeeldige stem klonk zó echt dat hij signorina Elettra haast niet had gehoord. Hij knipperde een paar keer en richtte zich weer op wat ze te zeggen had. '... nog wel aan u rapporteren?'

'Natuurlijk,' antwoordde hij, alsof hij het eerste deel van haar zin had gehoord. 'Ik ga gewoon door met het onderzoek totdat ik eraf word gehaald.'

'En dan?'

'Dan zie ik wel wie de zaak toegeschoven krijgt en dan help ik die collega óf ga ik op eigen houtje door.' Het was niet nodig de naam uit te spreken van degene die hem tot de tweede mogelijkheid zou dwingen. Zelfs in een organisatie waarin niet iedereen gemotiveerd was om het recht te laten zegevieren, viel inspecteur Scarpa in negatieve zin op. Sommige andere commissario's zouden niet snel succes boeken in gecompliceerde zaken, maar onder leiding van een competente korpsleiding zouden ze in ieder geval een poging doen de daders op te pakken en daarin hoogstens beperkt worden door gebrek aan fantasie of ervaring. Scarpa had echter alleen positieverbetering voor ogen. Een superieur, of lieden die Brunetti niet eens bij naam wilde noemen, hoefde maar met zijn vingers te knippen of Scarpa zou de zaak laten vallen.

Gelukkig maar dat Scarpa die zaak niet op zijn bord zou krijgen. Hij was nog maar inspecteur, ondanks het feit dat Patta er alles aan had gedaan hem een promotie te bezorgen. Een commissario zou nog altijd de leiding hebben van het onderzoek, maar niets en niemand kon Patta beletten om, mocht hij dat willen, Scarpa aan het team toe te voegen.

'Als we ons over hem nou maar geen zorgen hoefden te maken,' zei Brunetti. Het was niet nodig Scarpa's naam te noemen. Ik lijk verdorie wel een Engelse koning die een personeelsprobleem aan het hof moet oplossen, dacht Brunetti.

Signorina Elettra kreeg pretlichtjes in haar ogen en meteen daarna fleurde haar hele gezicht op. 'Brengt u me nou niet in verleiding, meneer.'

'Ik heb het over een tijdelijke oplossing, signorina,' zei hij nadrukkelijk, omdat hij niet goed kon inschatten wat ze met zijn opmerkingen zou doen.

Ze keek uit het raam, naar de gevel van de kerk van San Lorenzo. 'Ah...' Het klonk als een langgerekte verzuchting. Ze hield haar hoofd schuin, alsof ze zich op die manier beter kon concentreren op iets wat alleen zíj kon zien, en toen brak er een glimlach door. 'Die cursus van Interpol over nieuwerwetse onderzoeksmethoden...'

'Die in Lyon?' klonk het verwonderd.

'Ja.'

'Dat is toch alleen op uitnodiging, voor mensen die Interpol wil inlijven?'

'Klopt, maar hij geeft zich ieder jaar op.'

'Zonder succes, toch?'

Met een nauwelijks zichtbaar glimlachje zei ze: 'Zolang Georges daar op personeelszaken de lakens uitdeelt, kan inspecteur Scarpa ernaar fluiten.'

'Georges?' vroeg Brunetti op een toon alsof hij net had uitgevonden dat ze dezelfde accountant hadden.

'Ik was nog jong, ziet u...' zei ze bij wijze van verklaring.

Brunetti veinsde dat hij begreep wat ze bedoelde en zei: 'Ik begrijp het.' In een poging haar bij de les te houden zei hij: 'En Scarpa...'

Ze was weer terug in het heden en concentreerde zich op de toekomst. 'Het is natuurlijk mogelijk dat hij voor die cursus wordt gevraagd, maar na afloop kán het natuurlijk gebeuren dat ze zien dat die uitnodiging eigenlijk naar een andere Scarpa had moeten gaan.'

'Welke andere Scarpa?'

'Geen idee,' klonk het ongeduldig. 'Er moeten er bij de politie toch meer zijn met die naam?'

'En zo niet?'

'Wie weet zit er een bij het leger, de carabinieri, de belastingdienst of de *guardi di frontieri*.'

'Vergeet de spoorwegpolitie niet,' suggereerde Brunetti.

'Dank u.'

'Hoelang duurt die cursus?'

'Ik geloof een week of drie.'

'Interpol betaalt?'

'Uiteraard.'

'Weet je zeker dat die Georges meedoet?'

Ze keek hem stomverbaasd aan, als een atheïst die wordt gevraagd naar het belang van het geloof, maar ze gaf geen antwoord. Toen Brunetti niets meer te zeggen had, stond ze op en liep richting deur. Ze bleef even op de drempel staan, zei: '*J'appellerai Georges,*' en liep de gang in.

Die brandende vraag bleef maar door zijn hoofd spoken, ook toen hij aanzat bij een lunch met collega's van de provincie Veneto en op vriendschappelijke wijze met zijn collega's converseerde en luisterde naar de bekende speeches over de noodzaak van het beschermen van de maatschappelijke orde tegen aanvallen van buitenaf. Brunetti draaide het menu om en pakte een ballpoint uit zijn zak. Terwijl de minuten, de halve uren voorbijgleden, stelde hij een lijst op van de begrippen die het meest werden genoemd en van de stappen die men moest ondernemen. Na ruim een uur had hij drie woorden genoteerd: thuis, gezin en veiligheid, maar geen specifieke plannen of oplossingen. Waarom hoor ik niets concreets, vroeg hij zich af, waarom wordt er eeuwig en altijd om de hete brij heen gedraaid?

Terug in zijn werkkamer realiseerde hij zich dat het donderdag was en dat Paola die middag niet naar de universiteit hoefde. Ze had een vrije middag en zou waarschijnlijk werk nakijken, of wie weet, misschien wel lui op de bank soaps volgen. Wat een baan. Zeven maanden per jaar vijf uur per week in de collegezaal en voor de rest vrije tijd. Ze moest wel naar faculteitsvergaderingen en ze zat in twee commissies waarvan ze Brunetti nooit had kunnen uitleggen wat die nou precies deden. Daarbij kon hij zich niet herinneren dat ze ooit commissievergaderingen had bijgewoond.

Hij had haar een paar jaar geleden gevraagd waarom ze haar baan aanhield. Ze had hem uitgelegd dat ze haar colleges goed voorbereidde en de studenten in ieder geval meer te bieden had dan de professoren die niets anders deden dan voordragen uit de boeken die ze zelf hadden geschreven. Brunetti herkende dat beeld uit zijn eigen studietijd en herinnerde zich hoezeer hij had gehoopt dat het ooit zou veranderen.

Hij keek naar de papieren op zijn bureau en wist dat als hij langer zou blijven, hij daar alleen maar meer aan zou toevoegen. Hij wilde ergens anders zijn dan waar hij zat: in de bergen, de tropen, op het strand van een tropisch eiland, pootjebaden in een lauwe branding. Hij reikte naar een stapeltje papieren en een andere, niet-bestaande hand probeerde de gedachte aan een vrije middag van hem weg te houden. Na een paar minuten zag hij dat de woorden die zijn ogen lazen niet tot hem doordrongen en zijn drang naar vrijheid won het. Hij zei tegen niemand wat hij ging doen, liep de Questura uit en nam de *vaporetto* naar San Silvestro, naar huis.

Biancat, de bloemenzaak, was open. Hij ging naar binnen en kocht een bos irissen. Terwijl de verkoper de beste uitzocht, besloot hij Chiara ook een bos bloemen te geven en voor haar koos hij gele tulpen uit. Bij thuiskomst legde hij de tulpen op het aanrecht en liep met de irissen naar Paola's studeerkamer.

Ze schonk hem een brede glimlach en zei: 'Guido, wat lief van je.' Ze vroeg niet waarom hij zo vroeg thuis was.

Haar glimlach deed hem goed en in de hoop er nog een te zien, zei hij: 'Voor Chiara heb ik tulpen meegebracht.'

Die glimlach zat er niet in, want ze zei: 'Oei, foute keus.' Ze stond op, gaf hem een zoen op zijn wang en pakte de irissen van hem aan.

'Hoezo?' vroeg hij terwijl hij achter haar aan naar de keuken liep.

Ze haalde de bloemen uit het papier en zei: 'Ze heeft een stuk gelezen over de distributie van bloemen.'

'Nou en?' Hij snapte er niets van.

'Daar stond in hoeveel brandstof er nodig is voor het vervoer, hoeveel energie er in die kassen wordt gepompt om de temperatuur op peil te houden, hoeveel plantenvoedsel ze opslokken en het effect daarvan op de bodem.' Toen ze de lijst had afgewerkt, nam ze de tulpen uit het papier, bukte zich om een bruine vaas te pakken en vulde die met water.

'Het zijn zeker allemaal ecocriminelen,' zei hij geïrriteerd. 'Gelooft ze nou echt dat die ons bestaan bedreigen?'

Paola zette de tulpen een voor een in de vaas en keek zo nu en dan even of ze goed geschikt waren. Ze deed een stap naar achteren om het geheel beter te kunnen beoordelen en schikte er nog wat aan. 'Er zit wat in, moet ik zeggen,' antwoordde ze rustig.

'Meen je dat nou serieus?' wilde hij weten. 'Heeft ze nu bloemen de oorlog verklaard?'

Ze draaide zich om en legde haar hand op zijn arm. 'Wind je nou maar niet op, Guido, en geef haar het voordeel van de twijfel.' Ze wees op de tulpen en zei: 'Ik neem aan dat ze in Nederland zijn gekweekt en hier per vrachtwagen naartoe vervoerd. Ze staan hier een dag of vier, vijf, verdwijnen in een vuilniszak en we verbruiken brandstoffen om het afval te verbranden.'

'Hoe kun je bloemen daar nou voor veroordelen?'

'Wat bedoel je? Is het dan minder raar als het om iets lelijks gaat, zoals die plastic gondeltjes uit Hong Kong die hier per vliegtuig naartoe worden gevlogen of die afgrijselijke maskers?'

'Houd toch op. Het zijn blóémen!' Hij wees naar de tulpen alsof hij de schoonheid van de bloemen gebood het met hem eens te zijn, om rechterop te gaan staan en zichzelf te verdedigen.

'We houden van bloemen en ze zijn beeldig, maar ik wil alleen maar zeggen dat ze niet nuttiger zijn dan de plastic gondeltjes of die maskers. We kunnen zonder, maar we willen ze graag om ons heen hebben, maar dat betekent wel dat we het milieu schaden.' Hij dacht dat ze klaar was, maar ze ging door: 'Juist omdat we van bloemen houden, vinden we het niet erg, of minder erg. Dus houden we ons voor dat het voor bloemen niet geldt, maar dat is natuurlijk onzin.' Ze zweeg even, maar besloot toen met: 'Tenminste, zo denkt Chiara erover.'

Brunetti had het gevoel dat hij zich plotseling op volle zee bevond; terwijl hij alleen maar had willen pootjebaden, was hij door een onzichtbare stroming meegesleurd. 'Ze maakt zich druk om bloemen, maar de dood van een *vú cumprá* doet haar niets?' Hij was zich bewust van het feit dat het nergens op sloeg, maar moest het toch even kwijt.

Paola glimlachte en zo te zien had zij zich dat ook al afgevraagd. 'We moeten niet vergeten dat ze nog wat jong is voor weloverwogen denkbeelden en idealen.'

'Verklaar je nader.'

'Net wat ik zeg. Ze is in veel opzichten nog maar een kind en dat betekent dat ze kennismaakt met allerhande nobele, goede doelen en ze ziet ze allemaal als los van elkaar staand. Ze heeft geen weet van de tegenstellingen en overeenkomsten. Dat wil zeggen, nóg niet.' Ze stond nu recht voor hem. Hij reageerde niet en was zo te zien nauwelijks overtuigd, dus voegde ze eraan toe: 'Ik weet nog goed dat ík haar leeftijd had, Guido, en waar ik toen allemaal in geloofde. Over een aantal zaken schaam ik me een beetje en over één of twee meer dan dat.'

'Noem eens wat?' Hij deed niet zijn best zijn scepsis te verhullen.

'De Rode Brigades bijvoorbeeld,' zei ze ernstig. 'Ik schaam me ervoor dat ik toen dacht dat het idealisten waren die een revolutie predikten die zou leiden tot sociale en politieke hervormingen.' Ze deed haar ogen dicht en dacht aan de jonge vrouw die ze toen was.

Brunetti moest toegeven dat hij destijds ook enthousiast was over de leuzen en politieke idealen die toen in zwang waren. 'Hoe denk je er nu dan over?' vroeg hij.

Ze hield haar hoofd schuin, haalde haar schouders op en zei: 'Nu weet ik dat het maar een stelletje verwende kinderen was die de aandacht op zich wilden vestigen, dat het ze niet uitmaakte wie ze beschadigden of offerden. Stuk voor stuk leden ze aan *protagonismo*, geïnfecteerd met een ziektekiem die hun zei dat ze de as waren waar de wereld om draaide. We hebben hun veel te veel aandacht geschonken en een boel van ons ook nog eens met waardering en goedkeuring.' Ze pakte de vaas met tulpen en liep naar de woonkamer. 'Dus als Chiara's enthousiasme en opvattingen weinig consequent zijn, moeten we daar maar geduld voor zien op te brengen, dan komt het vanzelf wel goed.'

'Hebben we het dan goed aangepakt, denk je?'

'Ik geloof het wel.'

'Hebben jullie het er nog over gehad?'

'Over wat ze zei?'

'Ja.'

'Nee,' antwoordde ze. Ze bleef staan bij het smalle tafeltje waar een majolica schaal en een kleine marmeren buste van Hermes op stonden. 'Dat is ook niet nodig.' Ze zette de tulpen links van de buste neer, schoof hem een paar centimeter naar voren en deed een stap achteruit om een beter beeld te krijgen.

'Niet nodig? Hoezo dat?'

Paola keek hem aan. 'Ze weet dat ze het niet had moeten zeggen en ik ben ervan overtuigd dat ze er goed over heeft nagedacht, dat wil zeggen nadát ik haar erop aangesproken heb. Ik weet zeker dat ze er nog steeds over inzit en dat ze zodra ze eruit is er wel over begint.'

Brunetti sloeg zijn armen over elkaar en vroeg: 'Ik dacht dat jij een heel gewone moeder was, maar nu begrijp ik dat je in je vrije tijd ook nog eens helderziende bent?'

Ze glimlachte en gebaarde dat hij uit de weg moest gaan. Toen ze naar de keuken terugging, zei ze over haar schouder: 'Zoiets ja.'

Hij kwam achter haar aan en wilde nog niet toegeven dat ze het bij het rechte eind had. In plaats daarvan vroeg hij: 'Wat doen we nou met die bloemen?' Hij knikte naar de irissen die ze net in de blauwe vaas zette die ze daar altijd voor gebruikte.

'Zodra ik ze geschikt heb, gaan ze naar mijn studeerkamer en wie ze daar ziet staan, zal er zonder meer van genieten.'

'Stel dat ze er wat over te mekkeren heeft?'

'Dan zeg ik dat ik het in principe met haar eens ben, dat jíj ze voor me hebt gekocht, dus dat ze zich met commentaar of kritiek maar bij jou moet vervoegen.'

Hij lachte, deed het gootsteenkastje open en propte het papier dat om de bloemen had gezeten in de afvalbak. 'Wat ben je toch een vals kreng, Paola,' zei hij niet zonder waardering.

'Klopt,' was ze het met hem eens. 'Ik pas me aan aan de omstandigheden.'

'Geldt voor mij ook,' zei hij. Toen: 'Zullen we ergens een kopje koffie gaan drinken?'

Ze schoof de vaas met irissen die op het aanrecht stond iets naar achteren en bewonderde ze. 'Ja, laten we naar Tonolo gaan en er een *cigno* bij nemen. Als we daar toch zijn, kunnen we ook wel even naar Santa Barnaba en kijken of ze dat lekkere brood hebben.'

Hij rekende uit dat de exercitie ruim een uur zou kosten. Eerst koffie met een *cigno*, een met room gevuld zwaantje bij Tonolo, dan het wandelingetje naar het Campo San Barnaba waar het winkeltje zat met de lekkere kaas en het brood uit Apulië. Hij was zijn kantoor ontvlucht om rust en vrede te zoeken, in de hoop bewijs te vinden dat er ondanks alle misdaad en geweld, ook nog van normale dingen te genieten viel. Nu stelde zijn vrouw voor om een gebakje bij de koffie te nemen en op zoek te gaan naar lekker brood. Hij hoefde er niet lang over na te denken.

Tijdens de wandeling keken ze etalages en kwamen zo nu en dan een bekende tegen met wie ze een praatje maakten. Hij bracht Paola op de hoogte over de waarschuwing die Patta hem had gegeven en wat er misschien achter stak. Ze luisterde, maar zei niets totdat ze hun koffie en gebak op hadden en naar het Campo San Barnaba liepen.

'Wat denk je? Is hij bang voor zijn hachje of voor zijn baan?' vroeg ze. 'Of zelfs voor zijn gezin?'

Brunetti bleef staan voor een van de groenteboten die aan de kade lagen en liep toen naar de volgende. Ze lieten Patta maar even voor wat hij was en bespraken wat ze die avond zouden eten. Ze kochten twaalf artisjokken en een kilo appels. Toen ze weer op weg waren, gaf hij antwoord op Paola's vraag. 'Ik heb geen idee, maar ik weet wel dat hij 'm knijpt.'

'Dan kan het van alles zijn,' zei ze toen ze de kruidenierszaak binnengingen. Tien minuten later stonden ze weer buiten met een brood, een stuk *pecorino* en een potje pesto waarvan de eigenaar had gezworen dat het de beste van de stad was.

'Wat denk jij?' vroeg ze hem op zo'n neutrale toon dat hij niet wist of ze het nou over de pesto had of over de reden van Patta's angst. Hij zweeg omdat hij wist dat zij haar vraag dan zou verduidelijken. 'Jij kent hem beter dan ik, dus ik neem aan dat jij weet of het zijn baan of zijn leven is waar hij voor vreest.'

Brunetti dacht even na en moest toegeven: 'Nee, ik heb geen idee. Ik weet alleen dat hij goed bang is.'

'Doe alsof je neus bloedt, dan kom je er vanzelf wel achter.'

'Je bedoelt dat ik moet doorgaan met het onderzoek?'

Ze bleef staan en keek hem verbaasd aan. 'Ik neem aan dat je dat van plan bent, wat hij ook zegt. Wat ik bedoel, is dat je niet in het geniep moet doorgaan.'

'Dat was ik nou juist wél van plan.'

'Vanwege de lieve vrede?'

Brunetti lachte. 'Nee, vanwege mijn baan.'

'Hij kan je er toch niet voor ontslaan?' vroeg ze. Hij kon zien dat ze in gedachten haar connecties en familieleden aan het mobiliseren was.

Brunetti dacht even na en zei: 'Nee, daar mag hij niet in zijn eentje over beslissen, maar hij kan wel zijn best doen me over te plaatsen. Dat is nou eenmaal een manier om mensen te lozen.'

'Zoals?'

Ze liepen verder en zo nu en dan moest Brunetti zijn pas inhouden om anderen in de nauwe *calle* te laten passeren. 'Lastige mensen,' zei hij.

'Noem eens een voorbeeld.'

'Mensen die vragen stellen, mensen die hun best doen te voorkomen dat het korps aan corruptie ten onder gaat,' zei hij, verbaasd over de ernst waarmee hij sprak.

Paola stak haar arm door de zijne en trok hem dicht tegen zich aan. Hij had geen idee of het betekende dat ze zijn warmte nodig had of dat ze hem haar warmte bood. Het maakte eigenlijk geen verschil.

16

Toen Brunetti de volgende ochtend wakker werd scheen de zon stralend. De week ervoor had de mist zijn best gedaan om regen te worden, maar meer dan een dun nat laagje op straat had het niet opgeleverd. Die nacht was het eindelijk gaan regenen – Brunetti had een vage herinnering dat hij de druppels tegen het raam had gehoord – maar vlak voor het ochtendgloren was de regen opgehouden en had plaatsgemaakt voor de zon.

Hij lag in bed, blij met de streep zonlicht op het bed. Hij draaide zich op zijn rug, strekte zich uit en bij het voeteneinde, daar waar de zon een tijdje op had geschenen, was het lekker warm.

Een halfuur later werd hij weer wakker, nu met een schok, omdat hij eraan dacht dat het nog maar drie dagen voor Kerstmis was en dat hij zoals gewoonlijk nog voor niemand een cadeautje had. Even wilde hij de schuld op Paola afschuiven omdat ze hem er niet aan had helpen herinneren, maar zodra die gedachte hem bekroop, had hij er al spijt van. Een paar minuten daarna kwam ze de kamer in met een grote kop *caffé latte*. Ze had een groene wollen jurk aan die hij haar nog niet eerder had zien dragen. Ze zette de kop en schotel op het nachtkastje, ging op de rand van het bed zitten en zei: 'Ik wilde zeker weten dat je wakker was voor ik de deur uit ga.'

'Waar ga je heen?'

'Met mijn moeder winkelen.'

Hij pakte de kop en bracht hem naar zijn mond. 'Kerstinkopen?'

'Ja. Wist ik maar wat ik mijn vader moet geven.'

Hij nam een paar slokjes en na iedere slok voelde hij meer leven in zich komen. 'Ik weet niet wat ik wie dan óók moet geven.'

'Dat weet je nooit,' zei ze liefdevol. 'Als je me om vier uur bij San Bortolo treft, kunnen we samen naar wat dingetjes kijken.'

'Ben je er tussen de middag niet?' vroeg hij en hij deed zijn best het niet teleurgesteld te laten klinken.

'Dat heb ik je gisteravond gezegd, Guido. Tante Federica heeft mijn moeder en mij voor de lunch uitgenodigd.'

Vandaar die jurk, dacht hij. Hij dronk zijn koffie en wist de vraag hoe ze in godsnaam twee uur met haar tante kon doorbrengen nog net in te slikken. Als ze zin had om met hem te gaan winkelen, iets waar zij een nog grotere hekel aan had dan hij, dan moest hij haar familie maar niet zwartmaken.

'Dat doen we ieder jaar om deze tijd, dat weet je best,' zei ze. Ze zag dat hij een gezicht opzette dat hij bewaarde voor de gelegenheden dat bepaalde familieleden van haar ter sprake kwamen. 'Vergeet niet dat tante Federica het bisdom Messina met succes heeft aangeklaagd.'

Hij hield zijn linkerhand voor zijn ogen en vroeg: 'Moet je nou altijd over je familie opscheppen?' Toen ze niet reageerde, keek hij haar tussen zijn vingers door aan. Ze kon er niet om lachen.

Hij zette zijn kopje neer, koos de verstandigste weg en alsof haar afspraak hem niet deerde, zei hij: 'Sorry. Dat was ik vergeten. Vier uur is prachtig. Ik zal ondertussen bedenken wat ik iedereen ga geven.'

Ze leunde voorover en gaf hem een zoen op zijn wang. 'Ik vind het heerlijk als je tegen me liegt.' Ze duwde zich van hem af en wilde rechtop gaan staan, maar hij deed een uitval en pakte haar met twee handen vast. Hij trok haar naar zich toe en zag haar verwonderde blik, genoot ervan. Hij kneep even en ze moest lachen, dus deed hij het nog eens en nu giechelde ze. Plotseling liet hij haar gaan en ze stond al naast het bed.

'Doe je dat ook bij Patta als je een standje van hem krijgt?'

Hij bekeek haar van top tot teen en zei: 'Alleen als hij net zo'n kort jurkje aanheeft.'

Vreemd genoeg had de zon geen invloed op de temperatuur, want toen Brunetti het huis uit ging, leek het kouder dan de dag ervoor. Tegen de tijd dat hij bij de Rialto was, waren zijn neus en oren al ijskoud. Hij had spijt dat hij in een vlaag van optimisme zijn handschoenen en sjaal had thuisgelaten. Nu de mist zijn blik niet meer vertroebelde, had hij voor het eerst sinds een week oog voor de kerstsfeer in de stad. In bijna elke etalage hingen kerstverlichting en -versieringen.

Hij keek op en zag dat er lampjes boven zijn hoofd hingen. Hoe was het mogelijk dat hij de afgelopen weken door het donker naar huis was gelopen zonder dat ze hem opgevallen waren? Hij dacht aan tante Federica. Brunetti wist dat ze Paola jaren geleden even apart had genomen en haar had gewaarschuwd dat een huwelijk met een man van Brunetti's afkomst rampzalig zou zijn; niet alleen voor haarzelf, maar belangrijker nog, voor haar maatschappelijke positie. Pas na de geboorte van hun tweede kind had Paola hem verteld wat haar tante had gezegd, maar hij was toen zo dolgelukkig met Chiara, dat hij alleen maar had gereageerd met: 'Maatschappelijke positie?' en gelachen had. Een Faker kon met een vuilnisman trouwen zonder dat het haar maatschappelijke positie zou beïnvloeden.

Hij was blij toen hij de Questura bereikte, waar het behaaglijk was. Hij liep naar zijn kamer, deed zijn jas uit en liep regelrecht naar signorina Elettra's kantoor. Helaas kwam Patta net de trap op toen Brunetti naar beneden ging. 'Goedemorgen, commissario,' zei Patta. 'Ik wil je even spreken als het kan.'

'Natuurlijk, meneer,' antwoordde Brunetti. Hij liep met Patta mee en deed zijn best de indruk te wekken dat hij al uren op de Questura was, al helemaal opgeslokt door zijn werk. Hij kwam in de verleiding Patta te vragen wat hij van hem wilde, maar beheerste zich. Ze liepen door naar de kamer waar signorina Elettra en haar computer hof hielden. Ze schonk hun een glimlach, wenste alleen haar directe baas een goedemorgen en keek naar het beeldscherm. Patta ging zijn kamer binnen en bij de deur keek Brunetti even om naar signorina Elettra, die alleen haar schouders ophaalde. Hij deed de deur dicht en liep achter Patta aan naar diens bureau. Patta pakte zijn jas op die over een van de bezoekersstoelen hing en zorgde ervoor dat Brunetti het dure label van Ermenigildo Zegna goed kon zien. Brunetti deed zijn best geïmponeerd over te komen en wachtte tot Patta ging zitten voor hij zichzelf in de stoel liet zakken.

'Ik wou het nog even over die toestand met die *vú cumprá* hebben,' zei Patta.

Brunetti knikte en zette een gezicht alsof hij was vergeten hoe het precies zat.

'Doe nou maar niet net of je niet weet waarover ik het heb,' zei Patta geïrriteerd.

Brunetti keek een tikkeltje slimmer uit zijn ogen en zei: 'Gaat u door, meneer.'

'Zoals je weet, heb ik je gezegd dat het een voor ons veel te ingewikkelde zaak is,' begon hij. Brunetti had hem graag onder de neus gewreven dat hij dat helemaal niet had gezegd en hem zonder opgaaf van redenen had laten weten dat hij de zaak moest laten rusten. Hij liet het echter bij een knikje omdat hij wel eens wilde horen wat Patta bekokstoofd had. 'Ik had gelijk,' zei Patta bescheiden, ondanks het feit dat die uitspraak wat hem betrof een waarheid als een koe was. 'De zaak heeft vertakkingen die veel verder gaan dan Venetië, vandaar dat het ministerie van Binnenlandse Zaken opsporingsambtenaren heeft aangewezen die het van ons overnemen.' Hij zweeg even om Brunetti de kans te geven te reageren. Toen deze niets zei, ging hij verder: 'Ze zijn er al en men is begonnen. Ik heb hun alle rapporten en papieren ter hand gesteld.' Weer zweeg hij even, maar een zwijgzame Brunetti dwong hem verder te gaan met zijn relaas. 'Ze geloven dat de moord te maken heeft met een zaak waar ze al mee bezig zijn.'

'Welke zaak is dat, meneer?' klonk het respectvol.

'Daar kunnen ze niets over loslaten.'

'Aha.' Brunetti's fantasie sloeg op hol als een geschrokken paard.

'Dit is typisch zo'n zaak die de Amerikanen betitelen als "*need to know*",' zei Patta, met onverholen trots dat hij die uitdrukking kende en nog wist uit te spreken ook. Toen, bezorgd dat Brunetti het misschien niet had begrepen, voegde hij eraan toe: 'Dat wil zeggen dat alleen de opsporingsambtenaren die direct bij de zaak betrokken zijn, toegang hebben tot informatie over die zaak.'

Brunetti knikte alleen maar.

Patta zweeg zo lang dat hij zelf de stilte wat pijnlijk leek te gaan vinden. Hij ging meer achter in zijn stoel zitten, sloeg zijn benen over elkaar en probeerde Brunetti te dwingen als eerste iets te zeggen. Het bleef onbehaaglijk stil. Uiteindelijk kon Patta het niet langer verdragen, dus vroeg hij: 'Snap je?'

'Ik denk van wel,' antwoordde Brunetti zo neutraal mogelijk.

'Is dat alles, meneer?'

'Ja.'

Brunetti stond op en ging de kamer uit. Toen hij de deur achter zich dichtdeed, keek hij even in de richting van signorina Elettra en ging zwijgend de kamer uit. Hij liep naar de meldkamer en zag Vianello aan zijn bureau zitten. 'Heb je kopieën van alle rapporten?' vroeg hij.

'Van de zaak van de Afrikaan?'

'Ja.'

Vianello stond op en liep naar een aftandse dossierkast die tussen de twee ramen van de achterwand stond. Hij trok de bovenste lade open en liet zijn vingers over de ruitertjes gaan tot hij bij de laatste map was aangekomen. Hij begon opnieuw van voren af aan, deed de la dicht en liep terug naar zijn bureau. Hij bekeek de twee mappen die op zijn bureau lagen en zocht in alle laden van zijn bureau. Hij keek Brunetti aan en schudde zijn hoofd.

Zonder een woord te zeggen, liepen ze naar Brunetti's kamer, maar ook daar was niets meer over de zaak te vinden. Brunetti ging zitten en gebaarde Vianello plaats te nemen. 'Scarpa?' vroeg Brunetti.

'Ik denk het,' beaamde Vianello, 'maar dat is echt heel dom. Ze heeft ze in de computer, dus kunnen ze zo opnieuw worden uitgedraaid.'

Ze dachten hier even over na en toen kwam het ineens bij Brunetti op dat het misschien wel eens niet zo kon zijn. Hij wilde niet zo snel na zijn onderhoud met Patta naar signorina Elettra lopen en de telefoon oppakken leek ook geen goed idee. 'Ga jij anders even bij haar langs en vraag of zij nog kopieën heeft,' opperde Brunetti.

De inspecteur stond op en liep de kamer uit. Gedurende zijn afwezigheid dacht Brunetti na over welke stappen hij kon nemen. Hij wist dat het heel eenvoudig was om her en der dossiers uit kasten te ontvreemden, maar of ze nou ook signorina Elettra's computer konden schonen, dat wist hij niet. Brunetti's intuïtie en ervaring zeiden hem dat inspecteur Scarpa de dossiers waarschijnlijk had weggenomen, maar Patta had het over mensen van het ministerie gehad en dat betekende dat ze met andere, niet te onderschatten krachten te maken hadden. Als zij de zaak overnamen, werd de boel uit Venetië weggehaald en dat zou Patta in de kaart spelen. Scarpa, als hij het inderdaad was geweest, zou zonder meer in de achting van zijn baas stijgen, maar afgezien van dat tweetal, wie sponnen er verder garen bij het de nek omdraaien van het onderzoek naar de dood van een anonieme Afrikaan?

Brunetti had een week eerder met valse papieren een tweede *telefonino* gekocht op naam van ene Roberto Rossi. Niemand had het nummer, zelfs Paola niet. Hij pakte het uit zijn zak en belde het kantoor van Rizzardi. De dokter nam zelf op. Brunetti zei: 'Bruno, ik ben het. Carlo.' Hij gaf de dokter even de tijd om uit te vogelen wie hij aan de lijn had en dat voorzichtigheid geboden was. 'Ik vroeg me af of jij het rapport dat jouw afdeling me heeft gestuurd zelf ook hebt gelezen.'

'Dag, Carlo. Jazeker,' zei Rizzardo na slechts een heel korte pauze. 'Leuk je stem weer eens te horen. Ik heb me er vanochtend pas over kunnen buigen en heb je al gebeld, maar je nam niet op. Ik heb een paar foto's van die eh... nieuwe lichting truien. Ik weet niet zeker of je het wat vindt, maar ik neem aan dat je ze even wilt komen bekijken. Ik geloof dat er verrassende patronen bij zitten.' Hij zweeg even en zei: 'Misschien is het handiger als je zelf even hiernaartoe komt om ze op te halen.'

'Helaas,' zei Brunetti, 'ik heb vandaag geen tijd. Je weet wat voor gekkenhuis het is aan het begin van het seizoen, maar ik stuur een van mijn vertegenwoordigers wel even langs. Over een halfuur, schikt dat?'

'Prachtig. Ik stop ze in een envelop en leg ze klaar. Zeg maar tegen je vertegenwoordiger dat hij ze kan komen halen.'

'Afgesproken. Ik wacht met spanning af.'

'Dat dacht ik al. Ze zijn vrij opmerkelijk. Ik doe er wel een prijslijst bij.'

'Mooi. Bedankt Bruno.' Brunetti dacht even dat hij gegniffel hoorde, maar misschien ventileerde Rizzardi alleen maar afgrijzen over het feit dat hij tot dit soort flauwekul werd gedwongen. Hoe het ook zij, Rizzardi had al opgehangen.

In de wetenschap dat Vianello op hem zou wachten, ging Brunetti naar beneden naar de agentenkamer en vroeg Pucetti of hij naar het Ospedale Civile wilde gaan om een envelop van dokter Rizzardi op te halen. 'Ga eerst even naar huis en trek je gewone kleren aan.'

'Die heb ik in mijn kluisje, meneer,' zei Pucetti. De agent stond op en zei: 'Ik verkleed me even en ga zo weg.'

Brunetti liep weinig energiek naar boven, bezwaard als hij was door de hem opgelegde handelwijze. Geheime telefoontjes, gecodeerde berichten, agenten die in burger hun werk moeten doen... 'Wat een wereld,' mompelde hij terwijl hij naar boven sjokte. Het zou hem niet verbazen als hij in de nabije toekomst in vermomming naar zijn werk zou moeten en een bankrekening op een van de Kanaaleilanden moest openen. Hij moest het allemaal maar met een flinke korrel zout nemen, *reductio ad absurdum*, want als je er echt goed over na zou denken, werd je nog wanhopig ook.

Na een paar minuten was Vianello terug. 'Ze zegt dat er iemand in haar computer is geweest en dat de boel is gewist.' Voor Brunetti om opheldering kon vragen, legde Vianello uit: 'Niet ín haar computer, maar in de bestanden. Ze zei dat het heel grondig gedaan was.'

'Wat mist ze?'

'Het autopsierapport dat per e-mail was binnengekomen en het politieverslag van de bewuste avond.'

'Verder niet? Hoe zit het met de adressen van Bertolli en Cuzzoni?' vroeg Brunetti, die het Spaans benauwd kreeg van het idee dat degene die de bestanden had gewist die gegevens in handen had en dus wist welke kant het onderzoek op was gegaan. Hoewel ze in dat geval meer wisten dan hij, bedacht hij in een cynische opwelling.

Vianello schudde zijn hoofd en Brunetti interpreteerde dat als opluchting. 'Ze zei dat ze alles veilig had opgeslagen, niet alleen die adressen, maar alle kopieën. God weet hoe ze het doet, misschien wel in een bestand met recepten. Ze zei dat alleen het autopsierapport en het verslag over de plaats delict gemakkelijk te wissen waren.'

Brunetti kon niet anders dan signorina Elettra op haar woord geloven.

'Kan ze nagaan wie het heeft gedaan?'

'Volgens mij is ze daar nú mee bezig.'

Brunetti liep naar zijn bureaustoel en ging zitten. 'Dan rest ons niet veel meer dan te doen alsof we zijn afgehaakt.'

'Daar trapt Patta nooit in.'

'Als we geen aanleiding geven, móét hij het wel geloven.'

Vianello keek hem met enige scepsis aan, maar zei niets.

'Ik heb Rizzardi net even gesproken,' zei Brunetti. 'Hij zei dat hij wat heeft gevonden.'

'Zoals?'

'Dat zei hij niet, alleen dat hij wat opmerkelijks had gezien en dat ik het zelf maar even moest bekijken. Pucetti haalt de spullen op.' Brunetti lichtte Vianello in over de enigszins kinderachtige code die ze hadden gebruikt.

'Hebt u hem van hier gebeld?' vroeg Vianello met een knik richting telefoon.

Brunetti vertelde hem over signor Rossi's *telefonino* en gaf Vianello het nummer.

'Dus zijn we tot dit niveau afgedaald,' zei Vianello. Nog voor Brunetti kon reageren, kwam Pucetti binnenzetten, gekleed in een lange leren jas en Doc Martins-laarzen.

Ze zeiden geen van beiden wat over Pucetti's uitmonstering. De jonge agent legde de envelop voor Brunetti neer, maar bleef voor het bureau staan. Hij stond te dralen, wist niet wat hij moest doen, dus gebaarde Brunetti maar dat hij kon gaan zitten.

Brunetti maakte de envelop open. Hij zag een in papier gewikkeld stapeltje foto's en een formulier dat de politie gebruikte voor het vastleggen van vingerafdrukken. Er zat een briefje bij. Brunetti herkende Rizzardi's handschrift en las: *Bijgaand de opnamen van het slachtoffer. Achter op de foto's staat mijn commentaar. De vingerafdrukken op het formulier zijn die van hem. Ik heb ze zelf genomen. Ik raad je aan ze te vergelijken met de vingerafdrukken die naar Bocchese zijn gestuurd om te zien of het inderdaad dezelfde zijn.* Brunetti zag een dikke streep die hij herkende als Rizzardi's handtekening, plus een regeltje waarin stond dat ene dottor Venturi de autopsie had verricht.

Brunetti pakte de foto's uit en legde ze naast elkaar op zijn bureau. Hij herkende het gezicht van het slachtoffer, de dichte ogen, de kalme gelaatsuitdrukking die, als je niet beter wist, ook kon duiden op diepe slaap.

De volgende foto was wat moeilijker te onderscheiden. Op het eerste gezicht leken het twee gespikkelde sculpturen met vreemde, symmetrische hoofdtooien, maar bij nadere bestudering zag hij dat het voetzolen waren en de hoofdtooien waren de tenen van de man. Hij keek wat beter naar de roze, ronde spikkels, ter grootte van de omtrek van zijn vingertoppen, die contrasteerden met de kleur van de voetzolen. Hij draaide de foto om en las: *Veroorzaakt door sigarettenpeuken. Ze zijn genezen, maar kunnen niet ouder dan een jaar of twee zijn.* Brunetti draaide de foto weer om en nu zag hij het.

De volgende afbeelding was van de buitenkant van het rechterbovenbeen, die van de knie tot aan de heup eenzelfde patroon liet zien. Er zaten wel twintig ronde vlekjes op. *'Oddio,'* fluisterde Pucetti verbijsterd toen hij begreep welke afschuwelijke waarheid de foto inhield. De volgende foto liet vrijwel hetzelfde zien als de vorige, maar dan van het linkerbovenbeen. Gedrieën staarden ze naar de foto en blijkbaar wist geen van hen wat uit te brengen. De laatste foto liet een andersoortig litteken zien. Omdat de navel er recht onder zat, begreep Brunetti dat het litteken midden op de buik zat. Brunetti herkende de vorm: het was dezelfde als de vier driehoekjes van het Maltezer kruis dat in het voorhoofd van het houten beeldje gekerfd was. Ze zagen dunne, donkere lijnen die iets verdikt leken ten opzichte van de huid eromheen, maar toch zag het litteken er niet dreigend uit en kreeg je meer het idee van een ritueel dan van toegebrachte pijn. Hij draaide de foto om en

las: *Dit litteken is veel ouder. Vermoedelijk stamgebonden o.i.d.*
Brunetti pakte de foto's op en maakte er een stapeltje van. Hij gaf Pucetti het formulier met de vingerafdrukken en zei: 'Breng dit naar het lab en geef het aan Bocchese, maar zorg wel dat hij alleen is. Vraag hem of hij dit setje wil vergelijken met die van het autopsierapport. Als hij er tenminste nog eentje heeft.'

'Weten we eigenlijk wel of Bocchese vingerafdrukken heeft gekregen?' zei Vianello.

Brunetti had dat moeten nagaan, maar had er niet aan gedacht. Hij dacht even na en knikte. 'Vraag het hem maar,' zei hij tegen Pucetti. 'Als hij nog helemaal geen vingerafdrukken heeft gezien, moet je maar vragen of hij deze wil checken.' Toen de jonge agent aanstalten maakte om weg te gaan, voegde Brunetti eraan toe: 'Hij moet het voorzichtig aanpakken.'

Toen Pucetti de kamer uit was, gebaarde Vianello naar de foto's die Brunetti nog steeds in zijn hand had en vroeg: 'Marteling?'

'Ja.'

'Vanwege die diamanten?'

'Ja,' beaamde Brunetti, 'of vanwege iets wat hij met de opbrengst wilde betalen.'

17

BRUNETTI EN VIANELLO WISTEN DAT ZE ERACHTER MOESTEN ZIEN te komen wie de man was, of in elk geval waar hij vandaan kwam, voor ze zouden kunnen onderzoeken wat hij met het geld kon hebben gedaan dat hij met de diamanten had verdiend. Intuïtief vermeden ze het om het over de littekens op het lijk van de man te hebben.

Na ongeveer twintig minuten belde Brunetti het lab en vroeg of hij Pucetti even kon spreken. 'En?' zei hij toen de agent aan de lijn kwam.

'Er is helemaal geen vergelijkingsmateriaal, meneer,' begon Pucetti. 'Bocchese heeft nooit wat gekregen.'

'Aha...' liet Brunetti zich ontsnappen. 'Vianello en ik moeten even ergens heen, dus als je klaar bent bij Bocchese kun je wat mij betreft weer naar de meldkamer.'

'Natuurlijk.'

Hij bracht Vianello op de hoogte van wat Pucetti had gezegd en ook Vianello liet een zacht 'aha' horen. Ze gingen op weg en liepen richting Castello. Als ze met de boot gingen, zouden ze alleen maar opvallen. Ze zetten er de pas in en onwillekeurig nam Brunetti dezelfde straten en doorsteekjes die hij eerder had genomen.

Brunetti opende de deur beneden met de sleutels die Cuzzoni hem had gegeven. Toen ze binnen waren, bleven ze even staan luisteren of ze wat hoorden. Het was nog voor twaalf uur, dus de mannen waren vermoedelijk nog thuis, in afwachting van de winkelsluiting tussen de middag. Even voordat de winkels dichtgingen zouden ze hun lakens uitspreiden en aan de slag gaan.

Ze liepen de trap op en stonden stil bij de eerste deur. Ze luisterden en hoorden niets. In het verleden hadden ze voor hun werk meer dan eens voor deuren gestaan waarachter ook niets dan stilte te horen was, maar ook voor deuren waarachter angstige dan wel gevaarlijke lieden zich stilhielden. Brunetti keek Vianello even aan, deed een stap naar voren en stak de sleutel in het slot. Vianello trok zijn dienstwapen, waarvan Brunetti niet eens wist dat hij het bij zich had. Brunetti draaide de sleutel zo voorzichtig mogelijk om, maar het slot gaf niet mee. Hij pakte het tweede setje en probeerde de kleinste van de sleutels. Nu gebeurde er wat en toen hij het slot opendraaide, knikte hij naar Vianello. Brunetti pakte de deurknop en duwde de deur open. Vianello liep langs hem heen, trapte de deur met zijn voet verder open, maakte zich klein en ging snel naar binnen.

De chaos die ze voor zich zagen wees op een overhaast vertrek, maar niet speciaal op geweld. De mannen waren vertrokken, zo te zien even onverwacht als definitief. Het schaarse meubilair in de woonkamer was op elkaar gestapeld, in de keuken waren nog wat pannen en bestek en op tafel stonden drie borden met een roodachtige dikke brij. Tussen de borden op tafel waren zo te zien pakken levensmiddelen geleegd, want er lagen rijst en bloem. Op de grond lag een verpakking van theezakjes boven op de omgekieperde inhoud.

Toen ze verder keken, zagen ze dat alle persoonlijke bezittingen waren meegenomen. Alleen uit het aantal veldbedden in de slaapkamer kon je opmaken om hoeveel mensen het ging. Eén bed stond rechtop en met de overige was geschoven, alsof iemand onder de bedden had gekeken. In de wastafel van de badkamer lag de halfvergane, natte inhoud van een potje aspirine.

Ze deden geen enkele moeite meer om geen geluid te maken en namen de trap naar de tweede woonlaag. Daar was het niet veel anders: er was geen spoor van bewoning en wat er nog aan spullen stond, was overduidelijk doorzocht. Ze keken even rond en zonder overleg vooraf gingen ze naar de bovenste verdieping. De deur stond open en hier bleek de ravage groter te zijn, misschien omdat er minder dingen waren om te doorzoeken. De kartonnen doos waar de levensmiddelen in hadden gezeten stond op het voeteneinde van het bed, de inhoud lag ernaast. De pinda's en de koekjes lagen door elkaar en de zakken waren op de vloer gevallen, net als de lege doos keukenzout. Het stuk *asiago*, dat nu een wit laagje schimmel had, lag ernaast.

'Heb je een zak voor bewijsmateriaal bij je?' vroeg Brunetti.

'Nee, misschien kunnen we mijn zakdoek gebruiken?' vroeg

Vianello. Hij pakte zijn zakdoek uit zijn jaszak, legde hem op het bed en bukte zich om de zakken van de vloer te pakken. Voorzichtig hield hij ze met zijn vingertoppen bij de punten vast. Nadat hij ze in de zakdoek had gewikkeld, haalde hij uit zijn andere jaszak een gele plastic tas waar met grote, schreeuwend rode letters BILLA SUPERMARKT op stond en deed de zakdoek erin.

'Naar Bocchese zeker?' zei Vianello.

Brunetti knikte. 'Uitslag alleen naar mij.'

'Moeten we van beneden nog wat meenemen?' vroeg Vianello.

'Misschien de verpakkingen van de rijst en de bloem,' opperde Brunetti.

Toen ze klaar waren, gingen ze de deur uit, maar niet dan nadat ze alle deuren op slot hadden gedaan. Zodra ze bij de *calle* waren aangekomen, begonnen ze over het voetbal van het afgelopen weekend. Een man die langsliep keek hen even aan, maar toen hij 'Juve' hoorde zeggen, schonk hij verder geen aandacht aan het tweetal en ging het café op de hoek in.

Tegen de tijd dat ze bij de Questura aankwamen, hadden ze een plan van aanpak. Vianello liep de gang door naar het lab waar Bocchese zat en Brunetti ging naar zijn kamer om een collega van het politiebureau bij de San Marco te bellen. Hij wist dat de gegevens over de arrestaties van *vú cumprá* daar werden gearchiveerd.

Moretti, een kleine man met een terugwijkende haarlijn, zat al op Brunetti te wachten. In alle jaren dat ze samen bij het korps zaten, had Brunetti hem nooit in burger gezien en eerlijk gezegd zelfs nooit buiten de muren van dit politiebureau.

Moretti's bureaublad zag er net zo uit zoals Brunetti het zich herinnerde: een telefoon, één enkele dossiermap die opengeslagen voor hem lag en een grote, ingelijste foto van Moretti's vrouw, die drie jaar daarvoor was gestorven.

Ze gaven elkaar een hand en praatten even over koetjes en kalfjes. Brunetti sloeg het aanbod van een kop koffie af, beaamde dat het bar koud was en zei tegen Moretti dat hij wat wilde weten over de *vú cumprá.*

Effen, zonder te laten merken of hij het er wel of niet mee eens was, zei Moretti: 'Wij hebben te horen gekregen dat we ze *ambulanti* moeten noemen.'

'Goed,' zei Brunetti even effen, 'over de *ambulanti* dan.'

'Wat wilt u weten?'

139

Brunetti haalde de foto uit zijn binnenzak en legde hem voor Moretti neer. 'Dit is het slachtoffer. Herkent u hem of herinnert u zich of hij ooit is gearresteerd?'

Moretti schoof de foto wat dichter naar zich toe, pakte hem op en hield hem een beetje schuin, waardoor er wat meer licht op viel. 'Ik heb 'm wel eens gezien, ja,' zei hij traag, 'maar ik weet niet of we hem ooit hebben aangehouden.'

'Op straat gezien, bedoelt u?'

'Nee,' klonk het zo beslist dat Brunetti ervan opkeek. 'Ik begeef me niet op de plekken waar ze werken,' legde Moretti uit. 'Het irriteert me mateloos dat ze hun gang kunnen gaan en dat we er niets aan kunnen doen.'

'Hoe bedoelt u?'

'Ik kan ze nu eenmaal niet arresteren als ik in burger door de stad loop en geen orders heb de heren op te pakken. Het ergert me echt dat ze daar zomaar illegaal hun handel kunnen drijven, dus als het maar even kan, mijd ik die plekken.'

Brunetti begreep dat het zijn collega goed ergerde, maar koos ervoor maar net te doen alsof hij dat niet hoorde. Hij wachtte af of hij verder nog wat had, of hij zich herinnerde waar hij de man had gezien. Brunetti zag dat Moretti de foto opnieuw bekeek, even voor zich uit staarde en toen weer naar de foto.

Moretti stond op. 'Als u een paar minuten hebt, vraag ik wel even aan de collega's of een van hen hem herkent.' Toen hij bij de deur was, draaide hij zich om en vroeg: 'U wilt echt geen koffie, commissario?'

'Echt niet, Moretti.' De hoofdagent ging de kamer uit en om de tijd te doden liep Brunetti naar het mededelingenbord in de gang. Er hing een aantal interne memo's van de diverse ministeries: een vacature in Messina voor wie zo gek was daarheen te willen verkassen, instructies voor het dragen van een kogelvrij vest, alsof er meer dan één manier was, en het werkrooster voor de kerstdagen.

Door het rooster werd Brunetti herinnerd aan zijn afspraak met Paola. Hij liep terug naar Moretti's kamer en vroeg zich af waarom het zo lang duurde. Brunetti had beneden maar drie agenten zien zitten. Hoelang hadden ze nodig voor het bekijken van een foto? Hij pakte zijn opschrijfboekje en sloeg een nog onbeschreven blaadje op. Bovenaan schreef hij: *kerstcadeautjes*, en onderstreepte het. Links maakte hij een keurige kolom en zette *Paola, Raffi, Chiara* onder elkaar. Daar bleef het bij, want verder wist hij het ook niet.

Hij zat nog naar de namen te staren toen Moretti terugkwam en aan zijn bureau ging zitten. Hij reikte Brunetti de foto aan en schudde zijn hoofd. 'Niemand.'

Brunetti maakte een afwerend gebaar en zei: 'Houdt u de foto nou maar hier. Ik heb een paar afdrukken. U zou me een plezier doen als u iedereen die ooit met de *ambulanti* te maken heeft gehad vraagt wat ze van deze man weten.' Moretti knikte en Brunetti, indachtig de jaren dat ze als goede collega's hadden samengewerkt, voegde eraan toe: 'Als u wat hoort, laat het alleen mij weten. Niemand anders.'

Moretti keek hem even aan, en hoewel hij vast nieuwsgierig was naar de reden, voelde hij minimaal nattigheid. 'Ik weet niet of het wat is, maar ik kan u wel zeggen dat we niet erg zijn aangemoedigd om de moord te onderzoeken.'

'Verwacht dat ook maar niet,' zei Brunetti.

'Aha...' Het was even stil, toen: 'Ik ga over twee jaar met pensioen, dus het zal me een worst wezen of de korpsleiding me zegt of ik wel of niet aan een bepaalde zaak kan werken.' Hij pakte de foto weer en zei: 'Ik weet dat ik hem ergens heb gezien. Het zit ergens in mijn achterhoofd en ik heb zo'n vaag idee dat het niet iets is dat met hier te maken heeft.' Hij maakte een wuivend gebaar boven zijn hoofd waaruit Brunetti begreep dat hij het politiebureau bedoelde.

'Verklaar u nader,' vroeg Brunetti.

Moretti legde de foto op het bureau en draaide hem naar Brunetti. 'Als ik hem zo zie, met die dichte ogen en wetend dat hij vermoord is, heb ik echt met hem te doen. Arme ziel, zo'n jonge vent... Ik geloof echt dat ik hem eerder gezien heb, maar ik heb zo'n idee dat hij toen ook een slachtoffer was.' Hij legde de foto ondersteboven neer, keek Brunetti aan en zei: 'Als me nog wat te binnen schiet of als ik hier wat hoor, laat ik het u meteen weten.'

'Fijn. Bedankt,' zei Brunetti en stond op. Ze namen afscheid, waarna Brunetti de trap naar de begane grond afging en op het *piazza* stond.

Brunetti was redelijk optimistisch over het gesprekje met Moretti.

Hij had er een beetje de smoor in gehad dat Paola niet thuis zou zijn voor de lunch en dat terwijl het bijna Kerstmis was. Maar Moretti had de dode man herkend of dacht dat tenminste, en dus was Brunetti niet meer in de stemming voor het spelen van de rol van verwaarloosde echtgenoot. Niets stond hem in de weg om van een lekkere lunch te genieten. Tante Federica was dan wel een lastig mens, het personeel in de keuken was van grote klasse. Paola zou thuiskomen met niet alleen de laatste roddels, maar ook met berichten over de briljante resultaten van de eeuwenoude familierecepten van de Faliers.

Bij het Gritti nam hij de *traghetto* en toen hij op de andere oever van het Canal Grande stond, was hij al verkleumd tot op het bot. Hij kon wel wat hartversterking gebruiken. Hij ging naar de Cantinone Storico en bestelde een *risotto* met garnaaltjes, waarvan de ober zei dat ze supervers waren, en een gegrilleerde *orata* met krieltjes. Toen de ober hem vroeg of hij een dessert wilde, dacht Brunetti aan het eetfestijn van de dagen die eraan kwamen. Hij hield het maar bij een kopje koffie en een grappa en was bijzonder trots op zichzelf.

Even na drie uur stond hij weer op straat en hij besloot naar Campo San Bortolo te lopen. Toen hij op het hoogste punt van de Accademiabrug was, keek hij naar het *campo* aan de overkant en tot zijn verbazing zag hij geen *vú cumprá*. In de *Gazzettino* van die ochtend stond dat er nog maar twee dagen waren om kerstinkopen te doen en dus was het des te vreemder dat ze niet op hun stek waren. Het Italiaanse publiek, en hij was daarop geen uitzondering, deed altijd op het allerlaatste moment kerstinkopen. Als het voor de middenstand de drukste tijd was, dan toch ook voor de *ambulanti*, maar er was geen spoor van hen te bekennen.

Bij de kerk ging hij linksaf en toen hij het Campo Santo Stefano opliep, zag hij wat lakens op straat liggen. Even dacht hij dat het overgebleven lakens van de plaats delict waren, maar toen hij dichterbij kwam, zag hij dat er opwindspeelgoed en houten treintjes in de vorm van letters op stonden. Hij zag geen Afrikanen, alleen wat mensen van Aziatische oorsprong. Iets links van hen blies een groep muzikanten gehuld in Zuid-Amerikaanse poncho's op vreemd ogende fluiten, maar hoe meer Brunetti het *campo* afzocht naar Afrikanen, hoe opvallender hun afwezigheid werd.

Hij liep langs de straatventers, maar besloot niemand aan te spreken. Het zou vreemd overkomen als hij langs zijn neus weg zou vragen waar de Afrikanen gebleven waren en als hij zich legitimeerde, werkte dat alleen maar vluchtgedrag in de hand. In plaats daarvan keek hij naar hun handelswaar en hij zag dat het allemaal massaal geproduceerde spullen waren. Hij vroeg zich af wie bepaalde wat welke groep mocht verkopen. Wie was hun leverancier? Wie bepaalde de prijs van de artikelen? Waar woonden deze *ambulanti*? Hoe waren ze aan hun werk- en verblijfsvergunning gekomen, als ze die al hadden? Het leek erop dat de Afrikanen uit Castello waren vertrokken, maar waarheen? Wie had het besluit genomen en hadden ze hulp gekregen?

Peinzend, hoofdschuddend vanwege het feit dat er in zijn eigen stad een ondergrondse maatschappij was ontstaan, liep hij de Calle della Mandorla uit en via het Campo San Luca naar San Bortolo.

Zoals afgesproken stond Paola hem al op te wachten op de plek waar ze al tientallen jaren afspraken: bij het standbeeld van Goldoni. Hij gaf haar een zoen en sloeg zijn arm om haar heen. 'Vertel me maar hoe slecht je hebt gegeten,' zei hij, 'dan koop ik alles voor je. Wat je maar wilt.'

'Het was zalig en ik hoef écht niets te hebben,' zei Paola. Hij wachtte af, dus ze stak van wal. '*Fettucini* met truffels.'

'Witte of zwarte?'

Plagend vroeg ze: 'Bedoel je de *fettucini* of de truffels?'

Hij gaf maar geen antwoord en vroeg: 'En verder?'

'*Stinco di miale* met gepofte aardappels en *zucchini au gratin*.'

'Het is dat ik uit arren moede maar naar Cantinone Storico ben gegaan, anders had ik je de wacht aangezegd.'

'O? Wie had je dan geholpen met kerstinkopen?' vroeg ze. 'Ik heb geen toetje genomen,' zei ze bij wijze van troost.

'Mooi. Ik ook niet, dus laten we op weg naar huis maar wat lekkers kopen.'

Ze pakte hem bij de arm, gaf hem een kneepje en zei: 'Oké. Wie eerst?'

'Chiara maar,' zei Brunetti. 'Ik heb totaal geen idee.'

'Een *telefonino*?' opperde ze.

'Daar gaan twee jaar van stug volhouden dat we dat niet willen hebben,' zei hij.

'Al haar vrienden en vriendinnen hebben zo'n ding.' Het klonk alsof Chiara zélf aan het woord was.

'Je lijkt je dochter wel,' zei Brunetti. 'Iets van kleding anders?'

'Nee. Ze heeft meer dan genoeg kleren.'

Brunetti bleef staan, keek haar aan en zei: 'Ik geloof dat ik dat voor het eerst van mijn leven hoor. Een vrouw die wat kleding aangaat de term "genoeg" bezigt.'

'Dat komt vast door de truffels,' legde ze uit.

'Kan zijn.'

'Het gaat wel over.'

'Ongetwijfeld.'

Nu de *telefonino* en de kleding waren weggestemd, zei Paola dat een boek misschien niet zo'n gek idee was. Ze liepen in de richting van San Luca, waar wel vier boekhandels zaten. In de eerste zagen ze niets van Chiara's gading, maar in de tweede hadden ze de romans van Jane Austen in het Engels.

'Die heb jíj toch?' zei Brunetti.

'Iedereen moet een eigen rijtje Austen hebben,' zei ze. 'Als ik wist dat jij ze zou lezen, kreeg jij ook een set.'

Hij protesteerde en zei dat hij er wel degelijk eens een had gelezen, maar Paola had geen aandacht voor hem, maar voor iets wat op de achterwand van de zaak hing. Hij draaide zich om en wilde weten waar ze naar keek, maar hij zag alleen een grote poster met een jongeman die Brunetti vaag bekend voorkwam. Misschien, dacht hij, was het wel dezelfde soort herkenning waar Moretti het over had. Paola staarde dermate geconcentreerd naar de poster dat hij maar even met zijn hand voor haar ogen wapperde. 'Hallo? Ben je d'r nog? Hoor je me?'

Ze keek hem even aan, maar wendde zich algauw weer naar de jongeman en zei: 'Dat is het. Perfect.'

'Wat is perfect?'

'Die poster. Dat is het helemaal.'

'Die poster?'

'Ja!' Voor hij kon vragen wie die jongen was, zei ze: 'Ik moet je al een tijdje wat vertellen, Guido.'

Hij bereidde zich voor op het ergste: Chiara was een groupie die zich bij een popgroep wilde aansluiten of bij een enge sekte. 'Zeg het maar.'

'Chiara is verliefd op de toekomstige troonpretendent van Engeland,' zei ze terwijl ze naar de jongen wees.

'Op een Engelsman?' vroeg Brunetti geschokt. Hij had het een en ander over de koninklijke familie gehoord. De Battenburgs, de Windsors, de Hanovers, of hoe ze zichzelf ook noemden. 'Op iemand uit dát geslacht?'

'Had je dan liever gezien dat ze haar hart had verpand aan een van de jongeheren van onze geliefde Savoia's?'

Brunetti wist niet wat hij daar nou weer op moest zeggen, dus begon hij maar te vertellen wat hij over het Engelse vorstenhuis had gehoord. Hij tuitte zijn lippen en moeiteloos, onder de verwonderde blikken van het winkelpubliek, floot hij de melodie van 'Rule, Britannia'.

18

GELUKKIG STOPTE DE BOEKHANDELAAR DE POSTER IN EEN DIKKE kartonnen koker, want het was zo druk op straat dat er wel drie, vier keer iemand tegen Brunetti aan liep en dat had een onbeschermde prins nooit overleefd. Na de derde keer speelde Brunetti met de gedachte de koker als slagwapen te gebruiken en zich al doende een weg te banen door het winkelende publiek, maar afgezien van zijn positie als wetshandhaver leek een dergelijke actie nogal in strijd met de kerstsfeer.

Na drie uur, twee kopjes koffie en een gebakje was niet alleen Brunetti's brein uitgeput, maar ook zijn portemonnee. Hij herinnerde zich vaag dat ze een cd-zaak in waren gegaan, dat hij versteld had gestaan toen Paola een riedel bizarre namen van artiesten had opgenoemd. De verkoper had alle cd's apart ingepakt en Brunetti was gebiologeerd door de kleuren en ontwerpen van de hoesjes. Hij koos zelf een trui voor Raffi uit, precies dezelfde kleur als de trui die zijn zoon steeds van hem leende. Paola had nog gezegd dat kasjmier echt weggegooid geld was voor een joch dat om de twee maanden een andere smaak had. In een computerwinkel kocht ze twee spelletjes met enge afbeeldingen op de verpakking, wat Brunetti deed vermoeden dat de inhoud minstens zo eng was als de verpakking.

Na de computerzaak zei Paola dat het welletjes was en ze liepen naar huis. Op weg naar San Bartolo bleef Brunetti voor de etalage van een juwelierszaak staan kijken naar de uitgestalde ringen en kettingen. Paola stond zwijgend naast hem.

Net toen hij wat wilde zeggen, zei ze: 'Zet dat nou maar uit je hoofd, Guido.'

'Ik wil je wat moois geven.'

'Die sieraden zijn vreselijk duur, maar dat betekent nog niet dat ze mooi zijn.'

'Je houdt toch van dit soort dingen?'

'Ja, natuurlijk, maar niet van die enorme joekels die zo te zien met grof geweld zijn gezet.' Ze wees op een wat ongelukkig gekozen combinatie glimmers en zei: 'Dat daar zou Hobbes een van zijn vrouwen geven.' Brunetti had haar verbijsterd aangekeken toen ze het staatshoofd van Italië de eerste keer zo had genoemd. Ze had hem uitgelegd dat het sloeg op de Engelse filosoof Hobbes en diens karakterisering van het menselijk leven dat volgens hem 'naar, wreed en kort' was. Wat haar betrof sloeg dat ook op het staatshoofd. Brunetti vond het een mooie vondst en sindsdien, als hij de naam van de premier zag staan, of het nou in de krant was of onder officiële stukken op zijn werk, las hij altijd 'Hobbes'.

Het was duidelijk dat Paola hem niet zou helpen met het uitzoeken van een cadeautje voor zichzelf, dus gaf hij het op en ze liepen naar huis. Daar aangekomen moesten ze eerst hun kerstcadeautjes verstoppen. De enige plek die hij kon verzinnen was op de vloer aan zijn kant van de klerenkast. Ze schreven de labeltjes, hingen ze aan de pakjes en legden de cadeautjes in de kast. Hij hoopte maar dat de kinderen geen zoektocht op touw zetten en onwillekeurig moest hij denken aan de doos met zout en de overige inhoud.

Het was nutteloos om Claudio al te bellen, maar Vianello kon hij wel even proberen. Hij belde met de *telefonino* op naam van Franco Rossi naar diens huis. Hij had geen zin om zijn stem te verdraaien of in raadselen te spreken, dus toen Vianello opnam vroeg hij alleen maar: 'Is er nog nieuws?'

'Nee,' klonk het laconiek, waarop Brunetti de verbinding verbrak.

Het avondeten verliep vredig. Raffi deed zijn best om zijn ouders te laten zeggen wat hij voor hen moest kopen en Chiara vroeg of moslims ook Kerstmis vierden. Paola legde uit dat de moslims Jezus zagen als een groot profeet, dus dat ze de feestdag waarschijnlijk wel erkenden, maar niet echt vierden.

Brunetti was benieuwd waarom ze dat wilde weten. 'Ik heb een nieuwe vriendin,' zei ze. 'Ze zit bij me op school en heet Azir. Ze is moslim.'

'Waar komt ze vandaan?' vroeg Brunetti.

'Uit Iran. Haar vader is arts, maar hij heeft geen werk.'

'O? Hoe komt dat?'

Chiara schepte nog wat pasta op en zei: 'Iets met de benodigde papieren. Hij moet daar nog op wachten en tot die tijd werkt hij op het lab in het ziekenhuis of zo.'

'Ik ben er wel eens geweest,' zei Brunetti. De kinderen keken verbaasd op. 'In Teheran. Na de omwenteling,' verklaarde hij.

'Hoe dat zo?' wilde Chiara meteen weten.

'Voor mijn werk. Een drugszaak.'

'Vertel,' zei Raffi.

'De Iraniërs waren bijzonder vriendelijk en behulpzaam. De plaatselijke politie heeft alle medewerking verleend.' De kinderen keken hem vragend aan en Brunetti moest denken aan wat Paola betitelde als 'schapen met hongerige blikken'. 'Ik werkte toen in Napels. De drugs werden per vrachtwagen Italië binnengebracht en de Iraniërs hebben ons geholpen de daders op te pakken.' Hij vertelde er maar niet bij dat ze pas wilden meewerken toen de drugs ook in de straten van Teheran opdoken.

'Hoe waren ze dan?'

'Wat ik al zei: hulpvaardig en vriendelijk. Teheran is een ramp. Het is er een gekkenhuis. Zó druk en de luchtvervuiling is vreselijk, maar als je verder kijkt dan je neus lang is – een van de politiemensen daar had me bij hem thuis uitgenodigd – dan zie je prachtige tuinen en parken.'

'Wat voor mensen zijn het?'

'Ontwikkeld en ze hebben absoluut klasse. Dat wil zeggen, de mensen met wie ik te maken had.'

'Hun cultuur is ook al minstens drieduizend jaar oud,' merkte Paola op.

'Echt?' vroeg Chiara.

'Zij droegen al zijden kleren en bouwden Persepolis toen wij hier nog in hutten woonden en in berenvellen rondliepen.'

Chiara wist niet hoe overdreven die stelling was, dus het enige wat ze vroeg was: 'Wat is Persepolis?'

'De stad waar de koningen woonden. De Europeanen hebben de stad trouwens in brand gestoken. Ik heb er een boek over. Ik laat het je zo zien, oké? Wie heeft er zin in een toetje?'

Net als van Persepolis zelf bleef ook van het gesprek over de duizenden jaren oude cultuur niets overeind, maar nu was appeltaart de schuldige partij.

De volgende ochtend liep Brunetti net zijn kamer op de Questura binnen toen zijn *telefonino* overging. Hij nam met zijn eigen naam op en worstelde, het apparaatje tussen oor en schouder geklemd, om zijn armen uit de mouwen van zijn jas te krijgen.

'Met mij,' hoorde hij een mannenstem zeggen. Het duurde even, maar toen herkende hij Claudio's stem. 'Ik moet je spreken.' Op de achtergrond hoorde Brunetti het geronk van de motor van de *vaporetto*, waaruit hij begreep dat Claudio buiten stond, ergens in de buurt van water. Brunetti trok zijn jas weer over zijn schouders, nam het telefoontje in zijn vrije hand en omdat de oude man nogal gespannen overkwam, zei hij: 'Ik kom eraan.' In gedachten begon hij de route naar Claudio's huis al uit te stippelen, maar hij bedacht zich en besloot de politieboot te nemen.

'Nee, ik denk dat het beter is als we elkaar treffen… waar je vader en ik altijd een neutje pakten.' Het gecodeerde bericht maakte Brunetti nog bezorgder dan hij al was. 'Ik ben er over vijf minuten.'

'Mooi. Ik zie je daar.'

Brunetti wist precies om welk café het ging; het zat op een hoek en keek uit op het hek met de pilaren van het Arsenale. Om er binnen vijf minuten te kunnen zijn, had Claudio waarschijnlijk vanaf de Riva degli Schiavoni gebeld, rekende Brunetti uit. Hij dacht aan het café waar hij in zijn jeugd zo dikwijls had gezeten. De vrienden van zijn vader hadden er eindeloos potjes *scoppa* gespeeld en altijd waren er de verhalen over de oorlog. Ze nipten van wijn met een dermate hoog gehalte aan tannine dat hun tanden er haast blauw van kleurden. Zijn vader zei nooit zo veel, noch was hij geïnteresseerd in kaartspelletjes, maar als oud-strijder en vriend van Claudio was hij altijd welkom.

Hij had de verbinding nog niet verbroken of de telefoon op zijn bureau rinkelde. Het kon Claudio weer zijn, dus hij nam meteen op.

'Brunetti,' blafte vice-questore Patta hem toe, 'ik wil je onmiddellijk spreken.' Het was duidelijk dat de baas bijzonder slecht geluimd was. Brunetti legde de hoorn héél voorzichtig neer, draaide zich om en liep naar de deur. Nog voor hij op de gang stond, ging de telefoon weer.

Bij het Arsenale aangekomen sloeg Brunetti geen acht op de leeuwen en ging snel het café in. Hij keek om zich heen of hij een bekend gezicht zag, maar Claudio was er nog niet. Hij keek op zijn horloge en zag dat hij er maar zes minuten over had gedaan. Hij bestelde een kop koffie en ging met zijn gezicht naar de deur zitten. Na vijf minuten zag hij de oude man in de verte aankomen.

Hij liep met behulp van zijn wandelstok over de brug naar Castello. Toen hij de brug over was, zag Brunetti dat Claudio even bij de leeuwen bleef staan en hun koppen bestudeerde, waarna hij doorliep en binnenkwam. Hij ging naast Brunetti aan de bar staan, maar begroette hem niet. Hij bestelde een kop thee met een schijfje citroen en trok de *Gazzettino* die op de toog lag naar zich toe. Brunetti bestelde nog een kop koffie. Claudio keek de krant in totdat zijn thee voor hem werd neergezet, waarop hij de *Gazzettino* van zich afschoof en even door het raam naar het lege *campo* staarde. Hij keek Brunetti aan en zei: 'Ik ben gistermiddag gevolgd.'

Brunetti zei niets, roerde de suiker in zijn koffie en keek opzij naar Claudio.

'Het was er maar één en ik heb hem nogal eenvoudig kunnen lossen. Tenminste, ik geloof dat ik hem kwijt was.'

'Vertel?'

'Hij heeft me tot aan het station gevolgd. Ik stond op bootlijn 82 te wachten en toen die eenmaal kwam, was hij zoals gewoonlijk stampvol. Ik ben op de *embarcadero* blijven staan en op het allerlaatste moment, net toen de schipper het hek dicht wilde doen, ben ik naar voren gegaan en heb ik wat staan roepen als: "Met al die toeristen is er voor een gewone Venetiaan gewoon nergens plaats meer!"' Hij keek Brunetti schalks aan en zei: 'Nou, toen heeft hij het hek maar weer even opengedaan en alleen míj erdoor gelaten.'

'Mijn *complimenti*,' zei Brunetti. Het was een mooie truc, het onthouden waard.

Claudio pakte een zakje zoetstof, strooide het in zijn thee en roerde. 'Ik heb met wat mensen gesproken en geregeld dat er een paar stenen naar Antwerpen gaan. Ik heb daar een kennis zitten.' Hij nam een slok thee, zette het kopje neer en zei: 'Plus dat ik er een paar aan een vakbroeder van me heb laten zien en toen ik bij hem de zaak uit liep, merkte ik dat ik werd geschaduwd.'

'Wat heb je je contacten verteld?' vroeg Brunetti, die zich afvroeg wie van hen de zwakke schakel kon zijn.

'Rustig nou. Ik heb nog een kennis van me in Vicenza gebeld en gevraagd of hem de laatste tijd Afrikaanse diamanten zijn aangeboden. Hij heeft geen reguliere winkel, meer het type zaak dat ik heb, maar hij is wél de grootste handelaar in het noorden van het land.'

Brunetti kreeg de indruk dat Claudio uitgesproken was en omdat hij niet precies wist hoe hij hem moest vragen of zijn zakenrelaties te vertrouwen waren, vroeg hij maar: 'Is het een bekende figuur in dat wereldje?'

'Die handelaar in Vicenza? Jazeker. De meeste vakgenoten kennen hem. Als je een grote partij stenen te koop hebt of wat over de marktwaarde wilt weten, kom je haast automatisch bij hem terecht.'

'En?'

'Nul komma nul. Hij is de laatste tijd niet benaderd met een partij van die omvang.'

Brunetti wist dat het in orde was, maar toch vroeg hij het maar. 'Waar zijn de diamanten nu?'

'De jouwe?'

'Ja.'

'Op een veilige plaats.'

'Niet zo bijdehand, Claudio. Waar zijn ze?'

'Bij de bank.'

'De bank?'

'Ja. Sinds die keer dat... Je weet wel. Sindsdien bewaar ik het betere spul in een bankkluis. Die van jou dus ook.'

'Ze zijn niet van mij.'

'Meer van jou dan van mij, zou ik zeggen.'

Brunetti liet het daar maar bij en vroeg: 'Als we ervan uitgaan dat die relaties van je discreet te werk gaan, hoe rijm je dat met het feit dat je geschaduwd bent?'

'Daar heb ik zowat de hele nacht over liggen piekeren. Misschien hebben ze de plek waar jij ze hebt gevonden wel in de smiezen gehouden en zijn ze jou gevolgd tot aan mijn huis. Nou ga ik er maar van uit dat jij het merkt als je gevolgd wordt, dus dat ligt niet voor de hand. Het kan zijn dat het feit dat ik hier in de stad de bekendste handelaar ben, genoeg was om me in de gaten te houden.' Hij sloot zijn ogen even, opende ze weer en zei: 'Misschien ben ik wel gewoon een oude dwaas die denkt dat hij zijn relaties kan vertrouwen.'

Net als Claudio wees ook Brunetti de eerste theorie van de hand, uit genegenheid voor de oude heer verviel de derde, dus bleef alleen de tweede hypothese over, hoewel twee en drie eigenlijk even plausibel waren. 'Ben je nog wat meer te weten gekomen over die stenen?'

'Ik heb mijn contact hier in de stad vijf stenen laten zien: twee uit jouw partij en drie waarvan ik weet dat het Canadese zijn. Hij wilde meteen weten of ze te koop waren. Ik had ook niet anders van hem verwacht, moet ik zeggen. Ik heb hem duidelijk gemaakt dat ze niet te koop waren en dat ik alleen wilde weten waar ze vandaan kwamen. Volgens hem zijn die twee van jou Afrikaans en die andere drie Canadees.'

'Weet hij het zeker?' wilde Brunetti weten.

Claudio keek hem nadenkend aan, alsof hij overwoog hoe hij moest antwoorden. 'Hij weet er meer van dan ik.' Hij zag dat Brunetti nog niet overtuigd was, dus hij ging verder: 'Ik zou liegen als ik zei dat hij het met stelligheid beweerde, maar de man is een kei in zijn vak. Er zijn tegenwoordig instrumenten waarmee je stenen heel precies kunt testen en omdat ik weet dat jij iemand bent die vertrouwt op feitelijke informatie, zal ik het je uitleggen. Goed, die instrumenten meten de chemische compositie van de mineralen die op de koolstofkristallen zitten. Die mineralen verschillen van pijp tot pijp, of in gewone mensentaal: van mijn tot mijn. Het bewuste instrument ziet aan de hand van de kleur van de steen welke mineralen erin zitten en als je weet welke mineralen er in welke streken voorkomen, heb je een redelijke inschatting van de herkomst.' Hij zweeg even. 'Maar al met al blíjft het een kwestie van ervaring. Als je miljoenen van die stenen hebt bekeken, zie je het gewoon.' Hij glimlachte en besloot: 'In ieder geval, híj kan dat. Hij zíét het gewoon.'

'Om kort te gaan: op zijn oordeel kun je afgaan.'

'Als hij me vertelt dat ze van Mars komen, geloof ik hem ook. Hij is een absolute kenner.'

'Weet hij er meer van dan jij?'

'Meer dan wie ook, Guido. Hij heeft een heel speciaal talent, een gave haast.'

'Goed. Wat dat Afrika betreft, kan hij iets specifieker zijn?'

'Dat heb ik hem niet gevraagd. Het enige wat ik van hem wilde weten, is of hij de waarde kon schatten. Hij zei me en passant dat het Afrikaans spul was, waarschijnlijk om me onder de neus te wrijven dat hij er veel meer van weet dan ik.'

'Wat zijn ze waard?'

'Als ze goed geslepen zijn, schat hij ze op minstens vijfendertigduizend euro.' En toen hij Brunetti's verbaasde gezicht zag: 'Per steen, Guido. En dan heb ik hem nog niet eens de beste exemplaren laten zien.'

Brunetti herinnerde zich dat hij nog wat moest vragen. 'Hoeveel had je er uiteindelijk, toen je ze van het zout had gescheiden?'

'Honderdvierenzestig, vrijwel allemaal even groot en stuk voor stuk topkwaliteit.' Nog voor Brunetti het sommetje had gemaakt, zei Claudio: 'Als je een gemiddelde prijs hanteert, dan kom je nét onder de zes miljoen euro uit.'

Het was een fabelachtig bedrag, maar Brunetti was eigenlijk meer onder de indruk van het feit dat Claudio hem had verteld dat hij was gevolgd. 'Claudio,' vroeg hij dan ook, 'die man die je schaduwde, kun je daar een beschrijving van geven?'

'Ongeveer van jouw lengte, hij had een winterjas aan en een hoed op. Hij zag er nogal onopvallend uit. Zo lopen er duizenden rond. Voor je me gaat vragen of ik hem zou herkennen, het antwoord is nee. Ik wilde niet dat hij wist dat ik hem doorhad, dus zodra ik begreep wat er aan de hand was, heb ik net gedaan alsof ik hem niet zag.'

Claudio pakte zijn thee op en nam nog een slokje.

'Misschien ben je dan helemaal niet gevolgd,' zei Brunetti hoopvol.

Claudio zette zijn kopje neer en keek Brunetti strak aan. 'Hij heeft me gevolgd, Guido, en hij was er goed in ook.'

Het leek Brunetti verstandiger om maar niet te vragen hoe Claudio aan die expertise kwam, dus vroeg hij: 'De mensen met wie je gesproken hebt, zijn die te vertrouwen?'

Hij haalde zijn schouders op. 'In dit metier is vertrouwen een moeilijk te hanteren begrip.'

'Heb je het over de bewuste partij gehad?'

Opnieuw haalde Claudio zijn schouders op. 'Nee. Ik wilde niet dat ze zich specifiek op het Afrikaanse spul zouden richten, vandaar dat ik er een paar Canadese bij heb gedaan. Ik neem aan dat ze geen reden hebben het er met anderen over te hebben. Tenzij iemand ze ernaar vraagt natuurlijk.'

'En dan?'

'Dan weet ik het nog niet zo zeker.'

'Zijn het vrienden van je?'

'Diamanthandelaren hebben geen vrienden.'

'Hoe zit het met die Antwerpenaar?'

'Hij is de man van mijn nichtje.'

'Dat noem je dan toch een vriend?'

Claudio glimlachte. 'Niet direct, maar het betekent wel dat ik hem kan vertrouwen.'

'Dus?'

'Dus heb ik hem gevraagd waar hij denkt dat ze vandaan komen.'

'Wanneer hoor je van hem?'

'Vandaag.'

Brunetti kon zijn verbazing niet verbergen. 'Hoe heb je ze zo snel daar gekregen?'

'Nou,' klonk het gemaakt achteloos, 'een neefje van me doet dat soort klusjes.'

'O? Klusjes zoals diamanten naar Antwerpen vervoeren?'

'En niet voor de eerste keer ook.'

'Hoe is hij dan gegaan?'

'Met het vliegtuig natuurlijk. Hoe anders? Dat wil zeggen, je kunt ook naar Brussel vliegen en dan met de trein verder.'

'Dat had je niet hoeven doen, Claudio.'

'Ik dacht dat er haast geboden was,' zei de oude man ietwat beledigd.

'Dat is ook zo, maar ik wil je de kosten absoluut vergoeden.'

Claudio wuifde dat geïrriteerd weg. 'Het is een goede leerschool voor het joch. Dan ziet hij hoe het er in de wereld aan toe gaat.' Hij keek Brunetti liefdevol aan en zei: 'Daarbij, je bent een vriend van me, nietwaar?'

'Net zei je dat diamanthandelaren geen vrienden hadden,' zei Brunetti met een brede glimlach.

Claudio zag een draadje op Brunetti's jas, trok het eraf en liet het op de grond vallen. 'Doe normaal,' zei hij en pakte zijn portemonnee om voor hen allebei af te rekenen.

19

Toen ze op het punt stonden de straat op te gaan, had Brunetti zijn vriend het liefst voorgesteld met hem mee naar huis te lopen, maar zijn gezonde verstand dicteerde dat Claudio maar beter niet met hem gezien kon worden. Claudio ging als eerste naar buiten en Brunetti wachtte een paar minuten die hij vulde met het doorbladeren van de *Gazzettino*. Toen hij eenmaal buiten was, besloot hij richting Questura te lopen, niet zozeer omdat hij dat nou zo graag wilde, maar omdat het de tegenovergestelde richting uit was.

De agent in de hal salueerde en zei tegen Brunetti: 'Of u meteen naar vice-questore Patta wilt gaan, meneer.'

Brunetti stak zijn hand op ten teken dat hij het had gehoord en liep de trap op. Hij ging naar zijn kamer, hing zijn jas op en draaide het nummer van signorina Elettra. Toen ze opnam, vroeg Brunetti: 'Wat wil hij van me?'

'O, Riccardo,' was haar snelle reactie. 'Fijn dat je terugbelt. Vind je het erg om onze eetafspraak van dinsdag naar donderdag te verzetten? Ik was vergeten dat ik kaartjes voor een concert heb, dus als je het niet erg vindt...' Brunetti zei niets en na een paar seconden hoorde hij: 'Fijn, dat is tof van je. Ik zie je donderdag tegen achten.' Ze hing op.

Hoewel het een aanlokkelijk idee was, dacht Brunetti niet dat ze bedoelde dat hij maar beter kon weggaan en donderdagavond pas terugkomen, dus hij kwam de trap af en liep naar haar kamer. Hij zag dat de deur naar Patta's kamer op een kier stond, dus zei hij met luide stem: 'Goedemorgen, signorina. Ik zou de vice-questore graag even spreken.'

Ze stond op, liep naar de deur van Patta's kamer en duwde die verder open. Ze ging naar binnen en hij hoorde haar zeggen: 'Commissario Brunetti wilde u even spreken, meneer.' Even later kwam ze de kamer uit en zei: 'Hij kan u ontvangen.'

'Dank u, signorina.'

'Doe die deur eens dicht,' zei Patta bij wijze van begroeting. Brunetti gehoorzaamde en ging ongevraagd in de houten stoel naast Patta's bureau zitten.

'Waarom heb je vanochtend opgehangen?'

Brunetti fronste zijn wenkbrauwen en deed net of hij hard nadacht. 'Wanneer was dat dan, meneer?'

'Misschien vind jij het allemaal erg leuk, maar ik heb vandaag geen tijd voor dit soort flauwekul, commissario.' Brunetti voelde intuïtief aan dat hij maar beter niet kon reageren en Patta ging verder: 'Het gaat om die zwarte man. Wat heb je tot nu toe aan die zaak gedaan?'

'Minder dan me lief is, meneer,' zei Brunetti. Het was zowel de waarheid als een leugen.

'Kun je dat misschien een beetje verduidelijken?' vroeg Patta.

'Ik heb een paar collega's van hem gesproken,' begon Brunetti, die het verstandiger achtte maar niet in details te treden. 'Maar ze weigerden iedere medewerking. Ik heb geen idee hoe ik nu met de heren in contact moet komen.' Het kwam misschien gunstig over als hij ervan uitging dat Patta zich voor het wel en wee in de stad interesseerde, dus voegde hij eraan toe: 'Ik neem aan dat u hebt gezien dat ze er niet meer zijn?'

'Wie? De *vú cumprá*?' vroeg Patta botweg.

'Ja. Ze staan niet meer op het Campo Santo Stefano,' zei Brunetti, die maar verzweeg dat ze ook hun woning hadden verlaten. Hij wist niet of het waar was, maar hij zei: 'Het lijkt wel alsof ze de stad de rug hebben toegekeerd.'

'Waar zijn ze dan naartoe?'

'Ik heb geen idee, meneer,' moest Brunetti erkennen.

'Wat heb je er verder aan gedaan?'

Zo goed als hij kon loog Brunetti: 'Meer niet. Het autopsierapport bevatte verder geen bruikbare informatie.' Dat was nog waar ook. Rizzardi's rapport met de aanwijzingen van marteling was pas na het officiële rapport binnengekomen en tegen de tijd dat het tweede rapport er was – Brunetti moest denken aan een uitdrukking die hij Spaanse collega's ooit had horen bezigen – was het eerste rapport al 'verdwenen geraakt'. 'Alles wijst op een Senegalees die zich om wat voor reden dan ook de woede van de verkeerde mensen op de hals heeft gehaald en niet slim genoeg was al eerder de plaat te poetsen.'

'Ik neem aan dat je deze informatie al aan mensen van het ministerie van Binnenlandse Zaken hebt doorgegeven?' vroeg Patta.

Brunetti had genoeg van het liegen, maar hij begreep ook dat een te grote dosis passiviteit Patta's argwaan zou wekken, dus zei hij maar: 'Ik geloof niet dat dat nodig is, meneer. Ik heb zo'n idee dat ze het zonder mijn hulp ook wel klaren.'

'Klopt. Het is tenslotte hun werk.'

Die opmerking schoot Brunetti in het verkeerde keelgat. 'Het is toevallig ook mijn werk.'

Patta liep rood aan en zwaaide met zijn wijsvinger richting Brunetti. 'Jouw werk is doen wat je wordt opgedragen,' – om zijn woorden kracht bij te zetten, sloeg hij met vlakke hand op het bureaublad – 'en níét om de bevelen van je superieuren in twijfel te trekken.'

De klap resoneerde in de kamer en Patta wachtte tot het stil was voor hij verder ging, alhoewel iets in Brunetti's stem of manier van doen hem een moment deed aarzelen. 'Wil je nou niet van me aannemen dat ik beter op de hoogte ben van wat er speelt dan jij?'

Gezien Patta's gebrek aan inzicht met betrekking tot het korps en waar de mensen mee bezig waren, kreeg Brunetti de neiging hem uit te lachen, maar het kon zijn dat Patta doelde op elementen buiten de Questura, de krachten achter de acties van het ministerie en in dat geval wist hij inderdaad beter wat er speelde.

'Dat neem ik direct aan, meneer,' zei Brunetti, 'maar ik weet niet of dat in het onderhavige geval wat uitmaakt.'

'Wat het uitmaakt, is dat ík weet waarom men denkt de zaak van ons te moeten overnemen,' zei Patta, nu veel rustiger, alsof hij en Brunetti oude makkers waren die de toestand in de wereld bespraken.

'Dat betekent nog niet dat het in de haak is.'

'Geloof jij nou echt dat jij beter kunt beoordelen dan zij of iets wel of niet in de haak is?' vroeg Patta. De woede was weer in zijn stem geslopen.

Het lag op het puntje van Brunetti's tong om te zeggen dat geen mens het recht heeft het besluit te nemen dat een moord niet onderzocht mocht worden, maar daaruit zou Patta kunnen opmaken dat Brunetti de zaak niet liet rusten. Vandaar dat hij weer een leugentje paraat had. 'Nee, meneer.' Hij deed zijn best zo verslagen mogelijk te klinken en zei: 'U hebt gelijk. Dat is niet aan mij.' Patta mocht ermee doen wat hij wilde.

'Ik begrijp hieruit dat je je vanaf nu aanpast aan de situatie. Daar kan ik van op aan?' Het klonk triomfantelijk noch helemaal tevredengesteld.

'Dat kunt u. Nu de heren van het ministerie die zaak overgenomen hebben, wilt u zeker dat ik doorga met die zaak op de universiteit?' vroeg Brunetti, refererend aan een pas geopend onderzoek naar de *Facoltà di Scienze Giuridiche*-rechtenfaculteit, waar een aantal professoren en wetenschappelijk medewerkers ervan werd verdacht tentamenopgaven aan studenten te hebben verkocht.

'Ja,' zei Patta. Brunetti wachtte wat er verder zou komen, want dat er wat kwam, was even vanzelfsprekend als de C die volgt op een *da capo* aria. 'Behandel het omzichtig,' stelde Patta hem niet teleur. 'Die idioten van de universiteit in Rome hebben een enorm schandaal veroorzaakt en de rector magnificus hier wil dat, als het even kan, vermijden. Een rel is natuurlijk niet best voor de goede naam van de universiteit.'

'Ik begrijp het,' zei Brunetti en tot Patta's niet geringe verbazing knikte Brunetti, stond op en liep de kamer uit. Omdat Paola een kleine twintig jaar op de universiteit werkte, had hij een aardig idee van de goede naam die hier op het spel stond.

Signorina Elettra zat niet op haar plaats, maar hij kwam haar op weg naar de trap tegen. 'Don Alvise heeft voor u gebeld,' zei ze.

'Kent u hem?' vroeg Brunetti verbaasd.

'Ja, al een aantal jaar. Hij belt me soms voor informatie.'

Brunetti kon de verleiding niet weerstaan en vroeg: 'Wat voor informatie?'

'Het heeft niets met politiezaken te maken, hoor. Of met mijn werk hier, dat kan ik u verzekeren.'

'U hebt hem gesproken?'

'Inderdaad.'

'En?'

'Hij zei dat hij veel mensen gesproken had en dat een aantal van hen zei dat de betreffende man een goeie kerel was en een aantal dat hij niet deugde.' Brunetti voelde plotseling woede in zich opborrelen. Hij wachtte tot zijn kwaadheid wegzakte en vroeg toen: 'Had hij er zelf een mening over?'

'Nee,' antwoordde ze.

'Kende hij hem?' vroeg hij dwingend.

'Dat moet u hem zelf maar vragen, meneer.'

Brunetti liet zijn blik afdwalen naar een foto van een voormalige questore. 'En verder?' vroeg hij uiteindelijk.

'Verder heb ik me beziggehouden met die toestand van die verdwenen bestanden,' begon ze. 'Alle wegen leiden naar Rome.'
'Waar in Rome?' vroeg hij kortaf, maar voegde er direct berouwvol aan toe: 'Goed werk.' Hij wilde haar het plezier niet ontnemen te onthullen dat alles wees op de bemoeienissen van het ministerie van Binnenlandse Zaken, dus hij vroeg haar vervolgens alleen maar: 'Wie waren het?'
'*Il Ministero delgli Esteri.*'
'Búítenlandse Zaken?' reageerde Brunetti verbaasd.
'Ja,' zei ze. 'Zeker weten.'
In Brunetti's fantasie was hij al halverwege de treden van het bordes dat naar de ingang van Binnenlandse Zaken leidde, maar nu moest hij in hink-stapsprong naar een ander departement, elders in de stad. De theorie die hij had opgebouwd, kon de prullenbak in en hij moest van voren af aan beginnen. Jarenlang hadden de twee departementen strijd met elkaar gevoerd over wie er het best in was het probleem van de illegalen te negeren. Wanneer het vanwege een ramp met bootvluchtelingen of een incident bij de grens tijdelijk onmogelijk was gezamenlijk de kop in het zand te steken, dan waren ze er snel bij om elkaar de schuld te geven. Daarop volgde dan steevast de volksverlakkerij: er werd met aantallen en nationaliteiten gegoocheld en men kon er volledig op vertrouwen dat de pers een foto van een hulpbehoevende moeder met kind op de voorpagina zou plaatsen. De publieke opinie werd net lang genoeg bespeeld door dat sentimentele beeld, om ook deze scheepslading vluchtelingen toe te kunnen laten. Het volgende stadium was desinteresse van de bevolking en de ministeries konden rustig, met oogkleppen op, hun gangetje weer gaan.
Al met al was het nog geen verklaring voor de inmenging van Buitenlandse Zaken. Hij twijfelde er geen seconde aan dat het waar was, want als signorina Elettra iets van dien aard beweerde, was het ook zo. Hij kon zich ook niet voorstellen dat ze zich zouden bezighouden met de moord op zomaar een straatventer, hoewel er natuurlijk heel wat reden was om zich te bemoeien met de moord op een man die in het bezit was van diamanten ter waarde van zes miljoen euro.
'Ik heb mijn voelhorens hier en daar al uitgestoken,' ging signorina Elettra verder. Brunetti wist dat signorina Elettra veel meer deed dan een beetje rondbellen en vragen stellen. Hij kreeg de indruk, maar niet meer dan dat, dat ze een flink netwerk aan informatiebronnen had en dat ze er een kei in was om geheimen los te

weken uit dossiers van zowel de overheid als het bedrijfsleven; het moest gezegd: niet alleen de overheid hield zich bezig met het pappen en nat houden van het volk.

'O ja,' zei ze. 'Bocchese wil u graag even spreken.' Meer had ze niet, dus Brunetti bedankte haar en liep naar Bocchese's kantoor. Op de trap kwam hij Gravini tegen die zijn hand opstak, zowel als groet als om Brunetti staande te houden.

'Ze zijn weg, meneer, de *ambulanti*,' zei hij. En hij keek bezorgd, alsof hij bang was dat Brunetti hem de verdwijning van de mannen persoonlijk zou aanrekenen. 'Ik sprak mijn vriend Muhammad, maar hij heeft al dagenlang niemand van de groep gezien en hun huis is verlaten.'

'Heeft hij een vermoeden wat er met hen gebeurd kan zijn?'

'Nee, meneer. Dat heb ik hem wel gevraagd, maar hij wist alleen dat ze er niet meer waren.' Gravini hief zijn hand weer op om zijn teleurstelling te tonen en zei: 'Het spijt me.'

'Dat is wel goed, Gravini,' zei Brunetti. En hij voegde eraan toe – zich ervan bewust dat alles wat er in de Questura werd gezegd herhaald werd – 'We zijn van de zaak gehaald dus het doet er niet meer toe.' Hij klopte Gravini op de schouder en liep de trap af.

Toen Brunetti binnenkwam, tuurde Bocchese net met één oog door een microscoop. De man gromde wat, hetgeen evengoed een groet kon zijn als een blijk van tevredenheid over iets wat hij door de lens zag. Bocchese liet het bij die grom, dus Brunetti liep maar naar het werkstation om te zien waar de man zo ingespannen naar tuurde. Het was een donkerbruin, rechthoekig plaatje van een of andere metaalsoort, ongeveer half zo groot als een pakje sigaretten. 'Wat is dat?' vroeg Brunetti.

Bocchese gaf geen antwoord, verdraaide wat aan de microscoop en keek er weer door. Hij kwam overeind en zei: 'Kijk zelf maar.'

Bocchese gleed van de kruk en Brunetti nam plaats. Hij had wel vaker door de microscoop gekeken, in het algemeen naar dia's van een gedeelte van het menselijk lichaam, of naar datgene wat een leven had vernietigd, kortom, naar dingen waarvan Bocchese of Rizzardi vond dat Brunetti die moest zien.

Brunetti kneep één oog dicht en met het andere keek hij door de lens. Alles wat hij zag was iets dat leek op een gigantisch oog, zwart en met de doffe glans van een metaal, met in het midden een rond gat dat de iris moest voorstellen. Hij zette zijn handpalmen op tafel, knipperde en keek nog eens. Inderdaad, het leek een oog met pietepeuterige lijntjes als oogharen. Hij rechtte zijn rug en vroeg: 'Wat is dit?'

Bocchese kwam naast hem staan en pakte het plaatje op. 'Kijkt u maar,' zei hij terwijl hij het Brunetti aangaf.

Het rechthoekige plaatje was inderdaad van metaal en nu pas zag Brunetti de afbeelding van een ridder op een paard, het geheel niet groter dan een postzegel. Het harnas was zeer gedetailleerd, net als het paard. Het gezicht van de man was verscholen achter een helm, maar het paard had alleen iets van bescherming voor zijn oren en een dun lijntje dat over zijn hoofd liep. Nu begreep hij dat hij even daarvoor het oog van het paard had bekeken. Hij hield het plaatje tegen het licht en zag toen pas het rondje dat de iris voorstelde.

'Wat is het?' vroeg Brunetti.

'Een kennis van me wilde weten of het een goed stuk was en volgens mij kan ik hem inderdaad zeggen dat het er een van de werkplaats van Moderno is.'

Brunetti snapte er niets van. 'Een kennis? Wat wilde hij nou precies weten?'

'Hij verzamelt dit soort zaken. Net als ik, trouwens. Als hij een mooi exemplaar aangeboden krijgt, vraagt hij mij om te kijken of het de prijs waard is.'

'Waarom doe je dat hier in het lab?' vroeg Brunetti.

'Deze microscoop,' zei Bocchese terwijl hij het apparaat een waarderend tikje gaf, 'is veel beter dan die ik thuis heb. Met dit ding zie ik veel fijnere details en daar gaat het natuurlijk om.'

'Verzamel je deze dingen?' vroeg Brunetti. Hij hield het plaatje onder zijn ogen om het nog eens te bekijken. Het paard steigerde, briesend van woede of angst. De linkerhand van de ridder was gehuld in een handschoen van malie en zijn andere arm stak recht naar achteren. Als je er goed naar keek, zag je dat man en paard op het punt stonden naar voren te stormen en God behoede al wat in de weg stond.

'Ik heb er een paar,' zei Bocchese bescheiden.

'Mooi spul,' zei Brunetti en gaf het Bocchese voorzichtig aan. 'Ik heb ze in musea wel gezien, maar daar kun je ze alleen van een afstandje bekijken en mis je de details.'

'Klopt,' zei Bocchese, 'plus dat je het patina en het materiaal niet goed kunt beoordelen.' Ter illustratie stak hij zijn hand uit, het stukje brons op de handpalm, en woog het in de hand. 'Leuk dat u het mooi vindt,' zei Bocchese tevreden.

Brunetti besefte dat het een bijzonder moment was. Hij had in al die jaren dat ze collega's waren nooit aan zijn inzet en loyaliteit getwijfeld, maar dit was de eerste keer dat Brunetti bij hem iets van emotie had gezien, dat wil zeggen, iets anders dan het wat afstandelijke cynisme waarmee hij zijn werk deed. 'Bedankt dat je me het hebt laten zien.'

'Niets te danken,' zei Bocchese. Hij haalde een metalen doosje uit zijn zak en toen hij het openmaakte, zag Brunetti dat de binnenkant bekleed was met zacht materiaal. Bocchese legde het brons er voorzichtig in, deed het dekseltje dicht en liet het in zijn binnenzak glijden.

'Signorina Elettra heeft u gestuurd, begrijp ik?'

'Klopt.'

'Komt u even mee.' Bocchese ging Brunetti voor naar een werkstation waar een aantal vergrotingen lag van opnamen van vingerafdrukken. Bocchese legde er eentje opzij, liet de overige even door zijn vingers gaan en pakte er een uit. Hij draaide de twee foto's om, keek wat er achterop stond en legde ze naast elkaar op het werkblad. Brunetti bekeek de foto's en wat hem betrof, waren ze, net als alle vingerafdrukken, identiek, maar hij was zo verstandig dat niet tegen Bocchese te zeggen.

'Ziet u?' vroeg Bocchese.

'Wat?'

'Dat ze identiek zijn,' klonk het een beetje geïrriteerd. Verdwenen was de vriendelijke stem van zo-even.

'Ja.' Het was nog waar ook.

'Ze komen allebei van dat adres in Castello,' legde Bocchese uit.

'Ga door.'

Bocchese draaide de foto's om, blijkbaar om zeker te weten welke hij voor zich had en legde ze weer terug. 'Deze,' zei hij terwijl hij op de linker wees, 'hebben Galli en Del Negro gevonden die keer dat u daar met Vianello was en hierheen belde. Ze hebben vier verschillende vingerafdrukken gevonden, maar het gaat om deze hier,' zei hij terwijl hij met zijn nagel op de vergroting tikte. Hij wees naar de andere en zei: 'Dit setje zat op dat lege koekjeszakje dat Vianello heeft meegenomen.'

'Ze zijn hetzelfde?'

'Dezelfde vingerafdruk van dezelfde hand.'

'En dezelfde man.'

'Tenzij hij zijn hand aan anderen uitleent natuurlijk,' zei Bocchese.

161

'Waar is deze gevonden?' vroeg Brunetti terwijl hij tegen de eerste afdruk tikte.

Bocchese draaide hem om, keek naar het nummer en de afkortingen die erop stonden en zei: 'Op de bovenste verdieping.'

'Kun je specifieker zijn?'

'Aan de onderkant van de deurknop. Er is daar maar één gedeeltelijke afdruk gevonden maar dat was voldoende. Ik neem aan dat hij de knop heeft afgeveegd, maar duidelijk niet goed genoeg,' zei hij terwijl hij weer op de foto tikte. Hij wees op de tweede foto. 'Zoals ik al zei zijn ze van dat lege zakje gehaald. Het is het enige duidelijke setje op dat zakje. Veel vegen en gedeeltelijke afdrukken, waarschijnlijk van dezelfde persoon, maar ik sta er niet voor in.' Hij zweeg even en zei: 'Ik heb even nagekeken wat Galli en Del Negro hebben genoteerd. Ze hebben de eerste keer dat ze er waren alles weggepoetst, dus deze afdrukken zijn van daarna.'

'Heb je ze naar Interpol gestuurd?'

'Interpol?' echode Bocchese met de wanhoop van iemand die ambtshalve met internationale bureaucratie te maken heeft. Brunetti knikte en Bocchese legde uit: 'Ik weet niet of u het weet, maar zelfs wíj hier zijn op de hoogte van de inmenging van Binnenlandse Zaken. Voor de zekerheid heb ik ze maar doorgestuurd aan een bekende van me die daar op het lab werkt. Ik heb hem op het hart gedrukt om discreet met zijn bevindingen om te springen. Ik heb hem ook dat setje dat Vianello me van de dode man heeft gegeven maar gestuurd.'

'Wat bedoel je met "discreet"?'

'Kijk,' zei Bocchese. Hij leunde tegen het werkblad en sloeg zijn armen over elkaar. 'Als ik het via de geëigende kanalen had gespeeld, hadden we er een week of twee op kunnen wachten, maar nu hoop ik morgen of overmorgen de uitslag te krijgen en Binnenlandse Zaken is geen kopiehouder.'

Brunetti vroeg zich wel eens af waarom hij zich altijd zo netjes aan de interne richtlijnen hield, want was het niet te danken aan connecties en vriendendiensten van collega's dat er überhaupt resultaten werden geboekt? Hij vroeg zich af of het overal zo ging. 'Zeg 's, Bocchese,' zei Brunetti. 'Is er érgens een plek waar de politie zonder problemen haar werk kan doen?'

Bocchese vatte de vraag serieus op en dacht even na voor hij antwoordde: 'Misschien wel, maar dan alleen dáár waar de regering ook écht, zonder aanzien des persoons, wil dat de zaken worden opgelost.' Hij zweeg even, zag Brunetti nadenkend kijken en zei met een glimlach: 'Ik stem nog steeds *Rifondazione Comunista* en ik wijk niet af van de leer.'

Brunetti bedankte hem voor zijn tijd en ging naar zijn eigen kamer. Hij besefte dat hij tijdens het korte gesprekje meer over Bocchese te weten was gekomen dan in de ruim tien jaar dat ze elkaar kenden.

20

Brunetti zat al een uur aan zijn bureau toen de telefoon ging. Hij nam op en noemde zijn naam. 'Ik heb bij die bewuste persoon geïnformeerd,' viel Renato Sandrini met de deur in huis, 'dat wil zeggen, ik heb het ter sprake gebracht. Mijn contact zegt dat Rome mensen heeft gestuurd om de klus te klaren.'

'Hoe zit dat dan met de gebruikte wapens? Op het vliegveld kom je daar niet zo eenvoudig mee door het detectiepoortje.' Brunetti ergerde zich aan Sandrini die best wist dat de commissario er niet van hield in raadselen te worden toegesproken. Uiteraard wist Brunetti dat het een peulenschilletje was om in Venetië aan een vuurwapen te komen.

'Hebt u wel eens gehoord van de trein?' was Sandrini's weinig vriendelijke reactie. 'Die rijden over rails, heen en weer tussen Rome en hier. Tsjoek, tsjoek.'

Brunetti negeerde die opmerking en vroeg: 'Meer dan dat Rome ze heeft gestuurd weet je niet?'

'Wat denkt u nou? Dat hij me naam en toenaam heeft gegeven? Een ondertekende bekentenis? Dat zou wel heel makkelijk zijn, niet?' Sandrini schreeuwde haast en had blijkbaar iedere vorm van beleefdheid opgegeven. 'Natuurlijk is dat alles en hier blijft het wat mij betreft bij. Ik kan me geen verdere vragen permitteren, want dan voelt hij natuurlijk nattigheid.'

Brunetti moest erkennen dat Sandrini gelijk had, want als hij zijn schoonvader meer aan de tand zou voelen over de moordenaars was dat zonder meer verdacht. Brunetti had zich dan misschien uit die toestand met dat hoertje weten te redden – het was bekend dat sommige maffiosi de verdenking van overspel hadden overleefd – maar het schenden van vertrouwen was een geheel andere zaak en volgens Brunetti waren er niet veel die dát konden navertellen.

'Mooi,' zei Brunetti.

'Wacht 's effe,' klonk het nors, 'ik stel mijn leven voor u in de waagschaal en u hebt niet meer te melden dan "mooi"?' Daarop volgde een aantal verwensingen die de moraal van Brunetti's moeder en van de Madonna zelf in twijfel trokken, dus Brunetti achtte het verstandiger de verbinding maar te verbreken.

'*Roma, Roma, Roma,*' mompelde hij voor zich uit. Vroeger dacht hij bij huurmoordenaars meteen aan Italianen uit het zuiden des lands, maar in de multiculturele samenleving konden ze overal vandaan komen. Dus Rome had mensen gestuurd om de klus te klaren. Het feit dat Sandrini's schoonvader dat wist, kon betekenen dat *mafiosi* de trekker hadden overgehaald, maar op zich wilde dat nog niet zeggen dat de maffia de opdracht had gegeven. Hij vroeg zich af of huurmoordenaars gezellig met elkaar om de tafel zaten en of ze, zelfs als ze er niets mee te maken hadden, van hun collega's wisten waar zij mee bezig waren. Misschien speculeerden ze over wie wat betaald had gekregen voor welke klus. Het was een morbide idee, maar dat maakte het niet minder waarschijnlijk.

De telefoon ging weer en hij was verbaasd de stem van zijn vrouw te horen. 'Hé, je belt nóóit naar mijn werk,' zei hij.

'Zelden.'

'Oké. Zelden dan. Wat is er?'

'De universiteit.'

'Die tentamens bedoel je?' Hij hoopte dat ze iets te weten was gekomen over die zaak van haar vakbroeders van de juridische faculteit en dat het zo interessant was dat het niet tot 's avonds kon wachten.

'Tentamens?' klonk het verward.

'Die toestand op de faculteit.'

'Nee, daar gaat het niet over. Daar weet ik niets van. Het gaat over die zwarte man van je.'

Hij wilde tegenwerpen dat het niet echt zíjn zwarte man was, maar vroeg: 'Wat ben je te weten gekomen?'

'Ik heb mijn best voor je gedaan en hier en der geïnformeerd. Een kennis van me bij geschiedenis heeft een collega in Genève die gespecialiseerd is in dit soort dingen.'

'In wat voor soort dingen?'

'In antropologie. Volgens hem is de dame een expert in Afrikaans fetisjisme.' Uit het feit dat ze verder niets zei over die nogal aparte deelwetenschap, maakte Brunetti niet alleen op dat Paola het een volkomen geaccepteerd vakgebied achtte, maar ook dat zijn vrouw te vaak onder professoren verkeerde.

'En?'

'Ik heb haar telefoonnummer, dus ik zou zeggen: bel maar en vuur je vragen op haar af.'

'Naar Genève?'

'O, vind je het eng om Frans te praten?'

'Gezien het gecompliceerde onderwerp eerlijk gezegd wel, ja.'

'Maak je nou maar geen zorgen. Ze is Zwitserse.'

'Leg uit?'

'De Zwitsers spreken nogal wat talen.' Ze gaf hem het nummer en hing op.

Het klopte inderdaad: professor Winter sprak een beetje Italiaans, goed Engels en Duits. Daarbij kon ze uit de voeten in de vijf Afrikaanse talen die in haar onderzoeksgebieden werden gesproken. Hij was verbaasd dat ze in het geheel niet nieuwsgierig was naar de vraag waarom de politie haar hulp inriep om een dode man te helpen plaatsen. Ze vroeg hem het object voor haar te beschrijven. 'Het is opgebouwd uit vier driehoeken,' legde Brunetti in het Engels uit. 'Het is gekerfd in een vijf centimeter hoge houten kop. Ik heb het idee dat die op een paal of een stok heeft gezeten. Het teken zit ook op het lichaam van het slachtoffer.'

'Waar precies?'

'Op zijn buik.'

'Die kop die u hebt, is die van een man of een vrouw?'

'Ik geloof van een vrouw.'

'En u hebt hem daar?'

'Ja. Ik heb ook foto's.' Hij zweeg even om te horen of ze een vraag had, maar er kwam niets. 'Kunt u me zo voor de vuist weg al wat zeggen, professoressa?'

Ze aarzelde even en zei: 'Niet zonder dat ik de foto's gezien heb. Als ik nu wat zeg, is het alleen maar giswerk.'

Het was alsof hij Paola's collega's hoorde, want ook van hen kreeg je de indruk dat ze eigenlijk alleen met vakgenoten van gedachten wilden wisselen.

'Moment...' hoorde hij professoressa Winter zeggen. Het kwam Brunetti voor dat ze met iemand die bij haar in de kamer was praatte, maar het duurde maar even. 'Kunt u me de foto's opsturen?'

'Natuurlijk.'
'Mooi.' Ze gaf hem haar e-mailadres. 'Kunt u ze vandaag nog mailen?'
'Ik stuur u liever de echte foto's,' zei Brunetti, zonder daarvoor een reden te geven. 'Als u me het adres van de universiteit geeft, zal ik ze vandaag nog naar u opsturen.' Hij had Rizzardi's foto van het teken op het lichaam van de man en hij had met een polaroidcamera al een foto van het hoofd gemaakt.
'Aha,' zei professor Winter. Ze gaf hem het adres van de universiteit en merkte op: 'Het werkt bij u blijkbaar anders dan hier in Zwitserland.'
'Weet u wat de werkwijze van de politie is, professoressa?'
'Niet echt,' antwoordde ze. 'Vanwege mijn kennis van de Afrikaanse cultuur wordt me wel eens om mijn mening gevraagd over voorwerpen of over mensen die vermoord zijn.'
'Ik snap het. Komt het vaak voor?'
'Nee, hier in Zwitserland niet. Interpol vraagt me wel eens om advies.'
'Worden er in Europa veel Afrikanen vermoord?' vroeg Brunetti, zowel verbaasd als nieuwsgierig.
'Minder dan in Afrika zelf.'
'Wat betreft de moorden in Europa, kunt u me in algemene zin vertellen waarom die worden gepleegd?'
'Dat gaat mij verder niet aan,' antwoordde ze. 'Daar is de politie voor. Mijn bijdrage beperkt zich tot adviezen.'
'Gaat het voornamelijk om mannelijke slachtoffers?'
'Nee, helaas zitten er ook veel vrouwen bij.'
Brunetti kreeg de indruk dat professor Winter het welletjes vond, dus hij beëindigde het gesprek met: 'Ik zal de foto's vandaag verzenden. Ik ben benieuwd naar uw bevindingen.'
Brunetti hing op, belde de meldkamer en vroeg of Pucetti er was. Een agent nam op en zei dat Pucetti telefonisch in gesprek was, waarna de man nogal hard oplegde. Even later belde Pucetti terug en Brunetti vroeg hem of hij even boven kon komen. Terwijl hij op hem wachtte, adresseerde Brunetti een envelop aan professor Winter en deed er de foto's van het houten figuurtje en het teken op de buik in. Voor alle zekerheid stopte hij er ook nog een foto van het gezicht van het slachtoffer bij.
Pucetti klopte en kwam binnen. Brunetti vertelde hem wat hij moest doen, waarop de agent zei dat hij naar een inbraak bij een apotheek in Santa Croce moest. De inbraak kon wel even wach-

ten, voegde hij eraan toe, dus het was geen probleem de boot een paar minuten bij het postkantoor te laten wachten.

'Fabio en Carlo weer?' vroeg Brunetti.

'Wie anders?' antwoordde Pucetti afgemeten. Zijn irritatie was begrijpelijk. Fabio Villatico en Carlo Renda waren drugsverslaafden, allebei in het laatste stadium van aids en alleen om die reden werden ze niet opgesloten. Overdag bedelden ze bij toeristen en 's avonds, als ze niet genoeg bij elkaar hadden gescharreld om op de zwarte markt te kopen, braken ze in bij apotheken. Ze stalen geneesmiddelen, maakten een cocktail van onder meer middeltjes tegen griep en verkoudheid, en spoten de rommel in hun aderen. Het resultaat van hun experimenteerlust was dat ze meer dan eens op de EHBO terechtkwamen, waar ze dan weer werden opgelapt. Al tijden zeiden de artsen dat ze dermate verzwakt waren dat de eerste de beste infectie hen fataal zou worden.

Pucetti walgde van het tweetal, dat was duidelijk. Brunetti zei maar niet dat hij het eigenlijk geen nare jongens vond. Geen van beiden had weliswaar ooit een baan gehad, noch hadden ze gedurende de laatste tien jaar ook maar één helder moment gekend, maar ze hadden nooit geweld gebruikt, zelfs nog geen grote mond opgezet wanneer ze slecht werden behandeld, en dat was absoluut voorgekomen.

'Per expresse, neem ik aan?' zei Pucetti.

'Graag. Alvast bedankt.'

De agent salueerde en ging de kamer uit. Brunetti dacht na over het feit dat hij en de agent zo verschillend tegen de twee verslaafden aankeken. Pucetti behoorde toch tot de generatie die geëngageerd was, meevoelde met het leed dat anderen werd aangedaan, maar Brunetti's ervaring was dat die generatie keihard kon zijn, wat hem deed vrezen voor de toekomst. Hij vroeg zich wel eens af of de media er debet aan waren dat veel jonge mensen geen mededogen hadden met de verworpenen der aarde.

Carlo zat onder de knullig uitgevoerde tatoeages en schuifelde altijd schichtig en nerveus door de stad, terwijl Fabio naar urine stonk en al helemaal nooit bij de les was. Brunetti kwam ze al jaren her en der tegen, maar gaf hun nooit een cent. Het liefst zou hij zien dat ze van de straat werden gehaald, maar toch, als hij ze zag, voelde hij zich altijd een beetje ongemakkelijk, schuldig haast.

Om zijn gedachten te verplaatsen, pakte hij de interne telefoonlijst en belde het nummer van Moretti.

'Commissario,' zei Moretti nadat Brunetti zich had gemeld, 'ik was de hele dag van plan u te bellen, maar er is hier sprake van een ware invasie.'

'Van toeristen zeker,' grapte Brunetti.

'Nee, van zigeuners. Er is een hele bende neergestreken. We hebben al negen mensen gehad met allemaal hetzelfde verhaal. U weet wel, van de kinderen met de kranten.'

'Ik dacht dat dat alleen in Rome gebeurde,' zei Brunetti, die uit eigen ervaring wist hoe het in zijn werk ging. Een groep kinderen dromde om je heen, wapperde met kranten en maakte genoeg lawaai om het slachtoffer af te leiden zodat een van hen er met een tas of portemonnee vandoor kon.

'Nee, zo te horen zijn ze hier nu ook bezig.'

'Hebt u er al een paar op kunnen pakken?'

'Tot nu toe drie, maar ze zijn minderjarig, dus het blijft bij het noteren van hun naam. Ze mogen een telefoontje plegen, iemand met dezelfde achternaam komt ze halen en dat is dat.' Moretti zuchtte afkeurend en voegde eraan toe: 'Ik zeg maar niet eens meer tegen de ouders dat de kinderen naar school moeten, noch tegen de oudere zigeuners die we hebben opgepakt, dat ze binnen twee dagen het land uit moeten zijn. De laatste keer dat ik iets dergelijks zei, werd ik midden in mijn gezicht uitgelachen.' Het was even stil, toen: 'Het is maar goed dat ik die vent geen knal heb verkocht.'

'Ach, wat heeft het ook voor zin,' zei Brunetti.

'Geen enkele, maar reken maar dat ik er vaak zin in heb.'

'Maakt u zich er maar niet te druk over.'

'Doe ik ook niet, maar soms is een mens geneigd...'

Het leek Brunetti hét moment om van onderwerp te veranderen. 'Ik bel nog even over die Afrikaan. Is u al wat te binnen geschoten?'

'Mij niet, maar Cattaneo wel. Een maand of twee geleden hadden we 's nachts ergens assistentie verleend. Het was al laat, een uur of twee, en er komt een man uit een café rennen. Hij zei dat we mee moesten komen omdat er een vechtpartij dreigde. Het was daar in de buurt van het Campo Santa Margarita. Toen we eenmaal in die kroeg waren, was de ruzie zo te zien bijgelegd.'

'De bewuste Afrikaan was een van de kemphanen?'

'Ja. Het is maar goed dat de boel in de kiem is gesmoord.'

'Hoezo dat?'

'Die andere twee ruziezoekers waren twee keer zo groot als hij. Ik geloof dat alleen de tussenkomst van een paar omstanders hen op andere gedachten heeft gebracht. Plus het feit natuurlijk dat wij verschenen.'

'Dit alles om twee uur 's nachts?'

'De tijden zijn veranderd, commissario,' zei Moretti. 'Nou ja, misschien geldt het alleen voor dat buurtje bij het Campo Santa Margarita. Het wemelt er van de cafés, pizzeria's, dansgelegenheden. Het is daar in feite nooit rustig. Sommige tenten zijn open tot twee, drie uur en...'

'Maar hoe zat het nou met die Afrikaan?' onderbrak Brunetti de woordenstroom.

'Er zijn een paar mensen tussen hem en de twee anderen in gaan staan.' Moretti zweeg even en zei toen: 'Uiteindelijk was er niet zo veel aan de hand. Toen wij ter plekke kwamen, leek de boel al gesust. Er was geen gebroken glas, geen kapotte stoelen. Ik neem aan dat het eerder een dreigend sfeertje was, meer niet, en een paar bezoekers probeerden erger te voorkomen.'

'Hebben jullie nog uitgevonden waar het om ging?'

'Nee. Een van de anderen – zeg maar een van de vredestichters – zei dat ze gedrieën aan een tafeltje zaten te praten en dat ze ruzie kregen. Hij zei dat de zwarte was opgestaan en richting de uitgang was gelopen, waarop de andere twee hem achternagingen en probeerden hem mee terug te krijgen naar het tafeltje. Een van de andere bezoekers zag ons blijkbaar langslopen en is naar buiten gerend om ons te waarschuwen dat er wat op til was.'

'Hoelang duurde het voor jullie binnen waren?'

'Hooguit een minuut of twee.'

'Cattaneo beweert dat die Afrikaan en de man van de foto dezelfde zijn?'

'Ja. Ik heb hem de foto laten zien en hij zag het meteen. Toen Cattaneo het zei, wist ik het ook weer. Het is 'm.'

'Hoe hebben jullie die toestand in de kroeg verder afgehandeld?'

'We hebben naar hun papieren gevraagd.'

'En?'

'Hij had een *permesso di soggiorno*.'

'Weet u nog wat erop stond?' vroeg Brunetti.

'Naam en geboortedatum,' zei Moretti. 'Tenminste, dat neem ik aan.'

'Hoezo, "dat neem ik aan"?'

'Omdat ik me niet herinner wat erop stond.' Brunetti wilde erop ingaan, maar Moretti was hem voor. 'Ik zie er honderden per week, meneer. Ik kijk of het stempel niet vervalst is, of de foto klopt met degene die voor me staat en of er niet mee gerommeld is. Hun namen zijn nogal vreemd, zoals u weet, en naar het land van herkomst kijk ik al helemaal niet.' Voor Brunetti iets kon vragen, zei Moretti: 'Cattaneo kan het zich ook niet herinneren.' Moretti begreep dat Brunetti nogal teleurgesteld moest zijn, want hij zei snel: 'Het enige wat ik me herinner, is zijn accent.'

'Zijn accent?'

'Zijn Italiaans was vrij goed, maar hij had wel een flink accent.'

'Oké,' zei Brunetti, 'we hebben het tenslotte over een Afrikaan.'

'Natuurlijk, maar dit accent was anders. De *Senegalesi* klinken in feite allemaal eender: er zit een soort Franse tongval bij, plus die van hun eigen land natuurlijk. We herkennen hun accent zo langzamerhand wel, maar dat van hem was echt anders.'

'Verklaar u nader.'

'O, ik weet het niet. Alsof hij Europeaan was, een Spanjaard of zo, maar dat was het ook niet echt. Nee, ik kan het helaas niet beter beschrijven.'

'Cattaneo ook niet?'

'Ik heb het hem al gevraagd. Hij had het verschil niet eens opgemerkt.'

Brunetti liet het er maar bij zitten en vroeg: 'Die andere heren, waren die ook Afrikaans?'

'Nee. Het waren Italianen en ze hadden allebei hun *carte d'identità* bij zich.'

'Herinnert u zich wat erop stond?'

'Nee, alleen dat het geen Venetianen waren.'

'Waar kwamen ze dan vandaan?'

'Uit Rome.'

21

NET ALS DE MEESTE ITALIANEN HAD OOK BRUNETTI ZO ZIJN gedachten over Rome. Hij vond het een prachtige stad en liet zich maar al te graag onderdompelen in haar schoonheid die, hij gaf het graag toe, even groot was als die van zijn eigen stad. Desondanks zag hij de hoofdstad ook als de bakermat van al wat smerig en corrupt was in het land. Rome had de macht, macht die maar al te vaak verkeerd werd aangewend, die de mensen hebzuchtig en bloeddorstig maakte. Eigenlijk mocht hij niet generaliseren. Natuurlijk, hij had in zijn werk ook met heel wat eerlijke collega's en ambtenaren samengewerkt; natuurlijk waren er politici die werden gedreven door meer dan ambitie en ijdelheid alleen. Natuurlijk...

Om zijn gedachtestroom te onderbreken, keek hij op zijn horloge. Hij zag dat het al ver na twaalven was en belde Paola om te zeggen dat hij de *vaporetto* zou nemen en dat ze niet op hem hoefden te wachten, wat ze onzin vond.

Toen hij buitenkwam, zag hij dat het flink was gaan regenen. De regenflarden scheerden haast horizontaal over het water van het *canal* tegenover de Questura. Hij zag een van de nieuwe agenten juist het dek van de politieboot op stappen. 'Hé, Foa!' riep hij, nog steeds onder het afdak van het bureau schuilend. 'Welke kant ga je op?' De agent draaide zich om en keek Brunetti – het was zelfs van een afstandje te zien – enigszins schuldbewust aan, dus voegde Brunetti er maar aan toe: 'Wat mij betreft kun je thuis eten, maar zeg me wel even welke kant je op gaat!'

Foa leek gerustgesteld en riep: 'Richting de Rialto, meneer! Ik kan u zo afzetten!'

Brunetti dook wat dieper in zijn kraag en rende naar de boot.

Foa had de canvas overkapping neergelaten, dus Brunetti besloot maar naast hem te gaan zitten. Nu ze creatief omgingen met hun emolumenten door de boot van de Questura voor privé-doeleinden te pakken, konden ze maar beter met z'n tweeën gezien worden.

Foa zette hem aan het begin van de Calle Tiepolo af, en hoewel de hoge huizen aan weerszijden van de straat hem enige beschutting boden, was hij doorweekt toen hij bij de voordeur stond. In de hal trok hij zijn jas uit en schudde hem uit, wat een waterval aan spetters veroorzaakte. Toen hij de trap opliep, voelde hij de nattigheid zelfs door zijn wollen colbert sijpelen en aan zijn soppende stappen begreep hij dat zijn schoenen ook doorweekt waren.

Pas toen hij de natte boel had uitgetrokken, werd hij de ontspannende warmte en de lekkere lucht in de flat gewaar. Ze hadden hem blijkbaar horen binnenkomen, want Paola begroette hem al nog voor hij in de keuken was. Toen hij op kousenvoeten binnenkwam, zag hij een vreemd gezicht aan tafel. Op Raffi's plaats zat een meisje, dat meteen opstond toen hij binnenkwam.

'Pappa, dit is Azir Mahani,' zei Chiara.

'Dag, Azir,' zei Brunetti en stak zijn hand uit.

Het meisje keek van hem naar zijn uitgestoken hand en toen naar Chiara. 'Geef hem een hand, rare! Het is mijn váder.'

Het meisje stak haar hand uit, hoewel niet van harte, want het leek haast of ze bang was dat ze hem niet zou terugkrijgen. Hij hield haar hand even in de zijne, heel voorzichtig, alsof het 't pootje van een jong poesje was. Haar verlegenheid maakte hem nieuwsgierig, maar het enige wat hij tegen haar zei, was dat hij verheugd was dat ze meeat.

Hij wachtte tot ze ging zitten, maar blijkbaar wachtte zij juist op hém. Chiara trok aan de mouw van haar trui en zei: 'Ga nou zitten. Mijn vader eet wat er op zijn bord komt en zal jou écht niet opeten.' Het meisje bloosde, ging zitten en staarde naar haar lege bord.

Chiara stond op en liep naar Brunetti. 'Kijk, Azir,' zei ze. Toen ze de aandacht van haar vriendinnetje had, hurkte Chiara naast haar vader en keek Brunetti recht in de ogen. 'Ik ga je nu hypnotiseren met de kracht van mijn ogen en je raakt in een héél diepe slaap.'

Brunetti deed meteen zijn ogen dicht.

'Slaap je?' vroeg Chiara.

'Ja,' klonk het duf. Brunetti liet zijn hoofd tegen zijn borst zakken. Paola, die niet eens de gelegenheid had gekregen haar man te begroeten, ging terug naar het fornuis en schepte vier borden pasta op.

Chiara zei niets, maar om Azir te laten zien dat hij echt sliep, wuifde ze met haar handen vlak voor Brunetti's gesloten ogen. Ze boog zich naar hem over en vroeg met lange uithalen: 'Wie is de liefste dochter van de héle wereld?'

Brunetti, nog steeds met zijn ogen dicht, mompelde iets onverstaanbaars. Chiara keek hem ongeduldig aan, bracht haar hoofd nog dichter bij het zijne en herhaalde: 'Wie is de liefste dochter van de héle wereld?'

Brunetti knipperde even om te laten zien dat de vraag eindelijk was aangekomen. Opzettelijk mummelend en net zo traag als Chiara had gesproken, zei hij: 'De liefste dochter van de héle wereld is...'

Chiara, die de overwinning rook, deed een stap naar achteren om er maximaal van te kunnen genieten.

Brunetti keek op, strekte zijn hals en zei: '... Azir.' Chiara kreeg de troostprijs, want Brunetti trok haar naar zich toe en gaf haar een zoentje op haar oor.

Paola achtte dit het juiste moment om zich om te draaien en te vragen: 'Chiara, wil jij even een héél lieve dochter zijn en de borden van me aannemen?'

Chiara zette een bord met *pappardelle* met *porcini* voor Brunetti neer en dat gaf hem de kans even snel een blik in Azirs richting te werpen. Zo te zien had ze het noemen van haar naam overleefd.

Chiara ging zitten, pakte haar vork, maar keek opeens argwanend naar het eten op haar bord en vroeg: 'Mamma? Er zit toch geen spek in, hè?'

'Nee,' zei Paola verbaasd. 'Natuurlijk niet. Dat hoort niet bij *porcini*. Hoezo?'

'Omdat Azir dat niet mag eten.' Brunetti keek naar zijn dochter en vermeed de liefste dochter van de wereld aan te kijken.

'Dat weet ik, Chiara.' Toen, tegen Azir: 'Ik hoop dat je van lamsvlees houdt. Hierna heb ik lamskarbonades.'

'Ja, mevrouw,' zei Azir. Het waren de eerste woorden die ze zei sinds zijn binnenkomst, het moment waarop de ellende voor haar was begonnen. Ze had een licht accent, meer ook niet.

'Ik had *khareshe fesenjan* willen maken,' zei Paola, 'maar ik dacht dat je moeder dat vast beter zou kunnen dan ik, dus heb ik het maar bij de karbonades gehouden.'

'Kent u *khareshe fesenjan?*' vroeg Azir stralend.

Paola glimlachte met een mond vol *pappardelle.* 'Ik heb het een paar keer gemaakt, maar het is niet zo eenvoudig om de juiste ingrediënten te vinden, vooral de granaatappelsaus.'

'O, mijn tante heeft laatst een paar potten voor mijn moeder meegenomen. Ik weet zeker dat u er wel eentje mag hebben.' Brunetti keek naar het meisje en nu ze een beetje losgekomen was, zag hij dat ze een knap gezichtje had met amandelvormige ogen, omlijst door de zwartste lokken die hij ooit had gezien.

'Dat zou geweldig zijn. Misschien kun je me helpen met de bereiding.'

'Dat lijkt me enig, mevrouw. Ik vraag wel of mijn moeder het recept even opschrijft.'

'Ik ben bang dat ik geen Farsi lees,' zei Paola. Het klonk bijna verontschuldigend.

'Mag het in het Engels?' vroeg Azir.

'Uiteraard.' Paola keek de tafel rond en vroeg: 'Wil er iemand nog wat pasta?'

Er waren geen gegadigden, dus Paola wilde de borden opstapelen, maar Azir was al opgestaan en haalde de borden weg. Ze ging naast Paola bij het aanrecht staan en zette opgewekt de schalen met lamsvlees, rijst en gegrilleerde *radicchio* op tafel.

'Waar heeft je moeder Engels geleerd?' vroeg Paola.

'Ze doceerde Engels aan de universiteit in Isfahan,' zei Azir. 'Voor we weggingen.'

De laatste woorden bleven in de lucht hangen, maar niemand vroeg waarom haar familie had besloten het land te verlaten, als dat al hun eigen keuze was geweest. Het meisje had niet veel pasta gegeten, maar nu stortte ze zich met zo veel verve op het lamsvlees, dat zelfs Chiara haar niet kon bijhouden. Brunetti zag de bergjes kleine, gebogen botjes op de rand van het bord van de meisjes groeien en verbaasde zich over de snelheid waarmee de rijst leek op te lossen zodra de lepel maar in de buurt van hun mond kwam.

Paola stond op, liep met de schalen naar het fornuis en leegde de pannen. Brunetti was onder de indruk dat zijn vrouw een dergelijke sprinkhanenplaag had voorzien. Azir zei dat ze nog nooit *radicchio* had gegeten, maar ze liet zich opscheppen en in een mum van tijd maakte ze de portie op haar bord soldaat. Paola probeerde de resterende *radicchio* aan de man te brengen, maar iedereen weigerde beleefd, waarop zij en Aziz afruimden. Paola gaf haar vier kommetjes aan, pakte een schaal met fruitsalade uit de koelkast en vroeg of iedereen *macedonia* wilde.

'Waarom heet het *macedonia*, dottoressa?' vroeg Aziz.

'Ik weet het niet,' zei Paola. 'Misschien omdat Macedonië zo'n versnipperd gebied is?' Ze richtte zich tot Chiara en zoals altijd in dergelijke situaties zei ze: 'Chiara, pak de *Zanichelli* er eens bij.'

Het verklarende woordenboek stond tegenwoordig op Chiara's kamer, dus ze stond op en kwam al snel met het dikke boek aangelopen. Ze sloeg het open en bladerde onder het mompelen van '*macchia*', '*macchiare*', '*macedone*'. Eindelijk had ze het. '*Macedonia*,' zei ze, maar daarna begon ze te mummelen als iemand die iets voor zichzelf leest. Ze schoof haar kom opzij en legde het opengeslagen woordenboek voor zich. Alsof het gezelschap aan tafel volledig was opgelost, begon ze de andere lemma's te lezen.

Azir had haar fruitsalade op en bedankte voor een tweede portie. Ze stond op en vroeg of ze kon helpen met de afwas.

Brunetti schoof zijn stoel naar achteren, stond op en ging naar de zitkamer. Wie weet, dacht hij, misschien heb ik het al die jaren dat ik dacht dat Chiara de liefste dochter van de wereld was, wel bij het verkeerde eind gehad.

Na een halfuur kwam Paola de kamer in. Brunetti keek haar aan en vroeg: 'Zeg jij het of zeg ik het?'

'Wat? Dat ze het over "maar" een *vú cumprá* heeft én zich zorgen maakt dat haar moslimvriendin varkensvlees te eten krijgt?' zei Paola toen ze naast hem kwam zitten. Ze legde een boek en haar bril op de lage salontafel voor de bank.

'Iets in die trant,' zei Brunetti.

'Ze is nog maar een puber, Guido.'

'En dat wil zeggen?'

Afwezig pakte Paola het kussentje vanachter haar rug en legde het op de salontafel. Ze schopte haar schoenen uit en trok haar benen op. 'Dat wil zeggen dat de enige constante in haar leventje is dat ze inconsequent is. Ze wordt overdonderd door opvattingen en ideeën: die van ons, van haar vrienden, van films en televisie, uit boeken, wat ze op school meekrijgt.' Brunetti vroeg zich af of Paola de kennisbronnen op volgorde van importantie had opgesomd, maar hij zei niets. 'Ze moet alles afwegen en toetsen.'

Nog voor Brunetti blijk kon geven van zijn verwarring, ging Paola al verder: 'Niet dat ze nou alles ook test, maar ze roept wat en ziet dan wel hoe er gereageerd wordt. Als genoeg mensen het met een bepaalde mening eens zijn, dan verbindt ze daar de conclusie aan dat het een oké standpunt is, maar als ze wordt tegengesproken, dan moet ze zich achter de oren krabben en een andere mening ventileren. Het is de leeftijd. Er gebeurt nogal wat in dat koppetje van haar en het is niet gemakkelijk om ideeën te vormen zonder dat ze zich zorgen maakt over wat haar vriendinnen van haar denken. Hetzelfde geldt voor wat ze draagt, eet, drinkt, waar ze naar kijkt en naar wat voor muziek ze luistert.'

'Ziet ze dan zelf niet hoe inconsequent het is?'

'Dat ze zich zorgen maakt over de ene buitenlander en de dood van een andere niet al te serieus neemt?'

'Precies.'

Ze ging wat gemakkelijker zitten en kroop tegen Brunetti aan, haar schouder tegen zijn borst. 'Ze kent Azir, vindt haar aardig, dus zij is echt voor Chiara. De zwarte man was een vreemde zonder gezicht. En ze is waarschijnlijk nog te jong om te zien hoe mooi ze zijn.'

'Om wat te zien?' vroeg Brunetti.

'Hoe mooi ze zijn,' herhaalde Paola.

'De *vú cumprá?*'

Ze keek naar Brunetti's gezicht en vroeg: 'Heb je ooit naar ze gekeken, Guido? Écht gekeken? Het zijn heel mooie mannen: lang en gespierd en in uitstekende conditie, en veel mannen hebben een gezicht dat wel gebeeldhouwd lijkt.' Toen hij nog steeds niet overtuigd leek, vroeg ze: 'Of vind jij het prettiger om naar dikke toeristen in korte broek te kijken?' Zich realiserend dat hij geen antwoord zou geven, keerde ze terug naar het oorspronkelijke onderwerp. 'Het is naar dat ik het moet zeggen, maar het is ook een kwestie van standsverschil.'

'Standsverschil?'

'De ouders van Azir zijn academici en de Afrikaan was een straatventer.'

'Maakt dat haar denkwijze meer of minder kwalijk?'

Paola dacht er even over na en zei: 'Mínder, ben ik geneigd te zeggen.'

'Hoezo?'

'Omdat díé denkwijze eenvoudiger te corrigeren is.'

'Ik snap er niets meer van,' zei Brunetti, zoals wel vaker het geval was als Paola te abstract werd.

'Kijk, Guido. Als haar ideeën gevoed worden door rassenwaan, als ze écht denkt het ene ras beter is dan het andere, dan komt dat ergens vanuit haar binnenste en dan is het moeilijk om redelijk met haar te kunnen praten. Als ze denkt dat de ene groep mensen beter is dan de andere omdat ze meer geld hebben of een betere opleiding hebben genoten, dan komt ze er vroeg of laat wel achter dat er voorbeelden te over zijn om dat te weerleggen.'

'Moeten we er met haar over praten?'

'Nee,' zei Paola beslist. 'Ze is zeker niet dom, dus daar komt ze vanzelf wel achter.' Brunetti zei niets en Paola voegde eraan toe: 'Tenminste, dat hoop ik voor haar én voor ons.'

'Is het bij jou ook zo gegaan?' vroeg Brunetti. Het was hem een raadsel hoe Paola, een telg van een bijzonder welgestelde familie, er denkbeelden op na kon houden die zó verschilden van die van de sociale en economische waarden die in haar klasse heersten.

'Ik had er niet zo'n probleem mee,' zei ze, 'omdat ik er nooit zo over heb gedacht. Toen ik opgroeide, had ik geen enkele aanleiding te geloven dat wij beter waren dan de medemens. Anders, dat wel, want met al het geld dat er was kon je dat natuurlijk niet verhullen.' Ze keek hem aan en hield haar hoofd een beetje schuin, zoals altijd wanneer ze een nieuw gezichtspunt had. 'Weet je, Guido? Je zult het misschien niet geloven, maar ik heb me nooit gerealiseerd dat we vermogend waren. Mijn vader ging net als alle andere vaders gewoon naar zijn werk, zie je. Het waren andere dingen...'

Brunetti keek naar haar en zag dat ze nadacht over hoe ze het kon formuleren.

'Het was meer een kwestie van hoe je over bepaalde dingen dacht en dat hoefde niet eens uitgesproken te worden. In het gezin, bedoel ik. Ik heb bepaalde dingen meegekregen wat betreft mijn beoordeling van mensen.'

'Geef eens een voorbeeld,' zei Brunetti.

'Een minder gunstig voorbeeld is dat we weinig begrip hadden voor mensen die niet werkten. Het maakte mijn ouders niet uit wát je deed, of je nou bankdirecteur was of iets met je handen deed, het ging erom dat je iets deed en dat het werk je voldoening schonk.'

Ze ging rechtop zitten en keek hem aan. 'Daarom is mijn vader ook zo over je te spreken, Guido. Hij weet hoe belangrijk je werk voor je is.'

Brunetti werd altijd een beetje kriebelig als Paola's vader ter sprake kwam, zeker waar het diens voor- of afkeur betrof, vandaar dat hij maar gauw terugging naar het onderwerp Chiara.

'Wat doen we nou met onze dochter?'

'Dat komt heus wel in orde,' zei ze beslist. 'Ik was even bang dat ik haar te hard had aangepakt, maar ik geloof dat ik de juiste weg heb bewandeld.'

'Het is in ieder geval beter dan een pak rammel.'

'En effectiever,' vulde ze aan. Ze leunde in de kussens van de bank en zei: 'We moeten maar rustig afwachten.'

'Afwachten?'

'Ja, we zien wel hoe het allemaal uitpakt.' Ze leunde voorover, pakte haar bril en sloeg haar boek open.

22

BRUNETTI GING HET HUIS UIT, OPGELUCHT DAT HIJ EEN VERDERE discussie over de grillen van het adolescente vrouwelijke brein kon ontlopen. De jaren hadden de herinnering aan zijn eigen puberteit doen vervagen, de angst niet geaccepteerd te worden door vrienden. Hij had wel begrip voor de onzekerheid van zijn dochter, maar omdat hij niet meer wist hoe sterk die gevoelens konden zijn, was hij zelf ontdaan over het feit dat hij haar haar opmerking zo gemakkelijk had kunnen vergeven.

Er was nog genoeg van zijn colleges filosofie blijven hangen om te weten dat de mens zich algauw op een hellend vlak begaf en dat Chiara's harde oordeel heel goed kon resulteren in het weigeren van hulp en bijstand. Hij had haast om op de Questura te komen, dus hij stond maar niet te lang stil bij de vraag hoe het zat met zijn eigen opvattingen, zoals die over mensen uit het zuiden van het land.

Op zijn bureau lag een boodschap of hij signor Claudio wilde bellen. Hij pakte Franco Rossi's *telefonino* en was pas gerustgesteld toen de oude heer zelf opnam.

'Ik ben het, Claudio,' zei Brunetti.

'Fijn dat je terugbelt. Wat ik wilde zeggen, is dat ik mijn kennis weer aan de lijn heb gehad. Ik neem aan dat je wilt horen wat hij te melden had.'

'Die man in Antwerpen?'

'Ja.'

'Vertel maar.'

'Om precies te zijn, ik heb hem vandaag twee keer gesproken. De eerste keer zei hij dat het Afrikaanse edelstenen waren, dus zei ik maar we dat al wisten. Toen hij me de tweede keer belde, had hij intussen met iemand anders overlegd.'

'Als die iemand maar te vertrouwen is,' flapte Brunetti eruit.
'Guido, niemand is discreter dan een Antwerpse diamantair.
Daarbij vergeleken zijn Zwitserse bankiers kletskousen.'
'Mooi,' zei Brunetti opgelucht. 'Neem me niet kwalijk dat ik je
onderbrak. Wat had hij?'
'Die collega zei dat ze uit Kansai kwamen en mijn contact is het
daarmee eens.'
'Kansai? Nooit van gehoord,' zei Brunetti.
'Het is een gebied in West-Afrika. Het ligt in Congo, maar sommige pijpen lopen door tot op Angolees grondgebied, dus er wordt
constant strijd over geleverd. Er is daar sprake van een oorlogssi-
tuatie, dus grenzen zeggen de mensen daar niet zo veel.'
'Is het honderd procent zeker?' vroeg Brunetti. Niet dat hij wist
of het er veel toe deed, maar hij werd een beetje moe van alle slagen om de arm, al het giswerk. Hij had behoefte aan zekerheden,
aan feiten, en het maakte eigenlijk niet uit of het nou belangwek-
kende zaken betrof of niet.
Het was even stil aan de andere kant van de lijn, toen: 'Niet
honderd procent, nee, maar die collega heeft ze lang genoeg gehad
om ze te testen met dat instrument waarover ik je heb verteld. Het
kleurpatroon wijst op Kansai. Als je beter op de hoogte was van
de technologie, Guido, zou je het begrijpen, maar ga er maar van
uit dat het negentig procent zeker is.' Brunetti zei niets, maar
Claudio ried zijn gedachten en zei: 'Nee, meer dan negentig pro-
cent zekerheid kan geen mens je bieden.'
'Oké,' zei Brunetti. 'Wil je de heren uit mijn naam bedanken?'
Het was even stil, dus vroeg hij: 'Heb je verder nog iets?'
'Ja. Een kennis van me is ongeveer een week geleden door een
Afrikaan benaderd.'
'Hier in Venetië?'
'Ja. Een juwelier.'
'Hoezo benaderd? Met diamanten?'
'Ja.'
'De bewuste partij?'
'Dat weet ik niet. Ik weet alleen dat het een Afrikaan was en dat
hij een partij te koop had.'
'En?'
'Mijn kennis heeft ernaar gekeken en voor de eer bedankt.'
'O? Waren ze te duur?'
'Nee, eigenlijk het tegenovergestelde.'
'Hè?'

'Ze waren juist goedkoop. Die man wilde ze kwijt voor de helft van de marktwaarde. Mijn kennis heeft me niet gezegd om hoeveel stenen het ging, maar de Afrikaan zei dat hij er meer dan honderd had. Verder kon ik niets uit hem krijgen, Guido.'

'Dus hij heeft de boel niet gekocht?'

'Nee.'

'En toen?'

'De man die ze wilde verkopen was heel verbaasd, wat er volgens mijn kennis op wijst dat de man heel goed wist dat hij met zijn vraagprijs onder de marktwaarde zat.'

'Waarom heeft die kennis van je ze dan geweigerd?'

Het antwoord liet even op zich wachten, maar toen zei Claudio: 'Niet iedereen wil handelen in diamanten waarvan het vermoeden bestaat dat er bloed aan kleeft. Zo simpel ligt het en in dit geval zei mijn kennis dat het er dik bovenop lag.'

'Hij heeft dus wel een koopje aan zich voorbij laten gaan.'

'Klopt,' zei Claudio. 'We verdienen genoeg in dit vak dat we ons kunnen permitteren gewetensvol te handelen.'

'Denkt het merendeel van je vakbroeders er zo over?' vroeg Brunetti.

'Nou,' zei Claudio, 'dat wil ik niet beweren.'

'Wat heeft het dan voor zin?'

'Zoals ik al zei, er kleefde bloed aan die partij. Ik ken ook mensen die er geen probleem mee zouden hebben. Die zeggen dat het hun probleem niet is waar ze vandaan komen of wat er met de opbrengst gebeurt, of er wapens met dat geld worden gekocht. Ze kopen een partij en daar houdt het wat hen betreft mee op.'

'Jij bent het daar niet mee eens, begrijp ik.'

'Niet naar de bekende weg vragen, Guido,' klonk het kregelig. Brunetti hoorde hem even diep ademhalen, toen: 'Breek me de bek niet open. Ik ben een oude man en wil gewoon met rust gelaten worden.'

'Volgens mij lukt dat je heel aardig,' zei Brunetti, die spijt had dat hij zijn vriend op de kast had gejaagd. 'Zei die kennis van je hoe die man eruitzag?'

'Nee, alleen dat het een Afrikaan was. Ik weet wat ze zeggen, Guido: "Ze zien er toch allemaal hetzelfde uit".'

'Wat voor taal sprak die Afrikaan?' vroeg Brunetti, die zich opeens realiseerde dat Angola ooit bij Portugal had gehoord.

'Italiaans, en volgens mijn kennis vrij goed ook.'

'Nog iets over een accent?'

'Nee, maar als het een Afrikaan was, zal hij dat wel gehad hebben, toch?'

'Ja, dat lijkt me ook,' zei Brunetti. Hij liet het er verder maar bij zitten en vroeg: 'Heb je enig idee wie hij nog meer heeft kunnen benaderen nadat je kennis de partij had geweigerd?' Toen, nog voor Claudio antwoord kon geven: 'Wanneer vond dat gesprek eigenlijk plaats?'

'Ergens vorige week,' zei Claudio. 'Laat me even nadenken... Ja, afgelopen vrijdag. Een paar dagen voordat hij vermoord werd, niet?'

'Klopt. Misschien heeft hij niet eens meer de tijd gehad om met iemand anders te onderhandelen, maar stel dát hij zijn best nog heeft gedaan, kun je iemand bedenken bij wie hij het misschien nog geprobeerd heeft?'

Claudio zweeg en de stilte duurde zo lang, dat Brunetti zich er een beetje ongemakkelijk bij voelde, maar uiteindelijk hoorde hij: 'De enige aan wie ik kan denken is Guelfi. Hij heeft een winkel in San Lio, maar je kunt je de moeite besparen. Van hem word je niets wijzer.'

'Hoezo?' Brunetti pijnigde zijn hersenen om te bedenken waar in San Lio een juwelierszaak zat.

'Gewoon,' zei Claudio, 'een principekwestie, denk ik. Hij praat nooit over zijn werk, geeft geen inlichtingen, heeft nooit een tip. Geloof me nou maar, met hem verdoe je je tijd.'

'Dat is goed,' zei Brunetti, maar hij liet er onmiddellijk op volgen: 'Ik bedoel, ik begrijp het. Verder nog wat?'

'Niet echt, nee. Mijn kennis en ik zijn de enigen in de stad die een dergelijke partij aankunnen en bij hem is hij dus geweest.'

'Zeker weten?'

'Ja. Vertrouw me nou maar,' zei hij waarop hij de verbinding verbrak.

Angola. Was dat het land waar opstandelingen het kabinet op het strand hadden afgeslacht? Of waren de ministers van de omvergeworpen regering domweg verdwenen? Brunetti had ergens gelezen dat mensen door de media zo veel ellende voorgeschoteld kregen, dat je kon spreken van 'ellendemoeheid', maar deze berichten waren zo gruwelijk, dat 'gruwelmoeheid' meer op zijn plaats was. Hij kende iemand in Rome, een voormalige cameravrouw van RAI, die voor haar werk in alle brandhaarden ter wereld was geweest. Nadat ze teruggekomen was uit Rwanda had ze haar ontslagbrief geschreven waarin alleen maar stond: *ik kan gewoon geen massagraven meer zien.*

Brunetti was een fervent lezer met diverse interesses, maar net zomin als Paola kon hij zich ook maar een voorstelling maken van wat zich allemaal afspeelde op het donkere continent. Het Westen begeerde de daar aanwezige bodemschatten en op iedere straathoek stonden schurken die ze graag verpatsten. Misschien had kapitein Kurtz uit *Apocalypse Now* toch gelijk met zijn uitroep: *'The horror. The horror'.*

Stel dat de Afrikaan de partij diamanten had weten te verkopen, wat had hij dan met de opbrengst willen doen? Als de partij van diefstal afkomstig was, had hij de opbrengst vermoedelijk aan zichzelf besteed. Dat scenario leek niet erg waarschijnlijk, want waarom zouden de twee ministeries zich er dan mee bemoeien, zij het dat ze er niet mee te koop liepen. Binnenlandse Zaken had immigratie in de portefeuille, dus Brunetti kon hun inmenging nog wel plaatsen, maar waarom moest het zo geheimzinnig allemaal?

Wat de bemoeienis van Buitenlandse Zaken betrof, daar kon een aantal redenen voor zijn. Misschien was de Afrikaan een misdadiger die ze in de gaten wilden houden. Of ze dachten dat hij een terrorist was, een begrip dat tegenwoordig maar al te vaak werd gebezigd als er arrestaties werden verricht. Misschien hielden ze hem in de smiezen omdat de figuren die de man hadden gemarteld dat geëist hadden en was het een door politieke belangen ingefluisterde vriendendienst.

Toen Brunetti pas bij de politie zat, waren dergelijke dingen nooit bij hem opgekomen, ondanks de propaganda van links, ondanks de politieke overtuiging van zijn vrouw, maar nu, na een jarenlange carrière bij de uitvoerende macht, moest hij toegeven dat hij niets kon uitsluiten, hoe ongeloofwaardig en laag ook.

Hij zat aan zijn bureau en staarde naar de muur tegenover hem. Hij pijnigde zijn hersenen wat de reden kon zijn voor het belemmeren van een onderzoek naar de moord op een buitenlander. Het was duidelijk dat het de ministeries er niet om te doen was de daders op te pakken. Als dat zo was, hadden ze de zaak wel aan de politie overgelaten.

Waarom hadden zij de diamanten niet gevonden? Waarom waren ze er zo laat naar op zoek gegaan? Blijkbaar wisten de moordenaars, hun opdrachtgevers, wie dat dan ook waren, niet waar het slachtoffer woonde en waren er om die reden een paar dagen overheen gegaan. Waren de overige bewoners van het pand vertrokken voordat de appartementen waren doorzocht of hadden ze pas de benen genomen nadat ze erachter waren gekomen? Hij trok de onderste bureaula open en pakte het telefoonboek waarin hij de foto's van het slachtoffer had verstopt. Hij bekeek de foto en staarde naar het gezicht, zo vredig in de dood, en naar de symmetrie die zo'n knappe man van hem had gemaakt. 'Was jij nou een goeie knul of juist een kwaaie?' vroeg hij de foto, eerst in het Italiaans, daarna in het Engels. Hij stopte de foto's terug in het telefoonboek en legde het weer in de la. Het werd tijd om zijn schoonvader om advies te vragen.

Graaf Orazio Falier liet hem weten dat hij op het punt stond om naar het vliegveld te gaan, maar Brunetti zei dat hij hem heel graag even wilde spreken, dus bood de graaf aan bij de steiger van het Danieli langs te varen en Brunetti daar op te pikken. Ze konden dan op weg naar het vliegveld praten en Massimo, de schipper, zou Brunetti weer in de stad afzetten. Brunetti vond het een uitstekend idee en zei dat hij er met tien minuten zou zijn.

Hij keek naar buiten en zag dat het nog steeds regende, dus pakte hij de paraplu die achter in de kast stond, trok zijn jas aan en liep de trap af.

De glazen deuren van de Questura stonden open en er was geen agent te zien. In het voorbijgaan keek hij in het kamertje van de agent die de deur in de gaten moest houden, maar er zat niemand. Er lag een politiepet op het bureau en over de rugleuning van zijn stoel hing een riem met holster en naar alle waarschijnlijkheid een dienstpistool. Brunetti dacht er even over om het pistool in het *canal* te gooien, maar het vooruitzicht van alle administratieve rompslomp die dat met zich mee zou brengen, weerhield hem ervan. Hij trok de deur van het kamertje dicht en zodra hij buiten was, deed hij hetzelfde met de voordeur.

Op de Riva degli Schiavoni greep de wind die van het *bacino* woei zijn paraplu, die eerst in de lucht leek te vliegen, toen achter hem, waarna de stof van de baleinen werd losgerukt en hij niet meer vasthield dan een zielig, kapot hoopje stof met metalen pennen. Hij liep door de striemende regen naar de steiger. De boot van de graaf lag er al en Massimo, gehuld in een gele oliejas, wachtte hem op. De schipper reikte hem de hand en trok hem tegen de wind in de boot op. Brunetti gleed uit op de bovenste tree en struikelde haast de volgende twee treden af, maar Massimo ving hem net op tijd op.

'*Buena sera*, commissario,' zei hij en verloste Brunetti van wat er over was van de paraplu.

Brunetti bedankte hem, duwde de dubbele deur open en ging, iets voorzichtiger nu, de twee treden af die naar de kajuit voerden. De graaf sprak in zijn *telefonino*, maar zodra hij Brunetti zag, zei hij: 'Ik spreek je nog,' en hing op. De graaf schonk zijn bezoeker een brede glimlach en heel even zag Brunetti een glimp van de jaren die zich altijd achter het immer gebruinde gelaat van de graaf verscholen. Het was niet meer dan een glimp, een flits van sterfelijkheid, die meteen werd verdrongen door de helderblauwe ogen, het dikke witte haar en de manier van doen die wees op vanzelfsprekend welzijn. Het verbaasde Brunetti dat de graaf geen jas aanhad, maar toen hij de warme lucht op zijn gezicht en handen voelde, begreep hij het.

Hij liep naar achteren, schudde de uitgestoken hand van de graaf en liet zich op een van de houten banken zakken die aan weerszijden van de kajuit stonden. 'Man, wat een weer,' zei Brunetti terwijl hij zijn handen wreef in een poging ze droog en warm te krijgen.

'Moet ik Massimo vragen wat harder te stoken?' vroeg de graaf, die al half overeind kwam.

'Nee, dank u,' zei Brunetti, die zijn hand op de schouder van zijn schoonvader legde en hem zachtjes terugduwde. 'Ik krijg het al warm.' Hij maakte de knopen van zijn jas los en zonder op te staan, wurmde hij zich eruit. Hij legde de jas naast zich neer en keek naar zijn voeten. Alweer een paar doorweekte schoenen. 'We kunnen de regen wel gebruiken,' zei hij om maar iets te zeggen.

'Geheel in de geest van de moderne tijd,' zei de graaf. Brunetti had geen idee waar dat op sloeg.

Het geronk van de motor zwol aan en toen Brunetti uit het raam keek, zag hij dat ze van de steiger wegvoeren en het *bacino* op gingen. 'Fijn dat u even tijd hebt,' zei Brunetti. 'Waar gaat u eigenlijk heen?'

'Naar Londen.' Daar bleef het bij.

'U bent toch wel voor Kerstmis terug?' vroeg Brunetti, die bang was dat zijn kinderen het feest een avond met hun grootvader door te brengen, zouden missen.

'Vanavond al.'

Een jongere, minder wereldwijze Brunetti had zich afgevraagd of je een dergelijke reis wel in één dag kon maken, maar iemand die al twintig jaar geparenteerd was aan de familie Falier, vroeg dat niet.

'Omdat we maar even hebben, wilde ik maar meteen terzake komen als dat mag,' begon Brunetti.

'Natuurlijk. Dachten mijn zakenrelaties er maar net zo over.'

'Vijf dagen geleden,' stak Brunetti van wal, 'is er een Afrikaan doodgeschoten op het Campo Santo Stefano.' De graaf knikte alleen maar. 'Ik heb zijn appartement doorzocht en heb daar wat wordt geschat op zes miljoen euro aan ruwe diamanten gevonden. De diamanten zijn naar alle waarschijnlijkheid afkomstig uit Afrika, om precies te zijn uit de grensstreek van Angola met Congo. Later is het appartement opnieuw doorzocht, door de moordenaars of door iemand anders die van die stenen af wist. Een paar dagen voor de moord heeft een Afrikaanse man geprobeerd een plaatselijke handelaar een groot aantal diamanten te verkopen, maar die is er niet op ingegaan.'

Brunetti zweeg om te zien of de graaf al wat wilde zeggen. Het zag er niet naar uit, maar toen de stilte aanhield, zei de graaf: 'Ik heb nog niets gehoord waar ik wat op kan zeggen. Als dit het is, Guido, dan kan ik je niet helpen. Ik neem aan dat het een beetje gecompliceerder wordt.'

'Dat komt nog,' zei Brunetti. 'Zowel Binnenlandse als Buitenlandse Zaken heeft interesse getoond in de zaak.'

'Werken die twee samen?'

'Dat geloof ik niet. Ik krijg de indruk dat ze los van elkaar opereren. Binnenlandse Zaken heeft Patta laten weten dat zij de zaak van ons overnemen, maar Buitenlandse Zaken heeft onze computerbestanden geplunderd.'

'Ik zal maar niet vragen hoe je daar nou weer achter bent gekomen.'

'Goed idee,' antwoordde Brunetti.

De graaf sloeg zijn benen over elkaar en zette zijn handen naast zich op de stoel om wat rechterop te gaan zitten. Hij draaide zich half om en keek naar buiten. Brunetti's blik volgde de zijne en ze zagen de metalen constructie van het stadion en de afgedankte *vaporetto*-haltes die de ACTV aan het einde van Sant'Elena opsloeg.

De warmte, zijn wasemende kleren en het constante gestamp van de motor maakten Brunetti een beetje daas. De graaf keek zwijgend naar buiten.

De boot maakte abrupt slagzij toen ze het open water van de *laguna* bereikten. 'Dat bedrag van zes miljoen is natuurlijk maar relatief,' zei de graaf. 'Voor de meeste mensen is het natuurlijk een enorme som geld waar ze alleen maar van kunnen dromen, maar voor anderen is het weer niet zo veel.' Brunetti vroeg zich af met welke groep mensen de graaf zich in dit geval identificeerde. 'Voor een Afrikaan, nou ja, de meeste Afrikanen, is het een astronomisch bedrag, misschien zelfs zo gigantisch dat het bijna abstract is. Dus moet je je voorstellen wat een Afrikaan met de opbrengst van de diamanten zou kunnen doen. Als het voor eigen gewin was, zou hij ze waarschijnlijk per stuk willen verkopen, misschien aan een groothandel, misschien aan een juwelier, hoewel ik niet weet of die geïnteresseerd zijn in ruwe diamanten. Stel dat hij er zo nu en dan een paar weet te verkopen, dan heeft hij een tijdlang een aardige bron van inkomsten. Hij moet ze dan natuurlijk wel ergens op een veilige plek bewaren.' De graaf keek Brunetti aan om te zien of hij wel luisterde. 'Zei je nou dat hij de partij in één klap wilde verkopen?' Brunetti knikte, waarop de graaf zijn hoofd tegen de rugleuning liet rusten en zijn ogen dichtdeed. 'Als dat zo is, dan wilde hij dus blijkbaar veel geld ineens vangen.' Hij keek zijn schoonzoon aan en vroeg: 'Ik neem aan dat jij ook al op dat punt was aangekomen?'

'Om wapens te kopen,' zei Brunetti, 'en ik wilde u vragen of u iemand weet die in dat soort zaken zit.'

De graaf sloot zijn ogen weer en zei: 'Guido, je stelt me ook nooit teleur.' Hij glimlachte, schudde zijn hoofd en zei: 'Een volgende keer, als je tóch al je conclusies hebt getrokken, hoef je mijn ijdelheid niet te strelen door me mijn slimheid te laten bewijzen.'

'Afgesproken.'

Ze zwegen en keken naar buiten, naar de genummerde meerpalen die langs hen gleden. 'Zodra de wapendeal is gesloten – en dat is nog niet eens het moeilijkste deel van de operatie – zitten ze met het probleem van het transport. Dan wordt het pas gecompliceerd.'

Brunetti had geen idee hoeveel en wat voor type wapens je kon kopen voor zes miljoen euro, als de diamanten dat inderdaad zouden opbrengen. Uzi's en kalasjnikovs waren dankzij film en televisie bekende begrippen geworden, maar als hij zich een voorstelling maakte van de hoeveelheid die verscheept moest worden, dan vervaagde het beeld.

'Goed,' zei de graaf, 'ze vervoeren ze in vrachtwagens naar een haven, je hebt een vervalste vrachtbrief nodig, de douane moet omgekocht worden en je hebt een rederij nodig die het zaakje wil verschepen. Als het schip uiteindelijk de haven van bestemming binnenloopt, moet de boel daar in vrachtwagens worden overgeladen om verder over land vervoerd te worden. Wat ik maar even de logistiek van de onderneming noem, slokt hier in het land al een aardige bom duiten op en ter plaatse komt daar natuurlijk nog het een en ander bij.' Hij legde zijn hand op Brunetti's arm en ging verder: 'Een dergelijke operatie vergt een goed geoliede organisatie, zeker hier. Ik heb zo'n vermoeden dat het slachtoffer verantwoordelijk was voor de transactie.' De graaf veegde condens van het raam, pakte zijn zakdoek en droogde zijn hand af, maar het zicht was er niet veel beter op geworden.

'Ik begrijp alleen niet waarom hij die diamanten hier aan de man moest brengen. Meestal worden dergelijke zaken veel eerder geregeld.'

'Verklaar u nader,' zei Brunetti.

'Normaal gesproken is alles in kannen en kruiken voordat de stenen in Europa aankomen en meer dan eens worden dergelijke zaken op regeringsniveau bekokstoofd. Het is in feite heel simpel: diamanten in ruil voor wapens, waardoor er geen grote sommen geld op tafel hoeven te komen. Voor het vervoer wordt meestal een klein percentage van de totaalwaarde berekend.'

Brunetti piekerde over het 'regeringsniveau', maar voor hij zijn bezorgdheid had uitgesproken, voelde hij het gestamp van de motor afnemen en zag hij dat ze de nauwe vaargeul naar de steiger van het vliegveld in voeren. Hij keek op zijn horloge en vroeg: 'Hoe laat gaat uw vliegtuig?'

'Maak je geen zorgen,' zei de graaf. 'Ze wachten wel.'

De boot voer naar de aanlegsteiger. Massimo keek even de kajuit in, maar toen hij zag dat de graaf geen aanstalten maakte om op te staan, zette hij de motor in zijn vrij en legde niet aan. Brunetti keek naar de verlaten terminal en zag dat het niet meer regende.

'Wat je me nog niet hebt gevraagd, Guido, is waarom ze die man hebben vermoord.'

'Om hem de diamanten afhandig te maken.'

'Kan zijn, maar geloof je dat nou echt?'

'Om de deal te torpederen,' zei Brunetti.

'Je bedoelt de wapendeal?'

'Ja, dat denk ik.'

'Vandaar dat je wilt weten wie de eventuele wapenleverancier is, omdat je via hem wellicht bij de moordenaar terechtkomt.'

'Klopt. Volgens mij is dat de enige mogelijkheid.'

'Als ik zo vrij mag zijn,' zei de graaf, 'de wapenhandelaar lijkt me nou de laatste om die man uit de weg te willen ruimen. Dan zou de koop toch afketsen? Daarbij, wapenhandelaren zijn over het algemeen geen moordenaars.'

Brunetti reageerde daar maar niet op.

'De bemoeienis van die twee ministeries, daar zit ik mee,' ging de graaf verder. Hij keek naar zijn schoot, plukte een pluisje van zijn broekspijp en keek Brunetti weer aan. 'Het is trouwens niet ongebruikelijk dat de verkoop van wapens, zoals je weet een van onze lucratiefste bedrijfstakken, met eh... medeweten van de regering plaatsvindt. Maar meestal is bekend wie de kopende partij is.'

'Een andere regering, bedoelt u?'

'Ja, of een groepering die een zittende regering wil omverwerpen.' Hij glimlachte sluw en zei: 'De Amerikanen zijn niet de enigen die hun onwelgevallige leiders afzetten om die te vervangen door lieden die hun zakelijke belangen beter dienen.' Alweer dat glimlachje. 'Nog beter, dat wil zeggen voor de handelskant van de zaak, is als er geen zicht is op het staken van de vijandelijkheden, waardoor de zaken doorgaan zolang de wapens maar betaald kunnen worden. Het mes snijdt dan voor alle belanghebbenden aan twee kanten.'

De graaf keek Brunetti een tijdlang aan en hief zijn hand op alsof hij die op zijn schouder wilde leggen maar deed dat toch niet. Hij legde zijn arm weer op de stoel naast zich en ging verder. 'De bemoeienis van die twee ministeries doet me vermoeden – ik mag wel zeggen vrezen – dat dit wel eens een heel netelige zaak kan zijn. Natuurlijk, nu er iemand is vermoord, hébben we het al over een gevaarlijke situatie, maar ik denk daarbij aan jou, Guido, en aan ieder ander die de heren in de weg staat.'

Op het moment dat Brunetti wilde reageren, voer er een boottaxi veel te snel voorbij en op een paar meter van de steiger zette de bestuurder de motor abrupt in zijn achteruit. De golfslag die dat veroorzaakte, sloeg tegen de zijkant van hun boot en Brunetti kon maar ternauwernood voorkomen dat hij naar voren werd geslingerd.

'Kom,' zei de graaf, 'dit is niks.' Hij liep naar de kajuitstrap, tikte tegen de ruit, waarop Massimo schakelde en de boot voorzichtig naar de steiger voer. De schipper pakte het meertouw en sprong aan wal. Hij trok de boot tot vlak aan de steiger en hielp de graaf met uitstappen. Brunetti maakte aanstalten om ook uit te stappen, maar de graaf draaide zich om en zei: 'Massimo brengt je terug, hoor.'

Brunetti knikte, waarop de graaf zei: 'Ik leg mijn oor te luisteren, bel wel een paar mensen en als het maar enigszins mogelijk is, houd ik je op de hoogte van mijn bevindingen.'

Opnieuw was er deining. Brunetti moest zich vasthouden en goed opletten waar hij zijn voeten zette. Toen hij opkeek, zag hij een chauffeur in livrei en een donkergrijze Lancia met draaiende motor en een geopend achterportier.

Massimo sprong weer op de boot en zette de motor in zijn achteruit. 'Zal ik u bij de Questura afzetten, dottore, of bij uw huis?' 'Bij mijn huis graag, Massimo.' Brunetti keek naar het vasteland en zag de auto optrekken voor het korte ritje naar de terminal. Terwijl de boot koers zette naar de stad, dacht Brunetti aan de woorden van zijn schoonvader, dat hij Brunetti 'als het maar enigszins mogelijk is' op de hoogte zou houden. Hij voelde zich opeens wat onbehaaglijk en vroeg zich af of hij, net als Claudio, een oude dwaas was die zijn relaties te veel vertrouwen schonk.

23

DE VOLGENDE OCHTEND, TOEN BRUNETTI IN DE ZITKAMER HET tweede kopje koffie van die dag dronk, werd hij door het heldere daglicht naar het balkon gelokt. Het was bij lange na niet warm te noemen, maar toch lekker genoeg om een paar minuten buiten te staan en te genieten van de reflectie van de zon op de natte dakpannen naast en onder hem. Er was geen wolkje aan de lucht en zelfs op dit vroege uur prikte het zonlicht in zijn ogen. De regen was meer dan welkom geweest, maar nu hoopte hij dat het schitterende weer zou aanhouden en dat de somberte van de afgelopen week zou verdwijnen.

Toen hij het door zijn colbert heen koud kreeg, ging hij terug naar binnen, zette zijn koffiekopje op de salontafel, bedacht zich en bracht het naar de keuken. Hij overwoog een sjaal en handschoenen te pakken, maar besloot er maar het beste van te hopen, dus hij liet het bij een overjas en ging de deur uit.

Het weer had duidelijk effect op het humeur van de mensen op straat en zelfs de man van de krantenkiosk, die anders altijd even somber was als de koppen van de kranten die hij verkocht, mompelde *'grazie'* toen hij Brunetti zijn wisselgeld teruggaf. Brunetti besloot maar te gaan lopen en als dit het broeikaseffect was waar Vianello het altijd over had, dan had de wereld wel meer te vrezen.

Hij ging rechtsaf langs het Canal di San Lorenzo. Hij bleef even staan om te kijken of er enige voortgang was met het huis van de graaf, dat al tijden in de steigers stond. Het zag ernaar uit dat de ramen op de derde verdieping er eindelijk in zaten, want Brunetti had ze niet eerder gezien. Een bouwvakker kwam de steiger af en liep over het *campo* weg. Gedachteloos keek Brunetti hem na. Toen de man een bouwkeet in ging, zag Brunetti twee mannen op een bankje zitten, twee zwarte mannen. Het bankje stond aan de kade, waardoor het tweetal goed zicht had op de voorkant van de Questura. Hij stond te ver van hen af om het goed te zien, maar hij dacht dat het de twee waren die hij had gesproken: de leider en de broodmagere die zijn hand naar Brunetti had geheven. Brunetti liep in de richting van de brug, bleef staan en keek over het water van het *canal* naar de mannen. Hij wist nu zeker dat ze hem hadden herkend. Ze brachten hun hoofden iets dichter bij elkaar en hij zag hen met heftige gebaren praten. Ze wezen in de richting van Brunetti, of misschien naar de Questura. De rechterarm van de jongste hing slap op zijn schoot. Ze zaten in de zon en Brunetti voelde er weinig voor om naar het tweetal toe te lopen. Hoewel ze niet ver van hem vandaan zaten, kon hij hun stemmen niet horen, en het was net of hij keek naar een televisie waarvan het geluid was afgezet.

Brunetti hoorde rechts van hem een aanzwellend geluid. Hij keek die kant op en nog voorbij de eerste brug zag hij een politieboot met blauwe zwaailichten aan komen varen. De boot voer dermate hard dat er golven op het *canal* stonden, maar gezien de vaart waarmee ze vervolgens onder de tweede brug door voeren, maakte niemand zich daar zorgen over. Met veel geronk stevende de boot af op de steiger van de Questura. De schipper, de jonge agent die hem de dag ervoor thuis had afgezet, sprong aan wal en bond de tros aan de meerpaal. Hij ging rechtop staan en salueerde. Allereerst stapten er twee mannen in kogelvrije vesten uit, het machinegeweer kruiselings voor hun borst, en daarna, vlak na elkaar, de praetore van de stad, de questore en vice-questore Patta. Als laatste stapte een man in een net pak uit van wie Brunetti vaag het idee had hem wel eens eerder te hebben gezien. De twee gewapende mannen hielden de boel goed in de gaten, want om beurten keken ze het *canal* en het *campo* aan de andere kant van het water af. Brunetti volgde hun blik en het verbaasde hem niet dat de twee Afrikanen verdwenen waren.

Hij herkende de bewakers niet, dus hij besloot maar even niet naar de Questura te gaan. Ze liepen nu naar de deur, de ene ging naar binnen en de andere hield de deur open voor de vier mannen die snel naar binnen gingen.

Brunetti liep naar Foa, die de boot met een tweede touw vastmaakte. Hij zag Brunetti aankomen en salueerde.

'Wat was dat nou allemaal?' vroeg Brunetti. Hij stond met zijn handen in zijn zakken en maakte met zijn hoofd een gebaar richting Questura.

'Ik weet het niet, meneer. Ik moest de vice-questore om halfnegen bij hem thuis ophalen en van daaruit zijn we naar de questore gegaan.'

'Die jongens met die geweren, wie zijn dat?'

'Die horen bij die ene in dat pak, van wie ik de orders heb ontvangen. Hij was hier al om acht uur en had een brief bij zich.'

'Heb je die nog?'

'Nee, zodra ik hem had gelezen wilde hij hem terug.'

'Door wie was die brief ondertekend?'

'Ik kon de handtekening niet goed lezen, meneer, noch de functie die erboven stond. Iets van de secretaris van een of andere raad. Het briefhoofd was van Binnenlandse Zaken.'

'Aha,' zei Brunetti, meer tegen zichzelf dan tegen Foa. 'Wat stond er precies in?'

'Dat ik de bevelen moest opvolgen van degene die me de brief ter hand stelde en die man zei me wie ik waar moest ophalen.'

'Oké,' zei Brunetti, die maar net deed alsof het allemaal weinig interessant was. Hij bedankte de agent en liep de Questura in, regelrecht naar signorina Elettra's kamer. Ze keek op toen hij binnenkwam en vroeg: 'O? Bent u niet van de partij?'

'Nee,' zei hij. 'Het is alleen voor grote mensen.' Na een korte stilte vroeg hij: 'Weet u waar het over gaat?'

'Nee. De vice-questore belde vanaf de boot. Hij zei dat hij het grootste deel van de ochtend met de questore in vergadering zou zijn en dat hij niet te storen was.'

'Had hij het nog over iemand anders?' vroeg Brunetti, er zeker van dat Patta geen gelegenheid voorbij zou laten gaan om de naam of tenminste de titel van elke vooraanstaande persoon te noemen met wie hij een bespreking had.

'Nee, niemand.'

Brunetti dacht even na en vroeg toen: 'Geeft u me een belletje als de vergadering is afgelopen?'

'Wilt u hem spreken?'

'Nee, maar ik wil wel weten hoelang die bespreking duurt.'

'Ik bel u,' zei ze, waarop Brunetti naar zijn kamer ging.

Het uur daarop besteedde Brunetti aan het lezen van de krant – hij deed het openlijk en had hem gewoon opengeslagen op zijn bureau liggen – en het naar het raam lopen. Hij staarde uit over het Campo San Lorenzo, maar de twee zwarten kwamen niet opdagen. Rusteloos trok hij zijn laden open om te zien of hij die kon uitmesten. Binnen het halfuur was zijn prullenbak tot aan de rand

gevuld en lag de opengeslagen krant bezaaid met dingetjes waarvan hij niet wist wat het was of die hij niet wilde weggooien.
De telefoon ging. Hij dacht dat het signorina Elettra zou zijn, dus hij nam op met: 'Zijn ze weg?'
'Met Bocchese, meneer. Ik denk dat u maar beter even beneden kunt komen.'
Brunetti pakte de krant op, schoof alles wat erop lag terug in de onderste bureaulade en schopte hem dicht.
Toen Brunetti het laboratorium binnenkwam, zag hij Bocchese achter zijn bureau zitten, wat zelden het geval was. Het hoofd van het lab was altijd zo druk bezig met onderzoeken, wegen en meten van dingen dat Brunetti er nooit aan gedacht had dat de man wel eens gewoon achter een bureau kon zitten. 'Wat heb je?' vroeg Brunetti zodra hij op het lab was. 'Iets met die vingerafdrukken?'
'Ja. Interpol heeft helemaal niets over het slachtoffer, in geen enkel dossier dan ook.' Hij zweeg even en voegde eraan toe: 'Het vreemde is wel dat er een zogenoemde "vlag" op het dossier zit, wat betekent dat als er ook maar iémand informeert naar de inhoud van het dossier, dat verzoek onmiddellijk naar de minister van Binnenlandse Zaken moet worden doorgespeeld.'
'Is dat in ons geval ook gebeurd?' vroeg Brunetti bezorgd.
Bocchese kuchte en knipoogde. 'Mijn contact daar krijgt zo nu en dan wat informatie toegespeeld van signorina Elettra, dus hij achtte het zinvol eerst even met haar te overleggen en zij dacht dat het beter was de minister er maar niet mee lastig te vallen.'
'Een standpunt waar ik alle begrip voor heb,' zei Brunetti.
'Mijn contact zei dat er nog één mogelijkheid is die hij nog kan onderzoeken, maar dat dat wel even kan duren.' Nog voor Brunetti wat kon vragen, zei Bocchese: 'Nee, ik heb niet gevraagd hoe of wat.' Hij stak zijn hand op in wat vermoedelijk iets moest zeggen over de betrouwbaarheid van zijn contact en vervolgde: 'Wat betreft die ene vingerafdruk die we bij de deurpost hebben gevonden, dat is écht heel vreemd.'
'Vertel,' zei Brunetti, die vlak voor het bureau was gaan staan.
'Het is de vingerafdruk van Michele Paci, die tot drie jaar geleden bij de DIGOS, de Italiaanse geheime dienst zat.'
'Zát?' zei Brunetti.
'Ja. Hij is dood.' Bocchese zweeg even om Brunetti de kans te geven erover na te denken en ging verder: 'Ik vroeg of er een vergissing gemaakt kon zijn, maar hij had daar zelf al aan gedacht, dus heeft hij een tweede proef genomen. Het zijn identieke af-

drukken. Vergeet niet dat ze bij de DIGOS niet over één nacht ijs gaan wat betreft hun werknemers.'

'Hoe is hij aan zijn eind gekomen?'

'Dat is niet bekend.' Bocchese keek op een blaadje dat op zijn bureau lag en las voor: 'Tijdens de uitoefening van zijn beroep.'

'Hoe komt zijn vingerafdruk dan aan de andere kant van de deurpost en op dat zakje?'

Bocchese kon niks beters bedenken dan zijn schouders op te halen. 'Voor alle zekerheid heb ik het zelf nog maar een keer gecheckt en de afdrukken zijn echt identiek. Als wat ze in het dossier van het ministerie hebben inderdaad van Paci is, dan zijn de twee die wij hebben gevonden ook van hem.'

'Dan is hij dus niet dood.'

'Tenzij hij zijn hand aan een ander heeft uitgeleend,' zei Bocchese met een flauwe glimlach.

'Heb je ooit eerder zoiets vreemds aan de hand gehad?'

'Nee.'

'Misschien heeft iemand die afdruk daar opzettelijk achtergelaten. Iemand anders, bedoel ik.' Het klonk dermate vergezocht dat Brunetti er zelf niet in geloofde.

Bocchese schudde zijn hoofd alleen maar.

'Paci leeft dus nog...'

'Ik ben ook geneigd dat te denken,' zei Bocchese.

'Heb je ook nog wat van Interpol gehoord?'

'Vingerafdrukken niet geregistreerd.'

'Hebben ze daar dan niet de data van alle opsporingsinstanties?'

'Dat dacht ik ook, maar blijkbaar niet van DIGOS.'

Brunetti dacht even na en vroeg: 'Je contact daar is absoluut te vertrouwen?'

'Dat hij zijn mond houdt?'

'Ja.'

'Ik vertrouw hem evenveel als ieder ander,' zei Bocchese, 'dat wil zeggen, niet zo erg dus.' Hij zag Brunetti verschrikt kijken en voegde eraan toe: 'Maakt u zich over hem geen zorgen. Vergeet niet dat hij met dit alles al flink buiten zijn boekje is gegaan.'

Brunetti liep langzaam terug naar zijn eigen kamer en probeerde chocola te maken van wat Bocchese hem had verteld. Als die vingerafdrukken inderdaad van iemand van de geheime dienst waren, dan kon het alle kanten op met het onderzoek. Hij woog de mogelijkheden en bedacht dat het misschien geen énkele kant op zou gaan. De laatste tijd waren er legio voorbeelden van *insabbiatura*, letterlijk 'zand erover', ook wel 'de doofpot' genoemd. Hij had er in het verleden zelf ook aan meegewerkt, maar het knaagde wel degelijk aan hem.

Als de man nog leefde, peinsde hij, wie had zijn dood dan in scène gezet, zijn werkgever of hijzelf? Of beiden? In elk geval kon je niet zeggen dat de geheim agent werkloos was. De man was vóór en ná de dood van het slachtoffer in diens appartementje geweest. Daar ging het om en verder moest hij zich er het hoofd maar niet over breken. In een opwelling, voor het gemak maar even vergetend dat signorina Elettra hem zou bellen als de bespreking afgelopen was, ging hij de Questura uit en liep in de richting van Castello. Het kon zijn dat de twee mannen naar hun appartement teruggegaan waren. Hij nam een andere route dan gebruikelijk en keek om zich heen, in de hoop dat hij even niet aan de dode man en de levende dode man hoefde te denken.

Het verbaasde hem niet dat de luiken voor de ramen dicht waren en dat er een hangslot op de voordeur zat. Hij had niets te verliezen, dus hij liep naar het café op de hoek en bestelde een kopje koffie. Er werd ook nu gekaart, maar de spelers zaten aan een ander tafeltje, iets verder van de bar af.

'U was hier laatst ook al,' zei de man achter de bar met opgetrokken wenkbrauwen. 'Filippo's vriend.'

Brunetti ging aan de toog staan. 'Dat is toevallig nog waar ook,' zei hij, 'maar ik ben van de politie.'

'Dat dacht ik al. Wij allemaal trouwens.'

Brunetti grijnsde en haalde zijn schouders op. Hij dronk zijn koffie en legde een biljet van vijf euro neer.

De barkeeper pakte het wisselgeld en zei: 'U wilde wat weten over die Afrikanen, is het niet?'

'Ja. Ik probeer uit te zoeken wie die moord vorige week heeft gepleegd.'

'Die arme donder op Santo Stefano?' vroeg hij, alsof hij Venetië verwarde met een gewelddadige stad waar je moest specificeren over welke moord je het had.

'Ja, die.'

'Er zijn meer mensen die naar hen schijnen te informeren,' zei de man, en hij klonk als iemand in een film die verwacht dat de detective nu heel grote ogen zal opzetten. Maar hoewel Brunetti de man graag een plezier had gedaan, zei hij alleen maar: 'O ja?'

'Een paar dagen voor hij vermoord werd, had er ook al iemand naar hen geïnformeerd.'

'Daar hebt u toen niets over gezegd.'

'Omdat u er niet naar vroeg,' zei de man, 'plus dat ik niet zeker wist of u van de politie was.'

Brunetti knikte om aan te geven dat daar wat in zat. 'Kunt u me wat meer vertellen over die figuur?'

'Hij was geen Venetiaan,' begon de barkeeper. 'Wacht even.' Hij draaide zich om en riep naar het tafeltje met de kaartspelers: 'Luca? Die vent die naar de *vú cumprá* vroeg, waar kwam die vandaan volgens jou?' Voor Luca wat kon zeggen verduidelijkte hij: 'Niet deze hier. Die ándere.'

'*Romano*,' zei Luca terwijl hij een kaart op tafel legde.

'Wat wilde hij precies weten?' vroeg Brunetti de barkeeper.

'Of ze hier nog woonden.'

'Wat hebt u gezegd?'

'Toen ik hoorde dat die figuur geen Venetiaan was, heb ik hem gezegd dat hier geen Afrikanen zaten en dat ze dat maar uit hun hoofd moesten laten ook omdat we ze hier niet moeten. Ik hoop maar dat ik hem heb kunnen overtuigen. Kijk, die *vú cumprá* die hier in de zaak kwamen, waren altijd heel beleefd en rustig. Ze betaalden hun koffie en zeiden altijd keurig "dank u wel". Ik voelde er weinig voor een volslagen onbekende op ze af te sturen.'

'Met mij praat u anders wel.'

'Klopt, maar u bent geen volslagen onbekende.'

'Omdat ik Venetiaan ben?'

'Nee, omdat ik even bij Filippo heb geïnformeerd en die zei dat u oké was.'

'Aha. Hoe zag die Romein eruit?'

'Vrij groot, iets groter dan u maar wel een stuk forser. Ik denk wel tien kilo. Nogal een vette kop.'

'Herinnert u zich verder nog iets?' vroeg Brunetti, die zich intussen afvroeg of hij signorina Elettra kon vragen of ze aan de dossiers van overleden agenten van de DIGOS kon komen.

'Nee. Alleen dat hij nogal fors was.'

'Hé! Vergeet niet van die handen, Giorgio!' riep een van de kaartspelers.

'O ja, da's waar ook. Die vent had heel harige handen. Het leek wel een aap.'

24

KERSTMIS VIEL OP EEN MAANDAG. OMDAT SANTO STEFANO DE donderdag ervoor werd gevierd, namen de meeste mensen de vrijdag ook vrij, zodat het een weekend van vijf dagen werd. Het hele land lag stil, dus ook op de Questura gebeurde weinig. Alleen de winkeliers hadden het druk. Hun zaken bleven langer open om het publiek alle gelegenheid te bieden zijn koopwoede te botvieren. De mensen die de statistieken maakten, kwamen vast en zeker aan het eind van het jaar met mooie cijfers op de proppen die zogenaamd aantoonden dat het met de koopkracht nog niet zo slecht gesteld was.

Brunetti doorstond het allemaal goed: de laatste inkopen, het bezoek, de geheven glazen, langdurige diners, cadeautjes geven, nog een diner, cadeautjes in ontvangst nemen. Ze hadden een diner bij Paola's ouders en toen hij even met de graaf onder vier ogen kon praten, zei zijn schoonvader dat hij een paar relaties van hem had gevraagd hem op de hoogte te houden als ze iets hoorden over de moord op een Afrikaan en of het iets te maken had met wapenhandel.

Van Paola had Brunetti een groene trui gekregen, van Chiara een lidmaatschap voor het leven van de Vereniging ter Bescherming van Dassen en Raffi gaf hem een tweetalige editie van de *Brieven* van Plinius. De enige wens die hij nog had, was een extra gaatje in zijn riem waardoor hij wat gemakkelijker kon ademhalen.

Op de Questura hing een wat matte sfeer. Het leek alsof iedereen last – zowel lichamelijk als geestelijk – had van vijf dagen bunkeren. Blijkbaar had iemand vóór de feestdagen vergeten de verwarming lager te zetten en de warmte had zich in de muren vastgezet. Die eerste werkdag was het helder en warm voor de tijd van het jaar, dus ramen openzetten hielp niet echt. De enige oplossing was in hemdsmouwen te werken en dat deed men dan ook maar.

Er waren de gebruikelijke meldingen van inbraken. De mensen kwamen terug van een verblijf buiten de stad en sommigen van hen hadden ongenode gasten gehad. De meldkamer had het er flink druk mee en men kwam tot de voorlopige conclusie dat er twee bendes aan het werk waren geweest: beroeps, die het gemunt hadden op de betere stukken, en drugsverslaafden die meenamen wat ze snel konden verkopen. De welgestelden hadden met de eerste groep te maken, terwijl de minder vermogenden het doelwit vormden van de tweede groep. Er waren twee rapporten die Brunetti's humeur wat opfleurden: de beroeps hadden een voormalige filmster diep beledigd door wél haar huis te doorzoeken maar haar juwelen te laten liggen en met lege handen te vertrekken. Representanten van de tweede groep waren met een vijf jaar oude laptop plus een draagbare cd-speler langs schilderijen van Klimt en De Chirico gelopen.

Het nieuwe jaar stond voor de deur, dus Brunetti achtte het tijd om de stoute schoenen maar eens aan te trekken. Na de lunch ging hij naar beneden en toen hij signorina Elettra niet aan haar bureau zag zitten, liep hij naar Patta's kamer en klopte aan.

'Avanti!' riep Patta. Brunetti deed de deur open en ging naar binnen.

'Zo, Brunetti,' zei hij. 'Ik hoop dat je een goede kerst hebt gehad en dat het een goed nieuw jaar wordt.'

'Dank u, meneer,' zei Brunetti verbaasd. 'Insgelijks.'

'We moeten er het beste maar van hopen.' Patta gebaarde Brunetti te gaan zitten en liet zich in zijn bureaustoel zakken. Het viel Brunetti op dat de vice-questore niet het gebruikelijke zongebruinde gezicht had van na de kerstvakantie en dat zijn buikje niet in omvang gegroeid was. Bij nadere beschouwing zag Brunetti zelfs dat het boord van zijn overhemd wat ruimer zat, maar het kon ook zijn dat de knoop van zijn das niet helemaal aangetrokken was.

'Hebt u een fijne vakantie gehad?' vroeg Brunetti in een poging hem aan de praat te krijgen om te horen hoe de vlag erbij hing.

'We zijn dit jaar niet weg geweest,' antwoordde Patta en alsof het enige uitleg behoefde: 'De jongens waren er, dus we hebben besloten maar gezellig thuis te blijven.'

'Aha.' Brunetti had Patta's zoons wel eens ontmoet en hij vroeg zich af of de term 'gezellig' wel op zijn plaats was, maar hij zei: 'Ik neem aan dat uw vrouw het maar wat fijn vond.' 'Zeker,' zei Patta die met een manchetknoop hanneste. 'Wat kan ik voor je betekenen, Brunetti?' 'Ik vroeg me af of we een paar zaken van het afgelopen jaar maar niet moesten afsluiten,' begon hij. Het was een doorzichtig smoesje, maar de warmte had zijn tol geëist en hij wist even niets beters te verzinnen. Patta keek hem strak aan en zei: 'Meestal ben je niet zo'n boekhouder. Zaken lopen nu eenmaal door van het ene kalenderjaar naar het volgende.'

Het lag op het puntje van Brunetti's tong om te zeggen dat menige ernstige zaak wel meer jaren besloeg, maar hij hield het bij: 'Ik wil toch even horen of er bepaalde dossiers zijn die we kunnen sluiten.' 'Dat zal moeilijk gaan,' zei Patta, 'zeker nu we onderbezet zijn.' 'Pardon?' zei Brunetti, voor wie dat nieuws was. 'Inspecteur Scarpa is tot eind januari weg en er is niemand die zijn werk kan overnemen.' 'O, vandaar…' zei Brunetti, die het verstandiger achtte maar niet verder te vragen. 'Toch geloof ik dat er een paar zaken zijn die we moeten afhandelen.' 'Zoals?' Om de hete brij heen draaien had geen zin, laat staan dat hij om Patta heen wilde draaien. 'Die moord op het Campo Santo Stefano. Dat is de enige moordzaak waar we nog mee zitten.' 'Dat is niet zo.' 'Hoezo niet?' vroeg Brunetti. 'Zoals ik je al eerder heb uitgelegd, zitten wíj daar niet mee. Die zaak ligt nu op het bord van Binnenlandse Zaken.' 'De reden is me nog steeds niet duidelijk.' 'Ik heb niet de gewoonte de besluiten van mijn superieuren in twijfel te trekken,' zei Patta.

Brunetti moest zich bedwingen niet hard te zuchten of een sarcastisch antwoord te geven. Hij maande zichzelf kalm te blijven en zei: 'Het is niet dat ik hun besluit in twijfel trek, maar ik wil alleen weten of de zaak is opgelost, zodat ik het dossier kan sluiten.' 'Dat is al gebeurd, commissario.' 'Dossier gesloten?' 'Inderdaad. Binnenlandse Zaken heeft alle gegevens.' 'Hoe zit het met de computerbestanden?' vroeg Brunetti die meteen spijt had van zijn vraag.

'Die hebben ze ook.'

'Vice-questore,' begon Brunetti en hij deed zijn best vriendelijk en rustig over te komen, 'ik weet weinig van computers, maar ik weet wel dat het anders werkt dan met gewone stukken. Als je een e-mail doorstuurt, blijft het origineel in de computer zitten.' Patta keek hem aan als een leraar die een bijzonder slimme leerling voor zich heeft. 'Zoveel weet ik ook van de materie, commissario.'

'Is dat hier ook het geval?'

'Pardon?'

'Zitten de originelen hier nog in de computer?'

'Dat weet ik echt niet, commissario.'

'Wie zou dat kunnen weten?'

'De computerexperts van Binnenlandse Zaken, denk ik. Ze zijn hier het hele weekend in opdracht van de minister aan het werk geweest.'

De verwarming... Dat hij daar zélf niet op was gekomen! Brunetti wist niet hoe hij moest reageren, dus hij stond op en vroeg maar of het de bedoeling was dat hij zich met de inbraken bezighield. Patta zei dat hem dat een goed idee leek, waarna Brunetti afscheid nam en de kamer uit liep.

Signorina Elettra zat op haar plaats. Ze keek naar hem op en wilde wat zeggen, maar toen ze zag dat Brunetti wat op zijn lever had, slikte ze haar woorden snel in. 'De vice-questore heeft me net verteld dat de lieden van Binnenlandse Zaken hier tijdens de vakantie op de Questura aan de gang zijn geweest,' fluisterde hij. 'Ik begreep uit zijn woorden dat ze bestanden over de moord op die *vú cumprá* naar hun eigen computers hebben gekopieerd. Kunt u nagaan wat ze gedaan hebben?'

Ze kneep haar lippen samen, wat ze wel vaker deed als ze gestrest of boos was. 'Ik heb al gekeken, meneer. Dat wilde ik u zoeven al zeggen. Alles is weg.' Ze sprak zo zachtjes dat Brunetti half over haar bureau moest hangen om haar te kunnen verstaan.

'Alles? Zo'n computer maakt toch vanzelf kopieën en... dat soort dingen.'

'Klopt, maar die zijn óók weg. De boel is finaal leeggehaald.'

'Echt? Ik dacht dat u heel...' Hij wist even niet hoe hij het moest zeggen.

'Dat ben ik ook, maar die lui hebben vijf dagen de tijd gehad en dan kun je heel wat schade aanrichten.'

'Dat is dan ook gebeurd, begrijp ik.'

Ze schudde haar hoofd. 'Kijk…' zei ze. 'Gelukkig had ik alleen de lopende zaken in deze computer zitten en de moordzaak was de enige lopende zaak.'

'Hoe zit het dan met de… hoe heet het… de harde schijf?' vroeg hij en hij wees naar de monitor. 'Daar zitten dan toch nog dingetjes op?'

'Normaal gesproken wel, maar dit is een nieuwe computer. Ik heb hem net voor de kerst gekregen dus de enige… de enige gevoelige informatie die erop staat is over de moord op die man.'

Hij dacht aan alle zaken waarmee ze hem in het verleden had geholpen, aan haar kennis van computers, de regels die ze voor hem had overtreden, om nog maar te zwijgen over de wetten. Hij was dermate opgelucht dat hij zijn ogen even sloot en zuchtte. 'U hebt zomaar een nieuwe computer gekregen?'

'Gezien mijn functie als secretaresse van de vice-questore,' zei ze overdreven bescheiden.

'En de oude?'

'Die heeft Vianello.'

'Hier op de Questura?' klonk het enigszins panisch.

'Nee. Thuis.'

'Kan dat zomaar?' Hij vroeg zich af of het een geval was van het oprekken van de voorschriften of domweg van diefstal.

'Hij heeft ervoor betaald. Er is een regeling dat het personeel afgedankte spullen mag overnemen, hoewel die niet geldt voor ambtenaren.'

'Dat zijn we toch?'

'Jazeker, maar zijn schoonmoeder toch niet?'

Hij had het kunnen weten. 'Hoeveel heeft hij… eh… zij ervoor betaald?'

'Tien euro.'

'Een geval van doorgestoken kaart, neem ik aan?'

'Nee, meneer. Er was iets mis met de harde schijf. Ik heb er iemand bij gehaald en die zei dat de boel niet te repareren was. Hij zei dat het ding naar de schroothoop kon.'

'Dat hebt u op papier staan?'

'Natuurlijk.'

'En toen?'

'Vianello's moeder wilde hem wel hebben en dat bespaarde ons de kosten van het weg laten halen.'

Hij zweeg om te zien of ze er nog wat aan toe te voegen had, maar er kwam niets.

'En toen?' bleef hij aandringen.

'Ik was toevallig laatst bij de Vianello's thuis. Nadia vroeg of ik er even naar wilde kijken en toen, nou ja, toen zag ik wat er aan de hand was en heb ik het ding weer aan de praat gekregen.' Ze glimlachte bij de herinnering aan die wonderbaarlijke genezing.

'Ik neem aan dat u versteld stond.'

'U moest eens weten, meneer.'

25

BRUNETTI WAS NOGAL ONDERSTEBOVEN VAN HET FEIT DAT ZE maar ternauwernood ontsnapt waren, ook al wist hij niet precies wat de mensen van het ministerie wijzer geworden waren van de informatie die in signorina Elettra's oude computer zat. Hij begreep in ieder geval wel dat in feite alles wat er in een computer opgeslagen zit, er door derden uitgehaald kan worden. Hij dacht maar niet aan de risico's die hij de afgelopen jaren had genomen, en dat alle bewijs ergens op de harde schijf van de computer stond die Vianello nu thuis had. Als de verkeerde mensen op de Questura erachter kwamen wat signorina Elettra, Vianello en hij al die jaren aan informatie vergaard hadden, om nog maar te zwijgen over de manier waaróp, dan zouden hij en de anderen geen dag langer welkom zijn.

Hij dacht aan het lange gewaad dat Medea aan Jasons vrouw had gestuurd: wat zij en haar vader ook uitrichtten, hoe ze hun best ook deden, de vlammen die uitsloegen zodra ze het had aangetrokken, waren niet te doven. Met computers was het net zo: alleen volledige verwoesting kon de opgeslagen informatie vernietigen.

Misschien moest hij zich er maar niet te druk over maken. Wat wist hij helemaal van computers? Daarbij, de gegevens die ze hadden gevonden hadden betrekking op een zaak waar hij rechtens mee bezig was geweest. De gruwelijke foto's die Rizzardi hem in tweede instantie had gestuurd, waren veilig en wel opgeborgen in het telefoonboek.

Hij liep naar boven en keek of er post op zijn bureau lag. Terwijl hij zijn bureaula opentrok en er het telefoonboek uithaalde, had hij het vreemde gevoel dat hij door onbekenden op de vingers werd gekeken. Het rapport en de foto's zaten bij de letter P. Hij haalde ze te voorschijn, vouwde de foto's in drieën, waarbij hij er goed op lette dat er geen vouw op de neus van de man kwam, en stopte ze in de binnenzak van zijn colbert. Hij was zo opgelucht dat alles goed was gegaan, dat hij het er warm van had.

Nu hij met de foto's bezig was, besefte hij dat professoressa Winter hem nog niet had teruggebeld. De *telefonino* van signor Rossi had de feestdagen in alle eenzaamheid op de ladekast in de slaapkamer doorgebracht, maar die ochtend had Brunetti hem bij zich gestoken. Hij zag dat de batterij bijna leeg was, maar haar nummer stond nog wel in het geheugen. Hij toetste het in, maar bedacht zich halverwege en noteerde het op een stukje papier. Hij stopte het mobieltje in zijn zak, ging de Questura uit en liep naar de telefooncellen op de Riva degli Schiavoni.

'Ah, commissario,' zei ze zodra hij zijn naam had genoemd. 'Ik hoop dat u een goede kerst hebt gehad?'

'Dank u. Zeer zeker. U ook?'

'O ja. Ik zat in Mali. Hebt u mijn boodschap ontvangen?'

'Uw boodschap?'

'Ja. Ik heb gebeld om te zeggen dat ik een paar dagen weg zou zijn en uw assistent zei dat hij het u zou laten weten.'

Brunetti deed zijn best kalm te blijven. 'Dat is hem dan door het hoofd geschoten of het ligt ergens tussen de paperassen op mijn bureau. Ik heb een pen bij de hand, dus kunt u me zeggen wat u hem hebt verteld? Hebt u hem trouwens gezegd waar het over ging?'

'Nee, alleen dat ik een paar dagen het land uit was.'

'Enfin, u bent er weer. Hebt u de foto's gekregen?'

'Ja, maar ik ben bang dat de Italiaanse posterijen hun reputatie weer eens hebben waargemaakt,' zei ze en liet een hooghartig lachje horen. 'Ik heb ze pas bij terugkomst gevonden. Om u de waarheid te zeggen, toen ik niet van u hoorde, dacht ik dat u zelf al had uitgevogeld wat u wilde weten. Het is in ieder boek over Afrika zó op te zoeken.'

'Niets van dat alles, professoressa,' zei Brunetti. Hij deed zijn uiterste best om vriendelijk te blijven. 'Het is simpelweg te wijten aan de bureaucratie hier. Enfin, kunt u me zeggen waar het teken voor staat?'

'Natuurlijk. Momentje. Een van mijn medewerkers heeft het in de computer gestopt.' Terwijl ze zocht, keek Brunetti naar het tegoed van zijn telefoonkaart. Er stond nog maar één euro op.

'Hier heb ik het,' zei ze. 'Ja, ik meende al dat dit het was. Dat houten kopje komt van wat we een genezers- of waarzeggersstaf noemen. U zei dat het een centimeter of vijf was?'

'Ja.'

'Dan gok ik dat de staf waar het op heeft gezeten een meter lang was, maar waarom die kop er nou afgebroken is...'

Brunetti wist niet of ze hem een vraag stelde, dus hij zei maar: 'Geen idee.'

'Misschien maakt het ook niet uit,' zei ze. Brunetti zag dat hij nog drieënzeventig cent had.

'Het teken op het voorhoofd is een *calige*, zeg maar het teken van leven. Op de staf stonden waarschijnlijk dieren of andere figuurtjes die attributen van de magiër of de medicijnman voorstellen.' Ze zweeg even om te horen of Brunetti een vraag had, maar hij zei niets. 'Kunt u daar wat mee?'

'Zeker, dottoressa. Hoogst interessant allemaal. Hebt u enig idee van de herkomst?'

'O, dat heb ik nog niet gezegd? Het is Chokwe. Dat zijn de beste houtsnijwerkers van heel...'

'Waar zitten die Chokwe?' onderbrak hij haar.

Als ze al verrast was dat hij haar interrumpeerde, liet ze niets merken. 'In het stroomgebied van de Zambesi.'

Brunetti haalde maar eens diep adem en in gedachten dreunde hij het gebed op dat zijn moeder altijd prevelde als ze haar geduld begon te verliezen. 'Ik bedoel staatkundig, als ik het zo mag uitdrukken.'

'Neemt u me niet kwalijk,' zei ze. 'Dat had ik niet begrepen. Dan zeg ik Angola, ten zuiden van Congo, misschien een stukje Zambia, maar dat laatste denk ik eerlijk gezegd niet gezien het object. Ik denk Angola.'

'Mooi,' zei Brunetti die zijn tegoed zag slinken tot twintig cent. 'Dank voor uw hulp, dottoressa, en dat u uw kennis hebt willen delen.'

'Waar anders is kennis goed voor, commissario? Heb ik u een beetje op weg geholpen?'

Hij zag twee nullen op het schermpje van de telefoon verschijnen. Het tegoed was verbruikt en hij had nog maar een paar seconden. 'Ik hoop het, professoressa Winter,' begon hij, maar de verbinding was al verbroken, 'hoewel ik het betwijfel,' zei hij in de dode lijn.

Hij haalde de telefoonkaart uit het apparaat en liep terug naar de Questura. Was Angola niet het land waar jeugdbendes onder invloed van verdovende middelen slachtingen aanrichtten? Hij bleef staan, keek uit over het *bacino* naar de engel op de *cupola* van de San Giorgo en naar de rij *cupole* langs de *riva* van de Giudecca. Waanzinnige, moordlustige kinderen die dood en verderf zaaiden, peinsde hij, en hier vaart de veerboot keurig op tijd naar het Lido.

Brunetti zette zich af tegen de muur van de *calle* en wachtte tot het vreemde gevoel dat over hem was gekomen afnam. Hij wist dat je, als je op het punt stond flauw te vallen, je hoofd tussen je knieën moest doen, maar dat kon hier op straat niet. Hij sloot zijn ogen maar en liet zijn hoofd hangen.

'Gaat het, signore?' hoorde hij een mannenstem in onvervalst *Veneziano* vragen.

Hij deed zijn ogen open en zag een gedrongen man met een donker jack en een Schots geruite baret op wat vermoedelijk een kaal hoofd was.

'O, jawel. Dank u. Te veel gegeten tijdens de feestdagen, denk ik,' zei Brunetti. Hij deed zijn best te glimlachen. 'Of die rare temperatuurswisselingen hier.'

De man was tevredengesteld. 'De kerstdagen, dat zal het wezen. Nou, tijd om weer eens aan het werk te gaan, niet dan?'

'Ja,' zei Brunetti, 'dat is een goed idee.'

Terwijl hij naar de Questura liep, vroeg hij zich af wat dat werk nu eigenlijk nog inhield. De dossiers waren verdwenen, de zaak was weggehaald, niet alleen bij hem, maar bij het korps. Hij wist nog steeds niet wie het slachtoffer was, waarom de man in Venetië zat en al helemaal niet waarom het een en ander zó gewichtig was dat zowel Binnenlandse als Buitenlandse Zaken zich voor zijn dood interesseerde. Hij moest erkennen dat hij geen aanwijzingen had en geen enkel bewijs. Goed, hij had de diamanten die in Claudio's bankkluis lagen en hij had het lichaam van het slachtoffer.

Hij draaide zich om en liep terug naar de kade en de telefooncellen. Hij had maar twee muntstukken, maar dat moest voldoende zijn. Hij draaide Rizzardi's nummer.

De patholoog nam zelf op. 'Die man over wie we het vlak voor Kerstmis hadden, is die er nog?' viel Brunetti met de deur in huis.

Het was lang stil aan de andere kant van de lijn. Hij begreep dat Rizzardi even moest nadenken wie er belde en wat de vraag precies inhield. 'Ah, de man van de kerstmarkt?'

'Ja.'

'Nee, die is hier niet meer,' zei Rizzardi. 'Ik dacht dat je dat wist.'

'Nee. Hoezo?'

Rizzardi klonk een beetje nerveus, alsof hij er niet veel voor voelde om in codes te praten, en zei: 'Een paar lieden – ik dacht dat je er wel van wist want ze werken voor hetzelfde bedrijf als jij – zijn hier bij me langsgekomen, hebben hem opgehaald en hem de laatste eer bewezen.' Hij zweeg even om te zien of Brunetti het tot zover had gevolgd. Toen Brunetti niet reageerde, ging hij verder: 'Net als je vriend Hector.'

Nu sprak Rizzardi echt in raadselen en Brunetti kon het niet meer volgen. 'Hector zei je? Welke Hector?'

'Die in dat boek voorkomt dat je zo vaak herleest. Over die oorlog.'

Dat kon alleen de *Ilias* zijn, het boek dat eindigt met Hectors dood en de brandstapel.

'Oké, ik vat 'm. Dank je wel, Lorenzo. Jammer dat ik hem niet meer heb gezien.'

'Het spijt me,' zei Rizzardi. Ze hingen op.

Paniek maakte zich van Brunetti meester. Als iemand hem de weg had gevraagd, had hij geen woord uit kunnen brengen. Hij had nog één muntje over en stopte het in het gleufje.

Brunetti was niet iemand die in het goddelijke geloofde en was dat wel het geval geweest, dan had hij het waarschijnlijk met de goden op een akkoordje gegooid: Claudio's welzijn voor wat dan ook – de diamanten, die hele zaak van die Afrikaan, zijn baan zelfs.

Hij draaide Claudio's nummer. Hij hoorde vier, vijf, zes keer overgaan en toen een vrouwenstem. '*Ciao*, Elsa,' zei hij. 'Met Guido. Alles goed?'

'Ja, dank je. Leuk je stem te horen. Ik had Paola tijdens de feestdagen nog willen bellen, maar ik had mijn handen vol aan de jongens en de kleinkinderen. Ik had het gewoon te druk. Gaat het goed met haar? Hoe waren je kerstdagen?'

'Fantastisch. Bij ons gaat het allemaal goed. En met jou?'

'Ik mag niet klagen. Zeg, ik neem aan dat je Claudio wilt spreken?'

'Ja, waarom niet? Hij is thuis, begrijp ik?'

'Hij helpt Giovanni's jongste met een puzzel. We hebben de kinderen hier vandaag.'

'O, laat hem dan maar lekker puzzelen. Ik wilde alleen even horen of alles in orde was. Zeg maar dat ik heb gebeld en doe hem en de anderen de groeten.'

'Komt in orde, Guido. Doe jij Paola en de kinderen de groeten van ons allemaal.'

Hij bedankte haar, hing op, legde zijn gekruiste armen boven op de telefoon en leunde met zijn hoofd op zijn armen. Na een paar minuten werd er op de deur van de telefooncel gebonsd. Het was een van de venters van de kraampjes met toeristenrommel op de *riva*, een man met lang haar en veel tatoeages, die Brunetti ambtshalve had leren kennen. De man had Brunetti blijkbaar niet herkend, want hij vroeg: 'Signore, gaat het een beetje?'

Brunetti ging rechtop staan en liet zijn armen langs zijn lichaam vallen. 'Jawel,' zei hij. 'Ik heb net goed nieuws gekregen.'

'Vreemde reactie, als ik het zeggen mag,' zei de man.

Hij keek Brunetti onderzoekend aan.

'Ja, misschien wel.' Brunetti bedankte hem voor zijn goede zorgen, waarop de man knikte en naar zijn kraam terugliep.

Op weg naar de Questura besloot Brunetti er de brui aan te geven: signorina Elettra's computer leeggeroofd? Mooi zo. De oude computer staat bij Vianello thuis? Goede plaats voor dat ding. Het lichaam was verdwenen, maar Claudio zat thuis te puzzelen. De ambtenaren wilden de zaak in eigen hand houden? Wees er gelukkig mee, heren!

Brunetti gooide de handdoek in de ring. Ze kónden hem wat. Hij was kwaad op zichzelf dat hij zijn oude vriend erbij betrokken had, dat hij de carrière en de veiligheid van de enige twee mensen op de Questura die hem na aan het hart lagen, in gevaar had gebracht.

De gedachten raasden door zijn hoofd en de ene kon de andere maar nauwelijks bijhouden. Hij ging wat langzamer lopen, stak zijn handen in zijn zakken en keek naar zijn schoenen. De enige twee die hem na aan het hart lagen...

'*Maria Santissima...*' mompelde hij voor zich uit, de woorden die zijn moeder altijd sprak als ze een goede tijding kreeg.

26

DE DAGEN DAARNA VERVIEL BRUNETTI IN APATHIE. HIJ HAD NIET de lust om ook maar wát te doen en het ontbrak hem zelfs aan de energie om zich daar druk over te maken. Hij ondervroeg een aantal professoren en studenten die hem stuk voor stuk wat voorlogen, maar het kon hem eigenlijk niet eens wat schelen. Het enige lichtpuntje van de hele affaire was dat de corruptie en oplichterij zich hadden voorgedaan op wat officieel de 'faculteit der rechtswetenschap' heette.

De kinderen merkten dat er wat mis was. Raffi vroeg hem of hij hem met zijn huiswerk wilde helpen; Chiara stond erop dat hij haar opstel voor Italiaans las en vroeg om zijn mening. Paola klaagde niet over school; ze klaagde zelfs helemaal niet meer en dat was zó ongebruikelijk dat Brunetti even dacht dat Paola door marsmannetjes was meegenomen en dat hij er een geheel nieuwe vrouw voor in de plaats had gekregen.

Op een nacht, om twee uur, betrapte de zoon van een notaris na een avondje stappen twee inbrekers in het huis van zijn vader. De jongen had een paar glaasjes te veel op en kwam nogal luidruchtig thuis. Toen de zoon de woonkamer in liep, zag hij de twee dieven en stortte zich op een van hen. De vader, gewekt door het tumult, stormde met een pistool de kamer in. Een van de dieven hief zijn hand, waarop de notaris hem recht in het gezicht schoot. De dief was op slag dood. De tweede man raakte in paniek en wilde de benen nemen, maar de zoon hield hem tegen. Toen de man zich losrukte, schoot de vader ook hem dood en belde vervolgens de politie.

Brunetti las het verslag de ochtend erna en was des duivels. De dieven waren er hooguit met een radio of een televisie vandoor gegaan, in het ergste geval met wat juwelen. De notaris was zonder twijfel verzekerd, dus zijn schade zou beperkt zijn. Nu waren er twee zielenpoten gedood. Een van hen had een oom die een kleermakerij had waar Brunetti zijn pakken liet maken. De man kwam naar de Questura en wilde weten wat er met de notaris ging gebeuren. Brunetti kon niet anders dan hem vertellen dat het zou worden afgedaan als *legittima difesa*, een geval van noodweer, en dat de notaris vrijuit zou gaan.

'Dat kán toch niet?' zei de kleermaker. 'Die man schiet Mirko door zijn hoofd! Mag dat dan zomaar?'

'We kunnen hem niets maken, signor Buffetti. De notaris had een wapenvergunning en zijn zoon heeft een verklaring afgelegd waarin staat dat uw neef op het punt stond zijn vader aan te vallen.'

'Natuurlijk zegt die jongen dat. Het is die man zijn zóón.'

'Ik heb begrip voor uw standpunt,' moest Brunetti toegeven, 'maar we kunnen de notaris niets maken.'

Buffetti zag witheet, maar hij moest zich wel bij Brunetti's inschatting neerleggen. Hij stond op, liep naar de deur, maar draaide zich om en voor hij de kamer uit ging zei hij: 'Wat de juridische kant van de zaak betreft, kan ik niet echt op uw niveau discussiëren, dottore, maar ik weet wél dat de politie dit niet zomaar mag laten passeren.' Brunetti wist maar al te goed dat Buffetti gelijk had.

Signorina Elettra, enigszins murw na de schending van haar computergeheimen, had verder niet naar de zaak van de Afrikaan geïnformeerd, noch had hij de indruk dat ze op eigen houtje verder op onderzoek was gegaan. Vianello verbleef met zijn gezin voor twee weken in de bergen.

Toen Buffetti was vertrokken, belde Brunetti de inspecteur op de *telefonino* van de heer Rossi. 'Lorenzo?' zei Brunetti zodra zijn collega had opgenomen. 'Als je terug bent, moesten we maar eens naar een paar onafgemaakte zaken kijken.'

'Daar zal niet iedereen even blij mee zijn,' antwoordde Vianello.

'Mooi zo.'

'Ik heb alles nog thuis, commissario.'

'Perfect.'

'Bedankt voor het telefoontje,' zei Vianello voor hij ophing.

Twee avonden daarna ging de telefoon even voor elf uur. Paola nam op met de wat afstandelijke maar nieuwsgierig klinkende stem die ze bewaarde voor mensen die na tienen belden. Al snel veranderde ze van toon en ze sprak de beller aan met het familiaire '*tu*'. Brunetti vroeg zich af wie van hun vrienden dat kon zijn, maar ze draaide zich al om en zei: 'Voor jou, Guido. Mijn vader.'

'Goedenavond, Guido,' zei de graaf.

'Ook goedenavond...' zei Brunetti verwachtingsvol.

'Hebben jullie CNN?' vroeg de graaf.

'Pardon?' klonk het verbaasd.

'Het televisiestation. CNN!'

'Ja. De kinderen kijken er wel eens naar om hun Engels op peil te houden,' zei Brunetti.

'Om twaalf uur vannacht moet je het nieuws maar even aanzetten.'

Brunetti keek op zijn horloge en zag dat het een paar minuten over elf was. 'Om twaalf uur pas?'

'Ja. Het item waarvan ik vind dat je het moet zien, wordt uitgezonden in het programma dat om twaalf uur begint.'

'Waarom op CNN?' vroeg Brunetti. Hij dacht dat RAI om middernacht ook een nieuwsuitzending had, hoewel hij het niet eens zeker wist.

'Dat merk je wel. Het staat morgen in de krant, maar ik denk dat het niet onverstandig is als je ziet hoe ze het op CNN brengen.'

'Waar hebt u het over?' vroeg Brunetti.

'Kijk nou maar, dan snap je het wel,' zei de graaf voor hij ophing.

Brunetti vertelde Paola wat haar vader had gezegd, maar zij snapte er ook niets van. Ze gingen naar de zitkamer en zetten de televisie aan. Paola pakte de afstandsbediening en surfte alle kanalen langs. Ze zagen lieden die matrassen aan de man brachten, vrouwen die tarotkaarten lazen, een oude film, nog een oude film, twee mensen van onduidelijke kunne die iets deden wat vermoedelijk seksueel van aard was, nog een waarzegster en uiteindelijk belandden ze bij het wat vreemd ogende gezicht van de nieuwslezer van CNN.

'Ze hebben van die ogen die niet bij elkaar passen,' zei Paola, 'en volgens mij hebben ze allemaal een haarstukje.'

'Kijk je hier dan wel eens naar?' vroeg Brunetti.

'Soms, met de kinderen,' verdedigde ze zich.

'Om twaalf uur, zei je vader.' Hij pakte de afstandsbediening en zette het geluid af.

213

'Dan hebben we tijd voor een glaasje,' zei Paola. Ze stond op en ging naar de keuken. Brunetti wist niet of ze met een kop kruidenthee of een alcoholische versnapering zou terugkomen.

Hij keek naar het scherm en zag wat leek op een financieel programma: een man en een vrouw, die er allebei even buitenwerelds uitzagen, zaten gezellig met elkaar te kletsen. Zo nu en dan vertoonde een van hen een gemaakte glimlach en onder in beeld liep een ticker met treurige beurskoersen. Na een minuut of tien kwam Paola met twee mokken terug. 'Van alles wat,' zei ze. 'Heet water, citroen, honing en whisky.' Ze gaf hem een mok aan en kwam naast hem op de bank zitten kijken naar de twee pratende maar niet hoorbare mensen. De vrolijkheid van de presentatoren paste niet bij de treurige getallen die onder hen langs stroomden. 'Dat doet me denken aan Nero die op zijn lier speelde terwijl Rome in brand staat,' zei ze.

'Dat is niet helemaal zoals het ging,' kon de historicus in Brunetti niet nalaten te zeggen. Om vijf voor twaalf zette hij het geluid aan, maar hij draaide het volume zó laag dat ze niet meer dan een zacht gemurmel hoorden. De presentatoren namen met een blije glimlach afscheid en verdwenen uit beeld om plaats te maken voor een reclame van een of andere Golfstaat die buitenlandse investeerders en toeristen wilde lokken.

Ze zagen een wereldbol, hoorden een onheilspellend stukje muziek en weer een presentator. Brunetti zette het geluid wat harder en ze keken naar het verslag van al weer een zelfmoordaanslag in het Midden-Oosten, gevolgd door een reportage uit Delhi over het mislukken van vredesbesprekingen voor Kasjmir.

Het gezicht van de man stond nu opeens bestudeerd ernstig, dus Brunetti zette het geluid nog wat harder. 'Dan is er nu *breaking news* uit Italië. We gaan naar onze correspondent ter plaatse, Arnoldo Vitale, die meer weet over een terroristische aanslag die door de politie daar is verijdeld. Arnoldo, ben je daar?'

'Ja, Jim,' zei een man met een licht accent. Het was even stil, toen volgde er wat gekraak. In de linkerbovenhoek van het scherm verscheen een kadertje met een verslaggever en op de achtergrond de koepel van de St. Pieter. De rest van het scherm werd gevuld door de grijze gestuukte gevel van een flatgebouw. Ervoor stond een aantal zwarte jeeps en vier sedans. Mannen met helmen op en dikke jacks waarop CARABINIERI stond, machinegeweren in de aanslag, stonden er enigszins doelloos bij. Links van hen stond een groepje van vier of vijf man in gevechtstenue en met bivakmutsen op.

De verslaggever ging verder: 'Vanavond heeft de Italiaanse politie een flat bestormd in Vigonza, een rustige voorstad van het Noord-Italiaanse Padova in de buurt van Venetië. De Italiaanse overheid had aanwijzingen dat de flat het trefpunt was van leden van een islamitische fundamentalistische groepering. Men vermoedt dat de ruimte gebruikt werd voor bijeenkomsten en trainingen. Volgens Italiaanse veiligheidsfunctionarissen zou de groepering banden hebben met Al-Qaeda. Volgens de politie heeft men eerst geprobeerd of de vermeende terroristen zich wilden overgeven, maar blijkbaar reageerden ze met geweld, zodat de politie niets anders overbleef dan de flat te bestormen. In het vuurgevecht dat ontstond is één politieman gewond geraakt en verloren beide vermeende terroristen het leven.'

'Arnoldo,' vroeg de man in de studio, 'men vermoedt dat de mannen banden hadden met het internationale terrorisme?'

'Ja, Jim. De politiewoordvoerder heeft verklaard dat de groep al enige tijd in de gaten werd gehouden. Zoals je weet zijn er dit jaar al diverse arrestaties verricht in naar wat men als terroristische cellen aanduidt. Een woordvoerder van de regering zei dat dit tot nu toe de gewelddadigste confrontatie met vermeende terroristen was.'

'Arnoldo, bestaat er enig gevaar voor de Amerikaanse staatsburgers die in Italië verblijven?'

'Nee, Jim, in het geheel niet. De woordvoerder zei dat men onderzoekt of de groepering het had gemunt op de Amerikaanse basis in Vicenza, op zo'n dertig kilometer van Vigonza, maar dat de in Italië verblijvende Amerikanen zich geen zorgen hoeven te maken.'

Terwijl de twee mannen praatten, liepen de carabinieri voor het gebouw heen en weer, maar opeens was te zien dat de deur van binnenuit werd geopend. Er verscheen een man die zo te zien een brancard droeg, waarna de hele brancard en een tweede man zichtbaar werden. Op de brancard lag een laken over een lichaam. Er werd een tweede naar buiten gedragen, maar de carabinieri sloegen er geen acht op en stonden nu met hun gezicht naar de mensen die achter een aantal in allerijl neergezette dranghekken stonden.

'Voor de goede orde, Jim: een terroristische cel ontmanteld door de Italiaanse politie. De in Italië verblijvende Amerikanen zijn niet in gevaar.'

De presentator kwam terug in beeld. Hij zette een ernstig gezicht op en zei: 'Dank je wel, Arnoldo Vitale in Rome.' Arnoldo meldde dat de Italiaanse politie een terroristische cel in Noord-Italië heeft ontmanteld.' De camera richtte zich op de vrouw die naast hem zat. 'Er is meer nieuws uit Italië,' begon ze. Ze zweeg even, waarschijnlijk om de overstap van de dood van twee mensen naar het volgende onderwerp te vergemakkelijken. 'De modewereld is in beroering na de mededeling van een van de bekendste modeontwerpers van het land dat hij geen bont of leer in zijn nieuwe collectie zal gebruiken.'

Brunetti zapte naar RAI, maar daar was de oude film nog aan de gang. Hij probeerde de andere zenders, maar zelfs de lokale stations hadden niets over de gebeurtenissen in Vigonza. Hij zette de televisie uit en vroeg: 'Zei je vader eigenlijk waar hij was?'

'Nee,' antwoordde Paola verbaasd. 'Nee, ik geloof het niet.'

Brunetti keek op zijn horloge. 'Als ik hem nu bel en hij is er niet, dan maak ik je moeder wakker, denk je niet?'

'Dat weet ik wel zeker.'

'Dan moet het maar wachten,' zei hij. Hij pakte zijn mok op, maar de inhoud was koud geworden dus zette hij hem weer terug.

Hij sliep die nacht niet erg goed en om halfzeven liep hij al op straat. Het regende, maar hij had er weinig erg in. Hij liep in de richting van San Aponal en de *edicola*, de krantenkiosk. De koppen schreeuwden hem tegemoet en hij kocht vier ochtendkranten. De verkoper gaf hem zijn wisselgeld terug en was weer even knorrig als voorheen. 'Die verrekte regen. Houdt het dan nooit 's op?' bromde hij.

Brunetti zei niets en liep terug naar huis, zonder te stoppen om een verse *brioche* te kopen. Hij zette een pot koffie en deed een pannetje melk op het vuur. Toen de melk kookte, goot hij die op de warme koffie en ging aan de tafel zitten, waar de stapel kranten en zijn leesbril wachtten.

Paola verscheen een halfuur later en zag hem aan de keukentafel zitten met alle kranten uitgespreid op tafel. Ze schonk zichzelf de resterende koffie in, deed er suiker in en roerde. Ze kwam achter hem staan en legde haar hand op zijn schouder. 'En?' vroeg ze.

'Ik ben niet veel wijzer geworden dan wat we gisteren hebben gehoord; twee man in een voorstad van Padova. Iemand heeft de carabinieri gebeld dat er terroristen zaten die het op Amerikaanse doelen hadden gemunt.'

'Welke doelen?'

'Dat zeggen ze niet. Dat wil zeggen: het staat niet in de krant.'
Hij hield de krant die hij las voor haar op.

'Ga door,' zei ze. Ze had nog steeds haar hand op zijn schouder en leek haar koffie te vergeten.

'Ze zijn erop afgegaan. We hebben gezien dat ze op volle sterkte aanwezig waren. Auto's, jeeps en god weet hoeveel mankracht.' Hij trok een van de kranten naar zich toe, sloeg hem dicht en liet haar de foto op de voorpagina zien. Het was er een van het flatgebouw, met de ziekenbroeders en de zo te zien werkloos toeziende carabinieri.

'Hier staat dat de carabinieri die kerels wilden verrassen,' zei Brunetti.

Paola boog zich over de krant en wees naar de foto. 'Met een halve tankbrigade voor de deur?'

'De mannen die zich in de flat bevonden,' begon Brunetti voor te lezen, 'verzetten zich met geweld, waardoor de carabinieri werden gedwongen zich te verdedigen. In het vuurgevecht dat ontstond, is een van de carabinieri in de arm geschoten en hebben de twee vermeende terroristen het leven verloren.' Hij las een paar regels voor zichzelf en daarna weer hardop: 'Tussen de papieren die in de flat zijn gevonden zaten een schets van de Amerikaans ambassade in Rome en een tekening van wat vermoedelijk het systeem van waterleidingen van de Amerikaanse basis in Vicenza is.' Brunetti zette zijn bril af en legde die op de krant. 'Er is een verklaring van iemand die ze betitelen als "een lid van de speciale antiterreurbrigade". De man zegt dat de plaatselijke overheden de operatie uitstekend hebben uitgevoerd en dat men vermoedt dat verder onderzoek zal uitwijzen dat de groepering banden onderhield met internationale cellen.'

Paola liep naar de gootsteen en gooide haar koud geworden koffie weg. Ze schroefde de koffiepot open, spoelde hem uit en vulde hem opnieuw met water. 'Wil jij nog?' vroeg ze.

'Nee, bedankt. Ik heb genoeg gehad.'

Ze zette de pot op het fornuis en kwam tegenover hem zitten. Ze wees naar de kranten en vroeg: 'Wat betekent dit nou allemaal?'

'Het kan van alles zijn,' zei Brunetti. 'Misschien was het inderdaad een trefpunt voor terroristen, maar daar houdt het niet mee op.'

'Je hebt je koffie achter de kiezen, dus vertel op.'

'Wat me zo verbaast, is dat ze het niet hebben over de nationaliteit van de slachtoffers en dat er geen namen zijn vrijgegeven. Verder staat nergens met welke terreurorganisatie ze banden zouden hebben.'

'Op CNN hadden ze het toch over Al-Qaeda?'

'Ja, die zeggen dat al als iemand dubbel parkeert,' antwoordde Brunetti geïrriteerd. Toen, rustiger: 'Je vader heeft me dan wel gebeld, maar híj op zíjn beurt was gewaarschuwd door een kennis. Maar je vader zou me niet bellen als het niet iets te maken heeft met de dood van die Afrikaan. Ik heb alleen geen idee.'

De koffie begon te pruttelen en Paola pakte de pot van het vuur. 'Ga dan maar gauw naar de Questura en kijk maar wat ze daar te vertellen hebben.'

Op de Questura, waar hij even na achten aankwam, was het even rustig als altijd op dat uur. Hij ging naar zijn kamer, maar omdat hij de kranten al had gelezen, restte hem niets anders dan de stapel werk door te nemen die zich in de loop van de maand had opgestapeld. Als de mensen van het ministerie tijdens zijn afwezigheid zo vriendelijk waren geweest zijn telefoon op te nemen, hadden ze dan niet meteen zijn papierwerk voor hem kunnen doen?

Hij werkte gestaag door tot een uur of elf, toen de telefoon ging. Hij liet 'm zes keer overgaan omdat hij juist lekker op de automatische piloot bezig was en daarin niet gestoord wilde worden. 'Ja?' nam hij een tikkeltje geïrriteerd op.

'Goedemorgen, commissario,' zei signorina Elettra.

'Neem me niet kwalijk,' zei hij. 'Ik heb vast te veel koffie gedronken vanochtend.'

'Dat geldt dan zeker ook voor de vice-questore.'

'Pardon?'

'Hij is nogal, wat zal ik zeggen, uitgelaten. Hij wil u even spreken.'

'Ik kom eraan.' Hij wist niet precies wat hij zich moest voorstellen bij een uitgelaten Patta, maar toen hij een paar minuten later diens kamer binnenliep, begreep hij het, want hij werd begroet door een vrolijke glimlach waarin Brunetti wel een flinke dosis zelfgenoegzaamheid ontwaarde.

'Aha, Brunetti!' klonk het opgewekt. 'Ik ben blij je te zien. Ik heb een paar dingetjes om met je door te nemen.'

'Is dat zo, meneer?'

'Ga zitten,' zei Patta en hij wees op een stoel. 'We hebben het allemaal druk, dus ik zal het kort houden,' begon hij, waar Brunetti uit opmaakte dat Patta óf een vroege lunchafspraak had óf buiten de stad ging eten.

'Ja, meneer?'

'Het gaat over die zwarte man die is vermoord,' vervolgde hij. 'Liever gezegd, over je gebrek aan vertrouwen toen ik je zei dat hogere autoriteiten zich met die zaak gingen bezighouden.' De laatste zin werd op een haast kameraadschappelijke toon uitgesproken. Hij zweeg om Brunetti de gelegenheid te geven te reageren, maar toen dat uitbleef, ging hij verder: 'Ik heb je al meteen gezegd dat ze donders goed wisten met wat voor lieden ze te maken hadden.' Hij zag dat Brunetti grote ogen opzette en zei: 'Jazeker. Het was een terroristische cel en de man die vermoord is, maakte daar deel van uit.'

'Hebt u het over die toestand in Vigonza?' vroeg Brunetti.

'Wis en waarachtig. Ik heb de hele ochtend met mijn collega' – o, wat vond hij het heerlijk om dat te zeggen – 'van Binnenlandse Zaken overlegd. Hij heeft me op de hoogte gebracht van wat ze weten over de slachtoffers.'

'En dat is?'

'Het nieuws dat tot nu naar buiten is gekomen, is juist. Ze waren lid van een terroristische organisatie. Geen twijfel mogelijk. Wat ze niet weten, is met welke grotere groepering ze banden hadden.'

'Daar komen ze vast nog wel achter,' zei Brunetti.

Patta glimlachte en zei: 'Uiteraard. Ik ben blij dat je dat inziet.'

'Van wie kwam de tip eigenlijk?'

'Het was een anoniem telefoontje vanuit een telefooncel. Het enige dat werd gezegd, was waar de politie het moest zoeken.'

'De politie? Ik zag niet anders dan carabinieri en jeeps.' Hij zei maar niets over de sedans.

'Het was een gezamenlijke actie,' was 'het gesmeerde antwoord. Brunetti herinnerde zich ook mannen met bivakmutsen, maar hij zei maar niets.

'Het was de bedoeling dat ze de lieden in de flat zouden verrassen, maar we denken dat ze wisten wat er ging gebeuren.'

'Wie weet hebben ze wel uit het raam gekeken,' opperde Brunetti.

'Geen idee,' klonk het nu een tikkeltje geërgerd. 'Ik weet wel dat de terroristen het vuur hebben geopend zodra het commandoteam binnenviel. Ze konden niet anders dan terugschieten en in het vuurgevecht dat volgde zijn de twee gedood. Gelukkig is aan onze kant slechts sprake van een lichte verwonding.'

Brunetti moest zich bedwingen om niet iets in de trant van 'amen' te zeggen.

'Bij het doorzoeken van de flat zijn wapens en papieren gevonden, om precies te zijn een arsenaal aan wapens en een hoop valse paspoorten. Een van de wapens is van hetzelfde kaliber als die waarmee de man in Campo Santo Stefano is vermoord. Waar men voorlopig van uitgaat, is dat de heren ruzie hebben gekregen en dat men heeft besloten de dissident te elimineren.'

Brunetti dacht koortsachtig na. Een van de eerste dingen die uit signorina Elettra's computer waren gehaald, was de beschrijving van de daders als blank, wellicht mediterraan, plus de namen van de getuigen.

'Mijn collega van het ministerie heeft me deze foto's ter hand gesteld,' ging Patta verder. Hij wees op de dossiermap op zijn bureau.

'Worden ze gepubliceerd?' vroeg Brunetti.

'Misschien in de toekomst, maar er zitten een paar nogal schokkende bij.'

Brunetti wist dat hij ze zou herkennen en toen hij de foto's zag, close-ups van de zwarten die hij in het appartement in Castello had gesproken, was dat geen verrassing. Hij keek in de ooit vriendelijke ogen van de leider en zag het profiel van de jongere man, die in de dood even opgefokt oogde als tijdens zijn leven. Er zat ook een overzichtsfoto bij, van grotere afstand genomen, waarop de hele kamer te zien was en wat hij daar zag, verbaasde Brunetti zeer. De leider lag op zijn rug, een machinegeweer op zijn borst en één hand aan de geweerlade; de jongere man lag op zijn linkerzij, een pistool in zijn uitgestoken rechterhand geklemd.

'Oké,' zei Brunetti terwijl hij de foto's in Patta's richting schoof.

'Ik hoop dat je nu inziet dat de heren van Binnenlandse Zaken heel goed wisten waar ze mee bezig waren.'

Brunetti stond op en zei: 'Dat geloof ik graag.'

27

Brunetti liep de trap op en besefte dat hijzelf de bron was van de lage, zoemende brom die hij hoorde. Hij dwong zichzelf daarmee op te houden en hoopte maar dat de haast fysieke druk in zijn hoofd en borst erdoor zou afnemen. Het leek te helpen en toen hij weer in zijn eigen kamer was, leek zijn woede genoeg gekoeld dat hij weer helder kon denken.

Het was eigenlijk heel eenvoudig allemaal: bestorm de flat met grof geweld, schiet die mannen overhoop en verzin maar een verklaring die de mensen wel zullen slikken. Terrorisme was het hedendaagse toverwoord. Het was heel goed denkbaar dat de aanwezige carabinieri niet eens wisten wat er gaande was. Ze waren gewoon ingezet als figuranten, alsof het een uitvoering van de *Aida* was waar ze een keer of wat over het toneel mochten lopen om de indruk weg te nemen dat het misschien wel om een goedkope productie ging.

Hij dacht aan de televisiebeelden: de blauwe sedans, de kleding van de mannen met de bivakmutsen waar niets op stond. Als hij zijn best deed, kon hij misschien het rapport dat de carabinieri hadden opgesteld inzien, maar dan nog was het maar de vraag of erin zou staan wie de gemaskerde mannen waren of welke eenheid het eerst naar binnen was gegaan.

Hij probeerde zich voor de geest te halen of er iets van de kamer waar de lijken lagen te zien was. Voor hetzelfde geld waren ze ergens anders vermoord. De vormen op de brancards waren ook niet meer dan dát. Bloed konden ze overal vandaan halen en waar dan ook op de vloer smeren.

Hij moest eens ophouden; zijn fantasie was echt op hol geslagen. Ze hadden het tweetal doodeenvoudig naar huis kunnen volgen, waar ze ook onderdak hadden gevonden, dan was de klus met veel minder bombarie geklaard en waren naast de bedenkers alleen degenen die het vuile werk hadden opgeknapt op de hoogte.

Hij liep naar de kast en pakte van de plank de metalen kist waarin hij zijn dienstpistool bewaarde. Hij zette de kist op zijn bureau, maakte het slot open en pakte de lap met het houten kopje. Hij wikkelde het lapje eraf en zette het op zijn bureau, maar door de splinters kon het niet staan en het rolde meteen om. Hij pakte het op en bekeek het eens goed. Hoewel de mond geen glimlach vertoonde, zag het gezicht er vredig uit. Het licht weerkaatste op de vernis en met zijn wijsvinger trok hij het zigzaggende patroon op het voorhoofd na tot hij bij het begin uitkwam.

'Chokwe...' Hij probeerde het net zo uit te spreken als professoressa Winter. Hij wikkelde het kopje weer in de lap, stopte het bundeltje terug in de kist en zette die weer op de plank. Het was tijd om naar huis te gaan.

Gedurende twee dagen besteedde Brunetti geen woord aan de zaak. Hij stond zichzelf niet eens toe erover na te denken. Zijn collega's vonden hem een tikkeltje afwezig, maar niemand die er verder aandacht aan schonk. De ochtend van de derde dag na de gebeurtenissen in Vigonza belde zijn schoonvader. Het was zaterdag en de graaf belde Brunetti uit bed.

'Guido?' vroeg de graaf. 'Heb je de krant al gehaald?'

'Nog niet, nee,' zei Brunetti slaperig.

'Ik raad je aan *Il Sole 24 Ore* te kopen. Let op het korte bericht op pagina 11 onderaan. Misschien vind je daar antwoorden.'

Nog voor Brunetti had kunnen reageren, had de graaf al opgehangen. Paola lag nog roerloos onder de dekens. Brunetti stond op, kleedde zich aan, kocht de krant en op de terugweg een paar gebakjes. Hij zette ze op het aanrecht en maakte een pot koffie. Om de een of andere reden schoof hij het lezen van het artikel voor zich uit. Pas toen de koffie klaar was en hij aan de tafel zat, sloeg hij de zachtoranje krant met de joekels van letters open op pagina 11.

Zijn blik viel op twee artikelen onder aan de pagina, elk één kolom van een centimeter of vijftien. Het eerste artikel had als kop UBS SCHRAPT 600 BANEN NA REORGANISATIE. Brunetti las het bijbehorende artikel niet.

Het tweede stukje had als kop: MILANEES MIJNBOUWCONSORTIUM TEKENT CONTRACT IN AFRIKA. Hij zette zijn koffie neer en begon te lezen. Een groep van Milanese exploratiemaatschappijen die zich bezighielden met zowel mijnbouw als olie had een tienjarig contract gesloten met de Angolese regering. Het consortium had exclusieve rechten voor exploratie en het delven van 'alle bodemschatten en bijproducten' in het oostelijk deel van de voormalige kolonie van Portugal. Het contract kon worden gesloten, zo werd uitgelegd, dankzij de belangrijke overwinningen die het regeringsleger had geboekt in de strijd tegen de opstandelingen van de Lunda- en Chokwestammen. Men verwachtte dat de verdwijning van een van de rebellenleiders, van wie men vermoedde dat hij was gedood, het vredesproces in het al tien jaar door rellen geteisterde gebied zou bespoedigen. Giorgio Muffatti, een van de directeuren van het conglomeraat, zei desgevraagd dat het contract werk betekende voor minimaal vijfhonderd man van de diverse betrokken bedrijven en twee keer dat aantal voor de lokale bevolking. 'Het contract zal ertoe bijdragen dat de vrede in dit door burgeroorlogen verscheurde land wordt hersteld.' Muffatti sprak zijn dank uit aan het ministerie van Buitenlandse Zaken van Italië. 'Hun hulp alsmede de nauwe banden die Italië onderhoudt met het officiële regime van Angola, waren onontbeerlijk bij het totstand komen van dit project.' Er werden verder geen bijzonderheden over het contract bekendgemaakt, maar men hoopte na de voorjaarsmoesson met de voorbereidingen te kunnen beginnen.

Paola kwam slaapdronken de keuken in. Brunetti keek op en zag dat ze in haar ogen wreef en hem stond aan te gapen. 'Is de telefoon nou vanochtend vroeg gegaan?' vroeg ze terwijl ze naar het aanrecht liep om verse koffie te zetten.

'Ja.'

'Wie was het?'

'O, niemand. Verkeerd nummer of zo.'

Ze bewoog zich werktuiglijk, vulde de koffiepot met water, deed de koffie in het filter en draaide de bovenkant erop. Terwijl zij bezig was, vouwde hij de krant dicht, legde hem opzij en sloeg de *Gazzettino* open. Ze kwam achter hem staan en legde haar armen op zijn schouders. 'Waarom ben je zo vroeg opgestaan?'

'Ik weet niet. Ik was wakker.'

Ze zag het doosje van de banketbakker op het aanrecht staan en maakte het open. 'Guido!' zei ze verrukt. 'Je bent een schat.'

De koffie pruttelde, dus ze schonk zichzelf een kopje in, goot er wat van de melk in die hij op het fornuis had laten staan en kwam aan tafel zitten. Ze nam een slokje, en vroeg: 'Toe, wie belde er nou?'

'Je vader,' zei hij, zich afvragend waarom hij na al die jaren niet beter was in liegen.

'Zo vroeg? Wat had hij?'

'Iets over die Afrikaan.'

'Kun je het gebruiken?'

'Ik denk het.'

'Vertel.'

'Hij heeft me de richting gewezen waar ik het moest zoeken. Ik heb nu een idee wie het was en waarom hij dood moest.' Ze nam nog een slokje. 'En?'

'Patta had gelijk. Het was geen zaak voor ons.'

'Nee?' vroeg ze oprecht verbaasd.

Hij schudde zijn hoofd.

Het was even stil. 'Wat ben je met die diamanten van plan?' Brunetti schrok er haast van. Hij was de diamanten glad vergeten. 'Die zitten in een kluis,' zei hij.

'Dat mag ik hopen, maar wat ga je ermee doen?'

Hij pakte zijn kopje, maar het was leeg en hij had geen zin om de koffiepot te pakken. De man die de diamanten in zijn bezit had, was dood en wat hij met de opbrengst voor ogen had, leek nu een verloren zaak. Ze lagen werkeloos in de kluis en kregen pas waarde als iemand er waarde aan gaf. 'Geen idee,' moest hij toegeven.

'Heb je plannen?'

'Met die diamanten?'

'Nee, voor vandaag.'

Hoewel hij een uur geleden naar San Aponal was gelopen, had hij helemaal niet gemerkt wat voor weer het was. Hij keek uit het raam, richting bergen en toen hij ze in de verte zag liggen, begreep hij dat het een heldere dag was. 'Misschien naar St. Elena en dan naar het Lido voor een strandwandeling.'

'Lekker uitwaaien?' vroeg ze met haar eerste glimlach van die dag.

Hij haalde zijn schouders op. Ze zwegen een tijdje, totdat Brunetti zei: 'Claudio zou ze kunnen verkopen en met de opbrengst kan don Alvise heel wat mensen helpen.'

'Dat lijkt me beter dan dat ze ergens in een kluis liggen.'

'En beter dan waar ze oorspronkelijk voor bedoeld waren,' zei Brunetti. 'Tenminste, dat denk ik,' voegde hij er meteen aan toe.

Hij voelde zich meteen beter en stond op om nog wat koffie te pakken. Hij bleef even staan en keek uit het raam, naar de besneeuwde bergtoppen in de verte: puur, hooghartig en in eeuwige onwetendheid over de lasten en lusten der mensheid.

'Kleed je maar aan,' zei hij, 'dan gaan we een stukje wandelen.'